UM CAPRICHO DOS DEUSES

OBRAS DO AUTOR PUBLICADAS PELA EDITORA RECORD

As areias do tempo
Um capricho dos deuses
O céu está caindo
Escrito nas estrelas
Um estranho no espelho
A herdeira
A ira dos anjos
Juízo final
Lembranças da meia-noite
Manhã, tarde & noite
Nada dura para sempre
A outra face
O outro lado da meia-noite
O plano perfeito
Quem tem medo de escuro?
O reverso da medalha
Se houver amanhã

INFANTOJUVENIS
Conte-me seus sonhos
Corrida pela herança
O ditador
Os doze mandamentos
O estrangulador
O fantasma da meia-noite
A perseguição

MEMÓRIAS
O outro lado de mim

COM TILLY BAGSHAWE
Um amanhã de vingança (sequência de *Em busca de um novo amanhã*)
Anjo da escuridão
Depois da escuridão
Em busca de um novo amanhã (sequência de *Se houver amanhã*)
Sombras de um verão
A senhora do jogo (sequência de *O reverso da medalha*)
A viúva silenciosa
A fênix

Sidney Sheldon

UM CAPRICHO DOS DEUSES

32ª EDIÇÃO

tradução de **A.B. PINHEIRO DE LEMOS**

EDITORA RECORD
RIO DE JANEIRO • SÃO PAULO
2025

CIP-BRASIL. CATALOGAÇÃO-NA-FONTE
SINDICATO NACIONAL DOS EDITORES DE LIVROS, RJ

Sheldon, Sidney, 1917-2007
S548c Um capricho dos Deuses / Sidney Sheldon; tradução de
32ª ed. A. B. Pinheiro de Lemos. - 32ª ed. - Rio de Janeiro: Record, 2025.

Tradução de: Windmills of the Gods
ISBN 978-85-01-09396-7

1. Romance americano. I. Lemos, A. B. Pinheiro de (Alfredo Barcellos Pinheiro de), 1938-. II. Título.

CDD: 813
11-0267 CDU: 821.111(73)-3

Título original em inglês:
WINDMILLS OF THE GODS

Texto revisado segundo o Acordo Ortográfico da Língua Portuguesa de 1990.

Impresso no Brasil

ISBN 978-85-01-09396-7

Prólogo

PERHO, FINLÂNDIA

A REUNIÃO FOI REALIZADA numa cabana confortável, preparada para resistir a qualquer tempestade, numa área remota de bosques, a 340 quilômetros de Helsinque, perto da fronteira russa. Os membros da divisão ocidental do Comitê chegaram discretamente, a intervalos regulares. Vinham de oito países diferentes, mas um importante ministro do Valtioneuvosto, o conselho de Estado finlandês, cuidara de tudo e não havia visto de entrada em seus passaportes. À chegada, guardas armados escoltavam os visitantes até a cabana. Depois que o último apareceu, a porta da cabana foi trancada e os guardas tomaram suas posições, sob o vento uivante de janeiro, alertas a qualquer sinal de intrusos.

Os homens sentados à mesa grande e retangular eram poderosos, ocupavam altos cargos em seus respectivos governos. Já haviam se encontrado antes, em circunstâncias menos clandestinas, e confiavam uns nos outros porque não tinham opção. Como medida de segurança adicional, cada um recebera um codinome.

A reunião já se prolongava há quase cinco horas, e a discussão era acalorada.

O presidente acabou decidindo que estava na hora de fazer uma votação. Levantou-se, um homem muito alto, virou-se para o companheiro sentado à sua direita.

— Sigurd?

— Sim.

— Odin?

— Sim.

— Balder?

— Estamos sendo precipitados. Se isso vier à tona, nossas vidas estariam...

— Sim ou não, por favor?

— Não...

— Freyr?

— Sim.

— Sigmund?

— *Nein*. O perigo...

— Thor?

— Sim.

— Tyr?

— Sim.

— Eu também voto sim. A resolução está aprovada. Informarei ao Controlador. Em nossa próxima reunião comunicarei a sua recomendação para a pessoa mais bem qualificada para executar a proposta. Manteremos as precauções habituais e sairemos a intervalos de vinte minutos. Obrigado, senhores.

Duas horas e 45 minutos depois, a cabana estava deserta. Um grupo de especialistas, levando querosene, entrou em ação e ateou fogo à cabana, as chamas vermelhas atiçadas pelo vento.

Quando *apalokunta*, a brigada de incêndio de Perho, chegou ao local, nada mais restava para se ver, além das brasas fumegantes que destacavam a cabana contra a neve.

O assistente do chefe dos bombeiros aproximou-se das cinzas, inclinou-se e cheirou.

— Querosene — murmurou. — O incêndio foi proposital.

O chefe olhava fixamente para as ruínas, com expressão aturdida.

— É muito estranho...

— O quê?

— Estive caçando nesta área na semana passada. Não havia nenhuma cabana por aqui.

LIVRO PRIMEIRO

Capítulo 1

WASHINGTON, D.C.

STANTON ROGERS ESTAVA fadado a ser presidente dos Estados Unidos. Era um político carismático, atraía a atenção de um público que o aprovava, contava com o apoio de amigos poderosos. Infelizmente para Rogers, a libido interrompeu sua carreira. Ou, como comentaram os maledicentes de Washington:

— O velho Stanton fodeu-se no caminho para a presidência.

Não se diga que Stanton Rogers se imaginava um Casanova. Ao contrário, fora um marido exemplar até aquela aventura romântica fatal. Era bonito, rico, e estava se encaminhando para um dos cargos mais importantes do mundo; tivera muitas oportunidades para enganar a esposa, mas nunca pensara em outra mulher.

Houve uma segunda ironia, talvez maior: a esposa de Stanton Rogers, Elizabeth, era comunicativa, bonita e inteligente, e os dois partilhavam um interesse comum em quase tudo, enquanto Barbara, a mulher por quem Rogers se apaixonou e acabou casando, depois de um divórcio que foi a delícia dos colunistas, era cinco anos mais velha, tinha um rosto agradável mas não era bonita, e parecia não ter nada em comum com ele. Stanton era atlético; Barbara detestava todas as formas de exercício físico. Stanton era gregário; Barbara preferia ficar a sós com o marido ou então receber apenas pequenos grupos. A maior surpresa para os que conheciam Stanton Rogers era a diferença política. Stanton era um liberal, enquanto Barbara fora criada numa família de arquiconservadores.

Paul Ellison, o maior amigo de Stanton, comentara:

— Você deve ter perdido o juízo! Você e Liz estavam praticamente no *Livro Guinness de Recordes Mundiais* como o casal perfeito. Não pode jogar tudo isso fora por uma trepada rápida.

Stanton Rogers respondera tensamente:

— Não fale assim, Paul. Estou apaixonado por Barbara e vamos casar assim que eu obtiver o divórcio.

— Tem alguma ideia das consequências para a sua carreira?

— Metade dos casamentos deste país termina em divórcio. Não fará a menor diferença.

Revelara-se um péssimo profeta. As notícias do divórcio litigioso foram um maná para a imprensa, e as publicações sensacionalistas divulgaram tudo, inclusive fotografias do ninho de amor de Stanton Rogers e histórias de encontros secretos à meia-noite. Os jornais sustentaram a história por tanto tempo quanto foi possível. Quando o furor finalmente se desvaneceu, os amigos poderosos que apoiavam Stanton Rogers em seu caminho para a presidência haviam desaparecido. Encontraram um novo cavaleiro andante para apoiar: Paul Ellison.

ELLISON ERA UMA escolha sensata. Podia não possuir a aparência atraente e o carisma de Stanton Rogers, mas era inteligente, simpático e tinha os antecedentes certos. Era baixo, feições regulares, olhos azuis que irradiavam sinceridade. Estava casado e feliz há dez anos com a filha de um magnata do aço; ele e Alice eram conhecidos como um casal afetuoso e apaixonado.

Como Stanton Rogers, Paul Ellison cursara Yale e se formara pela Faculdade de Direito de Harvard. Os dois haviam sido criados juntos. Suas famílias possuíam casas de veraneio vizinhas em Southampton, e os garotos iam à praia, organizavam times de beisebol e, mais tarde, saíam juntos com namoradas. Foram da mesma turma em Harvard. Paul Ellison saíra-se muito bem, mas Stanton Rogers fora o astro da turma. O pai de Stanton Rogers era sócio sênior de um prestigiado escritório de advocacia de Wall Street. Stanton trabalhava lá nas férias de verão e arrumou para que Paul o acompanhasse. Assim que saiu da faculdade, a estrela política de Stanton Rogers começou a subir meteoricamente; e se ele era o cometa, Paul Ellison era a cauda.

O divórcio mudou tudo. Foi Stanton Rogers quem se tornou agora o apêndice de Paul Ellison. A trilha que levava ao topo da montanha exigiu quase quinze anos para ser percorrida. Ellison perdeu uma eleição para o Senado, ganhou a seguinte, e nos quatro anos subsequentes tornou-se um legislador objetivo e destacado. Lutou contra o desperdício no governo e a burocracia de Washington. Era um populista, e acreditava na *détente* internacional. Foi convidado a fazer o discurso de ratificação da candidatura do Presidente, que concorria à reeleição. Fez um discurso brilhante e arrebatado, que impressionou todo mundo. Quatro anos depois, Paul Ellison foi eleito presidente dos Estados Unidos. Sua primeira nomeação foi de Stanton Rogers como assessor presidencial para a política externa.

A TEORIA DE Marshall McLuhan de que a televisão transformaria o mundo numa aldeia global se tornara realidade. A posse do 42º presidente dos Estados Unidos foi transmitida via satélite para mais de 190 países.

No Black Rooster, um ponto de encontro dos jornalistas de Washington, Ben Cohn, um veterano repórter político de *The Washington Post*, estava sentado a uma mesa em companhia de quatro colegas, assistindo à posse no enorme aparelho de televisão que ficava por cima do balcão.

— O filho da mãe me custou cinquenta dólares — queixou-se um dos repórteres.

— Eu bem que avisei para não apostar contra Ellison — disse Ben Cohn. — Ele tem magia. Devia ter acreditado nisso.

A câmera mostrou a enorme multidão concentrada na Pennsylvania Avenue, encolhida em sobretudos contra o gelado frio de janeiro, ouvindo a cerimônia pelos alto-falantes em torno do palanque. Jason Merlin, presidente do Supremo Tribunal dos Estados Unidos, terminou de fazer o juramento. O novo presidente apertou-lhe a mão e adiantou-se para o microfone.

— Olhem só para aqueles idiotas congelando lá na rua — comentou Ben Cohn. — Sabem por que não estão em suas casas, como seres humanos normais, assistindo pela televisão?

— Por quê?

— Porque um homem está fazendo história, meus amigos. Um dia todas aquelas pessoas contarão a seus filhos e netos que estavam presentes no momento em que Paul Ellison prestou juramento. E vão se gabar: "Fiquei tão perto que poderia até tocá-lo."

— Você é um cético, Cohn.

— E me orgulho disso. Todos os políticos do mundo são iguais. Querem tudo o que puderem conseguir. A verdade, meus amigos, é que nosso novo presidente é um liberal e idealista. A combinação é suficiente para deixar qualquer homem inteligente com pesadelos. Minha definição de um liberal é: um homem que está com o rabo firmemente assentado em nuvens de algodão.

A verdade é que Ben Cohn não era um cético como dava a impressão. Cobrira a carreira de Paul Ellison desde o início. A princípio não ficara impressionado, mas começara a mudar de opinião à medida que Ellison galgava a hierarquia política. Compreendera que se tratava de um homem que não se curvava ante ninguém. Um carvalho numa floresta de salgueiros.

Lá fora, o céu explodia em lençóis gelados de chuva. Ben Cohn esperava que aquele tempo não fosse um presságio para os quatro anos que vinham pela frente. Tornou a concentrar a atenção no aparelho de televisão.

— A presidência dos Estados Unidos é uma tocha iluminada pelo povo americano e passada de mão em mão a cada quatro anos. A tocha que foi confiada aos meus cuidados é a arma mais poderosa do mundo. É bastante poderosa para destruir a civilização como a conhecemos ou se tornar um farol que iluminará o futuro para nós e para o resto do mundo. A opção é nossa. Dirijo-me hoje não apenas aos nossos aliados, mas também aos países no campo soviético. Digo a eles agora, quando nos preparamos para ingressar no século XXI, que não há mais espaço para confrontações e que devemos aprender a fazer com que a expressão *um só mundo* se torne realidade. Qualquer outro curso só pode criar um holocausto do qual nenhuma nação jamais se recuperará. Sei muito bem que existem vastos abismos entre nós e os países da Cortina de Ferro, mas a maior prioridade desta administração será construir pontes sólidas através desses abismos.

As palavras estavam impregnadas de profunda sinceridade. *Ele fala sério*, pensou Ben Cohn. *Só espero que ninguém assassine o filho da mãe.*

EM JUNCTION CITY, KANSAS, o tempo era horrível, cinzento e desolado; nevava tanto que a visibilidade na Rodovia 6 era quase zero. Mary Ashley guiava sua caminhonete com toda a cautela pelo meio da estrada, onde os removedores de neve haviam trabalhado. A tempestade faria com que chegasse atrasada para a aula. Avançava devagar, tomando cuidado para não derrapar.

A voz do presidente saía pelo rádio do carro:

— ...muitas pessoas no governo e também na iniciativa privada que insistem em que os Estados Unidos devem abrir mais fossos, em vez de construírem pontes. Minha resposta é de que não temos mais condições de nos condenarmos ou a nossos filhos a um futuro ameaçado por confrontações globais e guerra nuclear.

Mary Ashley pensou: *Fico contente por ter votado nele. Paul Ellison vai ser um grande presidente.*

Pressionou o volante com toda força, enquanto a neve se tornava um ofuscante turbilhão branco.

EM ST. CROIX, o sol tropical brilhava num céu azul e sem nuvens, mas Harry Lantz não tinha a menor intenção de sair. Estava se divertindo muito dentro do quarto: na cama, nu, espremido entre as irmãs Dolly. Lantz tinha a prova empírica de que elas não eram realmente irmãs. Annette era alta, uma morena natural, enquanto Sally, também alta, era uma loura natural. Não que Harry Lantz se importasse que elas fossem irmãs genuínas. O que importava era que as duas eram competentes no que faziam, forçando Lantz a gemer alto de prazer.

No outro lado do quarto do motel a imagem do presidente piscava na tela da televisão.

— ...porque estou convencido de que não existe nenhum problema que não possa ser resolvido com boa vontade sincera dos dois lados. O muro de concreto que cerca Berlim Oriental e as cortinas de ferro em torno dos outros países-satélite da União Soviética devem ser derrubados.

Sally suspendeu suas atividades o tempo suficiente de perguntar:

— Quer que eu desligue essa porra, meu bem?

— Deixe ligada. Quero ouvir o que ele tem a dizer.

Annette levantou a cabeça.

— Votou nele?

Harry Lantz gritou:

— Ei, vocês duas! Voltem ao trabalho!

— Como todos sabem, há três anos, depois da morte do presidente Nicolae Ceauşescu, a Romênia rompeu as relações diplomáticas com os Estados Unidos. Quero comunicar neste momento que já entramos em contato com o governo da Romênia e seu presidente, Alexandros Ionescu. Ele concordou em restabelecer as relações diplomáticas com nosso país.

A multidão na Pennsylvania Avenue aclamou a comunicação. Harry Lantz sentou na cama tão abruptamente que os dentes de Annette se cravaram em seu pênis.

— Ai! — gritou Lantz. — Já fui circuncidado! Que porra você está querendo fazer?

— Por que se mexeu, meu bem?

Lantz não a ouviu. Tinha os olhos grudados no aparelho de televisão.

— Um dos nossos primeiros atos oficiais será enviar um embaixador para a Romênia — dizia agora o presidente. — E isso é apenas o começo...

Era o final da tarde em Bucareste. O inverno se tornara inesperadamente brando, e as ruas do antigo mercado estavam apinhadas de cidadãos entrando em filas para fazer compras, aproveitando o imprevisto calor.

Alexandros Ionescu, presidente da Romênia, estava sentado em seu gabinete, em Peles, o velho palácio, na Calea Victoriei, cercado por meia dúzia de assessores, escutando a transmissão por um rádio de ondas curtas.

— ...não tenho a intenção de parar por aí — dizia o presidente americano. — A Albânia rompeu relações diplomáticas com os

Estados Unidos em 1946. Pretendo restabelecer as ligações. Além disso, quero reforçar nossas relações diplomáticas com a Bulgária, Tchecoslováquia e Alemanha Oriental.

Aplausos e aclamações soaram através do rádio.

— Enviar nosso embaixador para a Romênia é o princípio de um movimento mundial de povo-para-povo. Jamais nos esqueçamos de que toda a humanidade partilha uma origem comum, problemas comuns e um destino final comum. Vamos nos lembrar que os problemas que partilhamos são maiores do que os problemas que nos dividem, e o que nos divide foi criado por nós mesmos.

NUMA VILLA fortemente guardada em Neuilly, um subúrbio de Paris, o líder revolucionário romeno Marin Groza assistia ao presidente dos Estados Unidos pelo Chaîne 2 Télévision.

— ...Prometo agora que farei o melhor que puder e pedirei o melhor de outros.

Os aplausos se prolongaram por cinco minutos. Marin Groza comentou, pensativo:

— Acho que o nosso momento chegou, Lev. Ele fala sério.

Lev Pasternak, seu chefe de segurança, respondeu:

— Essa atitude não vai ajudar Ionescu?

Marin Groza sacudiu a cabeça.

— Ionescu é um tirano e, ao final, nada o ajudará. Mas preciso ter muito cuidado com a escolha do momento certo. Fracassei quando tentei derrubar Ceauşescu. Não posso fracassar de novo.

PETE CONNORS NÃO estava bêbado — ou pelo menos não tão bêbado quanto tencionava ficar. Já consumira quase uma garrafa de uísque quando Nancy, a secretária com quem ele vivia, indagou:

— Não acha que já bebeu o suficiente, Pete?

Ele sorriu e esbofeteou-a.

— Nosso presidente está falando. Você tem de mostrar algum respeito.

Ele se virou para olhar a imagem no aparelho de televisão e gritou para a tela:

— Seu comunista filho da puta! Este é o meu país, e a CIA não vai permitir que você o entregue! Vamos impedir você, Charlie! Pode contar!

Capítulo 2

PAUL ELLISON DISSE:

— Vou precisar muito da sua ajuda, meu velho amigo.

— E a terá toda — respondeu Stanton Rogers suavemente.

Eles estavam sentados no Gabinete Oval, o presidente à sua mesa, com a bandeira americana por trás. Era o primeiro encontro dos dois naquela sala, e o presidente Ellison sentia-se contrafeito.

Se Stanton não tivesse cometido aquele único erro, pensou Paul Ellison, *estaria sentado a esta mesa, no meu lugar.*

Como se lesse os pensamentos do amigo, Stanton Rogers falou:

— Tenho uma confissão a fazer. No dia em que você foi escolhido para candidato à presidência, Paul, fiquei com a maior inveja. Era o *meu* sonho, e você o estava vivendo. Mas quer saber de uma coisa? Acabei compreendendo que se eu não pudesse sentar a esta mesa, então não havia outra pessoa no mundo que eu quisesse que sentasse aí mais do que você. Essa cadeira lhe cai muito bem.

Paul Ellison sorriu.

— Para ser franco, Stan, esta sala me assusta. Sinto aqui os fantasmas de Washington, Lincoln e Jefferson.

— Também tivemos presidentes que...

— Sei disso. Mas sempre tentamos nos mostrar à altura dos grandes.

Apertou o botão na mesa, e segundos depois um copeiro de uniforme branco entrou na sala.

— Pois não, senhor presidente?

Paul Ellison olhou para Rogers.

— Aceita um café?

— Boa ideia.

— Quer alguma coisa para acompanhar?

— Não, obrigado. Barbara quer que eu tome cuidado com a cintura.

O presidente acenou com a cabeça para Henry, o copeiro, que deixou a sala em silêncio.

Barbara. Ela surpreendera a todos. Os comentários em Washington eram de que o casamento não sobreviveria ao primeiro ano. Mas já haviam passado quase quinze anos e era um sucesso. Stanton Rogers montara um prestigioso escritório de advocacia em Washington e Barbara adquirira a reputação de ser uma hábil anfitriã.

Paul Ellison levantou-se e começou a andar de um lado para outro.

— Meu discurso do movimento povo-para-povo teve a maior repercussão. Imagino que já viu todos os jornais.

Stanton Rogers deu de ombros.

— Sabe como é a imprensa. Adora criar heróis, só para depois derrubá-los.

— Para ser franco, não me importo com o que dizem os jornais. Estou mais interessado no que as *pessoas* estão falando.

— Se quer saber a verdade, Paul, você está assustando muita gente. As forças armadas estão contra seu plano e há pessoas poderosas torcendo por seu fracasso.

— Não vai fracassar. — Paul Ellison tornou a sentar. — Sabe qual é o maior problema do mundo hoje em dia? Não há mais estadistas. Os países estão sendo dirigidos por políticos. Houve uma época, não faz muito tempo, em que o planeta era povoado por gigantes, alguns bons, outros maus... mas sem sombra de dúvida gigantes. Roosevelt e Churchill, Hitler e Mussolini, Charles de Gaulle e Josef Stalin. Por que todos viveram naquele momento em particular? Por que não há mais estadistas hoje?

— É muito difícil ser um gigante do mundo numa tela de 21 polegadas.

O copeiro voltou, trazendo uma bandeja de prata com um bule de café e duas xícaras, com o selo presidencial. Ele serviu o café e indagou:

— Deseja mais alguma coisa, senhor presidente?

— Não, Henry. É só. Obrigado.

O presidente esperou que o copeiro se retirasse.

— Preciso conversar com você sobre o nome certo para a embaixada na Romênia.

— Está bem.

— Não preciso lhe dizer como é importante. Quero que aja o mais depressa possível.

Stanton Rogers tomou um gole do café e levantou-se.

— Conversarei com o pessoal do Departamento de Estado imediatamente.

ERAM DUAS HORAS da madrugada no pequeno subúrbio de Neuilly. A *villa* de Marin Groza estava mergulhada na escuridão, a lua escondida por uma densa camada de nuvens de tempestade. As ruas eram silenciosas àquela hora e só de vez em quando se ouviam os passos de algum transeunte retardatário. Um vulto todo de preto avançou sem fazer qualquer barulho entre as árvores, na direção do muro de tijolos que cercava a *villa*. Tinha num ombro uma corda e uma manta, e nos braços aninhava uma Uzi com silenciador e uma pistola de dardos. Ele parou e ficou escutando ao chegar ao muro. Esperou, imóvel, por cinco minutos. Satisfeito, desenrolou a corda de náilon e jogou para cima o gancho atado na sua extremidade, prendendo-o na outra beira do muro. Começou a subir com agilidade. Estendeu a manta no alto do muro, a fim de se proteger contra as pontas de ferro com veneno que ali estavam cravadas. Tornou a ficar imóvel, escutando. Mudou a posição do gancho, largando a corda por dentro do muro. Desceu para o interior da propriedade. Verificou a *balisong* em sua cintura, a mortífera faca filipina que podia ser aberta ou fechada com apenas uma das mãos.

Teria agora de cuidar dos cães. O intruso ficou agachado, esperando que os animais o farejassem. Havia três dobermans, treinados para matar. Mas eram apenas o primeiro obstáculo. O terreno e a casa estavam repletos de artefatos eletrônicos e eram continuamente vigiados por câmeras de televisão. Toda correspondência era recebida no portão e aberta ali pelos guardas. As portas da *villa* eram à prova de bomba. O abastecimento de água era próprio, e Marin Groza tinha um provador de comida. A *villa* era inexpugnável. Ou pelo menos assim se pensava. O vulto de preto estava ali naquela noite para provar que isso não era verdade.

Ouviu o ruído dos cães correndo em sua direção antes de vê-los. Saíram voando da escuridão, saltando para sua garganta. Eram dois. Ele apontou a pistola de dardos e atingiu primeiro o que estava mais próximo, à sua esquerda, depois o outro, à direita, desviando-se dos corpos ao caírem. Virou-se, alerta ao terceiro doberman. Quando o animal atacou, ele tornou a disparar. Depois, houve apenas silêncio.

O intruso sabia onde estavam enterradas as armadilhas sônicas e evitou-as. Esgueirou-se pelas áreas que as câmeras de televisão não cobriam. Menos de dois minutos depois de pular o muro, estava na porta dos fundos da casa.

Ao estender a mão para a maçaneta, foi apanhado pelo súbito clarão de refletores. Uma voz gritou:

— Pare aí! Largue a arma e levante as mãos!

O vulto de preto largou a arma com todo cuidado e levantou os olhos. Havia meia dúzia de homens espalhados pelo telhado, apontando-lhe uma variedade de armas. Ele berrou:

— Por que demoraram tanto? Eu nunca deveria ter chegado a este ponto.

— E não chegou — informou o chefe dos guardas. — Começamos a seguir seu avanço assim que pulou o muro.

Lev Pasternak não abrandou.

— Então deveriam ter me detido mais cedo. Eu poderia estar numa missão suicida, com uma carga de granadas ou um morteiro. Quero uma reunião de toda a equipe de manhã, às oito em ponto. Os cachorros estão apenas narcotizados. Alguém fique de olho neles até acordarem.

Lev Pasternak orgulhava-se de ser o melhor agente de segurança do mundo. Fora piloto na Guerra dos Seis Dias em Israel e depois se tornara um dos principais agentes do Mossad, um dos cinco serviços secretos israelenses.

Jamais esqueceria aquela manhã, dois anos antes, em que o coronel o chamara a seu gabinete.

— Lev, alguém quer você emprestado por algumas semanas.

— Espero que seja uma loura — gracejou Lev.

— É Marin Groza.

O Mossad tinha a ficha completa do dissidente romeno. Groza fora o líder de um movimento popular para depor Alexandros Ionescu e estava prestes a desfechar um golpe quando fora traído por um dos seus homens. Mais de duas dúzias de rebeldes foram executados, e Groza mal conseguira escapar do país com vida. A França lhe dera asilo. Ionescu denunciara Marin Groza como traidor de seu país e oferecera um prêmio por sua cabeça.

Até então, meia dúzia de tentativas de assassinar Groza haviam fracassado, mas ele fora ferido no último atentado.

— O que ele quer comigo? — perguntou Pasternak. — Tem a proteção do governo.

— Não é suficiente. Ele precisa de alguém para montar um sistema de segurança infalível. E nos procurou. Recomendei você.

— Eu teria de ir para a França?

— Só vai levar umas poucas semanas.

— Não quero...

— Estamos falando sobre *mensch*, Lev. Ele é muito importante. Nossas informações são de que conta em seu país com apoio popular suficiente para derrubar Ionescu. Entrará em ação no momento oportuno. Até lá, precisamos mantê-lo vivo.

Lev Pasternak pensou por um momento.

— Apenas algumas semanas?

— Não mais do que isso.

O CORONEL SE enganara quanto ao tempo, mas estava certo em relação a Marin Groza. Era um homem magro, de aparência frágil, com um ar ascético e um rosto marcado pelo sofrimento. Tinha um nariz aquilino, queixo firme e testa larga, encimada por cabelos brancos. Os olhos eram pretos e profundos e ardiam de paixão quando ele falava.

— Não me importo de viver ou morrer — declarou a Lev, na primeira reunião. — Todos vamos morrer. É o *quando* que me preocupa. Tenho de permanecer vivo por mais um ou dois anos. Esse é todo o tempo de que preciso para expulsar Ionescu de meu país.

Passou a mão, distraído, por uma cicatriz lívida na face, e depois acrescentou:

— Nenhum homem tem o direito de escravizar um país. Precisamos libertar a Romênia e deixar que o povo decida seu próprio destino.

Lev Pasternak começou a trabalhar no sistema de segurança da *villa* em Neuilly. Usou alguns dos seus homens, e os estranhos que contratou foram checados com o máximo de rigor. Cada peça de equipamento era uma autêntica obra de arte.

Pasternak falava todos os dias com o líder rebelde romeno; quanto mais tempo passava com ele, mais o admirava. Quando Marin Groza pediu-lhe que continuasse como seu chefe de segurança, Pasternak não hesitou.

— Está bem. Ficarei até que você esteja pronto para entrar em ação. Depois, voltarei para Israel.

Selaram o acordo.

A intervalos irregulares, Pasternak desfechava ataques de surpresa contra a *villa*, testando o esquema de segurança. Agora, ele pensou: *Alguns dos guardas estão se tornando descuidados. Terei de substituí-los.*

Foi andando pelos corredores, verificando com todo cuidado os sensores de calor, os sistemas eletrônicos de alarme e os raios infravermelhos no limiar de cada porta. Ao chegar ao quarto de Marin Groza, ouviu um estrondo alto, e um momento depois o líder romeno se pôs a gritar em agonia.

Lev Pasternak passou pela porta e seguiu adiante.

Capítulo 3

A SEDE DA CIA fica no outro lado do rio Potomac, em Langley, na Virginia, onze quilômetros a noroeste de Washington. Na estrada de acesso para a agência há uma luz vermelha piscando no alto de um portão. A passagem é vigiada 24 horas por dia, e os visitantes recebem crachás coloridos que lhes permitem ir apenas ao departamento específico em que têm negócios a tratar. Na frente do prédio cinzento de sete andares, caprichosamente conhecido como Fábrica de Brinquedos, há uma estátua grande de Nathan Hale. Lá dentro, no andar térreo, a parede de vidro de um corredor dá para um pátio interno onde existe um jardim bem cuidado, cheio de magnólias. Por cima da mesa de recepção há um verso esculpido em mármore:

E vocês saberão a verdade
e a verdade os libertará.

O público nunca é admitido no interior do prédio e não há instalações para visitantes. Para os que desejam entrar no conjunto "preto" — invisível — há um túnel que desemboca num saguão, em frente a uma porta de elevador de mogno, permanentemente vigiada por um pelotão de sentinelas de terno cinza.

Na sala de conferências no sétimo andar, guardada por agentes de segurança com revólveres de calibre 38 de cano curto por baixo dos paletós, estava se realizando a reunião rotineira da manhã de segunda-feira da equipe executiva. Sentados em torno da enorme mesa de carvalho estavam Ned Tillingast, diretor da CIA; general Oliver Brooks, chefe do Estado-Maior do Exército; o secretário de Estado Floyd Baker; Pete Connors, chefe da contraespionagem; e Stanton Rogers.

Ned Tillingast, o diretor da CIA, era um homem de sessenta e poucos anos, frio e taciturno, oprimido pelo peso de segredos terríveis. Há um setor claro e um setor escuro na CIA. O setor escuro cuida das operações clandestinas e durante os últimos sete anos Tillingast estivera no comando dos seus 4.500 funcionários.

O general Oliver Brooks era um oficial de West Point que conduzia sua vida pessoal e profissional por regulamentos. Era um homem de companhia, e a companhia a que servia era o Exército dos Estados Unidos.

Floyd Baker, o secretário de Estado, era um anacronismo, um remanescente de uma era anterior: típico cavalheiro sulista, alto, cabelos prateados e aparência distinta, com uma cortesia fora de moda. Usava polainas mentais. Possuía uma cadeia de influentes jornais por todo o país e era considerado fabulosamente rico. Não havia ninguém em Washington com um senso político mais penetrante e suas antenas se encontravam constantemente sintonizadas com as mudanças de ventos nos corredores do Congresso.

Pete Connors era um irlandês moreno, homem obstinado e destemido, que bebia muito. Aquele era seu último ano na CIA. Teria de enfrentar a aposentadoria compulsória em junho. Connors era o chefe do serviço de contraespionagem, o mais secreto e isolado dos setores da CIA. Escalara os degraus da hierarquia por diversas divisões, desde os bons tempos do passado, quando os agentes da CIA eram os "rapazes de ouro". Pete Connors também fora um deles. Participara do golpe que levara o xá de volta ao Trono do Pavão no Irã e se envolvera na Operação Mangusto, a tentativa de derrubar o governo de Castro em 1961.

— Depois da baía dos Porcos, tudo mudou — lamentava Pete de vez em quando. A extensão de sua diatribe dependia, de um modo geral, de seu grau de embriaguez. — Os corações melindrados nos atacaram nas primeiras páginas de todos os jornais do mundo. Chamaram-nos de um bando de palhaços mentirosos e desprezíveis, que tropeçavam nas próprias pernas. Algum desgraçado anti-CIA divulgou os nomes de nossos agentes, e Dick Welch, o chefe do posto em Atenas, foi assassinado.

Pete Connors passara por três casamentos infelizes por causa das pressões e sigilo de seu trabalho, mas em sua opinião nenhum sacrifício era grande demais que não pudesse ser feito por seu país.

Agora, no meio da reunião, seu rosto estava vermelho de raiva.

— Se deixarmos o presidente continuar com essa porra desse programa de povo-para-povo, ele vai entregar o país. É preciso impedir. Não podemos permitir...

Floyd Baker interrompeu-o:

— O presidente assumiu o cargo há menos de uma semana. Estamos todos aqui para executar sua política e...

— Não estou aqui para entregar meu país aos comunas miseráveis. O presidente nunca mencionou seu plano antes do discurso. Pegou todo mundo de surpresa. Não tivemos qualquer oportunidade de preparar uma refutação.

— Talvez fosse justamente isso o que ele estava querendo — sugeriu Baker.

Pete Connors fitou-o aturdido.

— Essa não! Você concorda com o plano!

— Ele é meu presidente — declarou Floyd Baker, firmemente. — Assim como também é o seu.

Ned Tillingast virou-se para Stanton Rogers.

— CONNORS NÃO DEIXA de ter razão. O presidente está na verdade planejando *convidar* a Romênia, Albânia, Bulgária e os outros países comunistas a mandarem seus espiões para cá, apresentando-se como adidos, motoristas, secretárias e criadas. Estamos gastando bilhões de dólares para guardar a porta da frente e o presidente quer escancarar a porta dos fundos.

O general Brooks balançou a cabeça em concordância.

— Também não fui consultado. Na minha opinião, o plano do presidente pode muito bem destruir este país.

Stanton Rogers disse:

— Senhores, alguns de nós podem discordar do presidente, mas não vamos esquecer que o povo elegeu Paul Ellison para dirigir este país. — Seus olhos contemplaram os homens sentados ao redor. — Somos todos parte de sua equipe e temos de seguir sua orientação, apoiando-o por todos os meios possíveis.

Suas palavras foram seguidas por um silêncio relutante. Depois da pausa, Stanton acrescentou:

— Muito bem. O presidente quer um relatório imediato sobre a atual situação na Romênia. Tudo o que vocês têm.

— Inclusive o material secreto? — perguntou Pete Connors.

— Tudo. E quero respostas objetivas. Qual é a situação na Romênia com Alexandros Ionescu?

— Ionescu controla tudo — respondeu Ned Tillingast. — Depois que ele se livrou da família Ceauşescu, todos os aliados do ex-presidente foram assassinados, presos ou exilados. Desde que tomou o poder, Ionescu tem sufocado o país. É odiado pelo povo.

— Quais são as perspectivas de uma revolução?

Foi Tillingast quem respondeu de novo:

— Eis um problema dos mais interessantes. Lembra o que aconteceu há dois anos, quando Marin Groza quase derrubou o governo de Ionescu?

— Lembro. Groza conseguiu fugir do país por um triz.

— Com a nossa ajuda. Temos informações de que há um movimento popular cada vez maior para trazê-lo de volta. Groza seria bom para a Romênia e também para nós. Estamos atentos à situação.

Stanton Rogers virou-se para o secretário de Estado.

— Tem a lista dos candidatos à embaixada na Romênia?

Floyd Baker abriu uma pasta de couro, tirou alguns papéis e estendeu uma cópia a Rogers.

— Estes nos parecem os melhores. Todos são diplomatas de carreira altamente qualificados. Cada um já foi verificado. Não há problemas de segurança, não há dificuldades financeiras, não há segredos embaraçosos escondidos no passado.

Enquanto Stanton Rogers pegava a lista, o secretário de Estado acrescentava:

— É claro que o Departamento de Estado é a favor de um diplomata de carreira, em vez de uma indicação política. Alguém que foi preparado para esse trabalho. Ainda mais nas circunstâncias específicas. A Romênia é um posto extremamente delicado. É preciso cuidar de tudo com extremo cuidado.

— Concordo. — Stanton Rogers levantou-se. — Discutirei estes nomes com o presidente e depois voltaremos a conversar. Ele está ansioso para preencher o cargo o mais depressa possível.

Enquanto os outros também se levantavam para sair, Ned Tillingast disse:

— Fique aqui, Pete. Quero falar com você.

Assim que ficou a sós com Connors, Tillingast comentou:

— Você foi forte demais, Pete.

— Mas estou certo — declarou Pete Connors, obstinado. — O presidente está tentando entregar nosso país ao inimigo. O que devemos fazer?

— Ficar de boca fechada.

— Somos treinados para encontrar o inimigo e matá-lo, Ned. O que acontece se o inimigo está por trás de nossas linhas... sentado no Gabinete Oval?

— Tome cuidado... tome muito cuidado.

Tillingast estava no ofício há mais tempo do que Pete Connors. Trabalhara na OSS de Wild Bill Donovan antes que se tornasse a CIA. Também detestava o que os corações moles do Congresso estavam fazendo com a organização que amava. Na verdade, havia uma profunda divisão nas fileiras da CIA entre o pessoal da linha dura e os que acreditavam que o urso soviético podia ser domado para se tornar um inofensivo animal de estimação. *Temos de brigar por todo dólar que recebemos*, pensou Tillingast. *Em Moscou, o Komitet Gosudarstvennoy Bezopasnosti — o KGB — treina mil agentes de uma só vez.*

Ned Tillingast recrutara Peter Connors na universidade e Connors se revelara um dos melhores agentes da CIA. Nos últimos anos, porém, Connors se tornara um *cowboy* — um pouco independente demais, um pouco rápido demais no gatilho. O que era perigoso.

— Pete... já ouviu alguma coisa sobre uma organização clandestina chamada Patriotas pela Liberdade? — indagou Tillingast.

Connors franziu o rosto.

— Não... não posso dizer que já tenha ouvido. Quem são eles?

— Até agora, não passam de um rumor. Tudo o que sei é fumaça. Veja se consegue descobrir alguma coisa.

— Está certo.

UMA HORA DEPOIS Pete Connors estava telefonando de uma cabine pública em Hains Point.

— Tenho uma mensagem para Odin.

— Aqui é Odin — disse o general Oliver Brooks.

VOLTANDO AO ESCRITÓRIO em sua limusine, Stanton Rogers abriu o envelope em que estava a relação dos nomes para o posto de embaixador na Romênia e estudou-a. Era uma lista excelente. O secretário de Estado fizera um bom trabalho. Todos os candidatos haviam servido em países europeus do Leste e Oeste e alguns tinham experiência adicional no Extremo Oriente ou África. O *presidente vai ficar satisfeito*, pensou Stanton.

— SÃO DINOSSAUROS — disse Paul Ellison bruscamente, largando a lista em cima da mesa. — Todos eles.

— Ora, Paul, todos esses homens são experientes diplomatas de carreira.

— E preconceituosos na tradição do Departamento de Estado. Lembra como perdemos a Romênia há três anos? Nosso experiente diplomata de carreira em Bucareste meteu os pés pelas mãos e estragou tudo. Essa turma me preocupa. Todos estão querendo se resguardar. Quando propus um programa de povo-para-povo, estava falando sério. Precisamos causar uma impressão positiva num país que neste momento se mostra muito cauteloso em relação a nós.

— Mas se puser um amador no posto... alguém sem experiência... estará correndo um grande risco.

— Talvez precisemos de alguém com um tipo de experiência diferente. A Romênia será um teste para nós, Stan. Um piloto para todo o meu programa, se preferir assim. — Hesitou por um instante. — Não estou me iludindo. Minha credibilidade está em jogo. Sei que há muitas pessoas poderosas que não querem que o programa dê certo. Se fracassar agora, ficarei acuado. Terei de esquecer a Bulgária, Albânia, Tchecoslováquia e o resto dos países da Cortina de Ferro. E não tenciono permitir que isso aconteça.

— Posso verificar alguns dos nossos candidatos políticos que...

O presidente Ellison sacudiu a cabeça.

— O problema é o mesmo. Quero alguém com um ponto de vista completamente novo. Alguém que possa promover o degelo. O oposto do americano feio.

Stanton Rogers observava atentamente o presidente, aturdido.

— Paul... tenho a impressão de que você já está com alguém em mente. É verdade?

Paul Ellison tirou um charuto da caixa em cima da mesa e acendeu-o.

— Para ser franco — respondeu ele, falando bem devagar —, talvez eu esteja mesmo.

— Quem é ele?

— Ela. Por acaso leu o artigo que saiu no último número da revista *Foreign Affairs* intitulado '*Détente* agora'?

— Li.

— O que achou?

— Interessante. A autora acha que estamos em condições de tentar atrair os países comunistas para o nosso lado, oferecendo ajuda econômica e... — Ele parou de falar abruptamente. — Era muito parecido com o seu discurso de posse.

— Só que foi escrito há seis meses. Ela tem publicado artigos brilhantes em *Commentary* e *Public affairs.* No ano passado li um livro dela sobre a política do Leste europeu e devo admitir que ajudou a esclarecer algumas das minhas ideias.

— Muito bem. Então ela está de acordo com suas teorias. Isso não é motivo para considerá-la num cargo tão impor...

— Stan... ela foi além da minha teoria. Esboçou um plano detalhado que é extraordinário. Quer reunir os quatro grandes pactos econômicos do mundo.

— Como poderíamos...

— Levaria algum tempo, mas é possível. Como sabe, os países do bloco oriental da Europa formaram em 1949 um pacto de assistência econômica mútua, chamado COMECON. Em 1958 os outros países europeus formaram o MCE... Mercado Comum Europeu.

— Certo.

— Temos a Organização para a Cooperação e Desenvolvimento Econômico que inclui os Estados Unidos, alguns países do bloco ocidental e a Iugoslávia. E não se esqueça de que os países do Terceiro Mundo criaram um movimento de não alinhados que nos exclui. — A voz do presidente estava impregnada de excitação. — Pense nas possibilidades. Se pudéssemos combinar todos esses planos e formar um único grande mercado... por Deus, seria fantástico! Significaria um *verdadeiro* mercado mundial. E poderia trazer a paz.

Stanton Rogers disse, cauteloso:

— É uma ideia interessante, mas muito distante.

— Conhece o velho ditado chinês: "Uma jornada de mil quilômetros começa com um único passo."

— Ela é uma amadora, Paul.

— Alguns dos nossos melhores embaixadores eram amadores. Anne Armstrong, ex-embaixadora na Grã-Bretanha, era uma educadora, sem qualquer experiência política. Perle Mesta foi nomeada para Luxemburgo, Clare Boothe Luce foi embaixadora na Itália. John Gavin, um ator, foi embaixador no México. Um terço dos nossos atuais embaixadores é constituído pelo que você chama de amadores.

— Mas não conhece nada sobre essa mulher!

— Exceto que ela é brilhante e que estamos na mesma sintonia. Quero que você descubra tudo o que puder a seu respeito. — Ele levantou um exemplar de *Foreign Affairs*. — Seu nome é Mary Ashley.

DOIS DIAS DEPOIS o presidente Ellison e Stanton Rogers tomaram o café da manhã juntos.

— Tenho a informação que você pediu. — Stanton Rogers tirou um papel do bolso e começou a ler. — Mary Elizabeth Ashley, Milford Road, 27, Junction City, Kansas. Idade, 35, casada com o doutor Edward Ashley... dois filhos, Beth, de doze anos, e Tim, de dez. Presidente do Capítulo Cinco da Liga de Eleitoras de Junction City. Professora assistente de ciência política, especialista em Leste europeu, na Universidade Estadual do Kansas. O avô nasceu na Romênia. — Levantou os olhos, com uma expressão pensativa. — Talvez seja o tipo de representante que você deveria mandar para a Romênia.

— É bem possível, Stan. Eu gostaria de ter uma verificação de segurança completa sobre Mary Ashley.

— Pode deixar que tomarei as providências.

Capítulo 4

— DISCORDO, PROFESSORA ASHLEY. — Barry Dylan, o mais brilhante e o mais jovem dos estudantes no seminário de ciência política de Mary Ashley, olhou ao redor, constrangido. — Alexandros Ionescu é pior do que Ceauşescu jamais foi.

— Pode nos dar alguns fatos que sustentem tal declaração? — pediu Mary Ashley.

Havia doze alunos graduados no seminário, realizado numa sala de aula do Edifício Dykstra, na Universidade Estadual do Kansas. Os alunos sentavam-se num semicírculo, de frente para Mary. A lista de espera para ingressar em suas turmas era maior que a de qualquer outro professor da universidade. Ela era uma professora extraordinária, com um senso de humor descontraído e uma simpatia que tornavam sua presença extremamente agradável. Possuía um rosto oval que mudava de atraente para bonito, dependendo de seu estado de espírito. Tinha os malares salientes de uma modelo e olhos cor de avelã. Os cabelos eram escuros e abundantes. O corpo deixava as alunas com inveja e despertava fantasias nos homens; apesar disso, ela não tinha consciência de sua beleza.

Barry especulou se ela seria feliz com o marido. Relutante, ele tornou a concentrar sua atenção no problema em debate.

— Quando assumiu o controle da Romênia, Ionescu perseguiu todos os elementos pró-Groza e restabeleceu uma posição de linha dura, pró-soviética. Nem mesmo Ceauşescu foi tão ruim assim.

Outro aluno indagou:

— Então por que o presidente Ellison está tão ansioso em estabelecer relações diplomáticas com ele?

— Porque queremos atraí-lo para a órbita do Ocidente.

— Não se esqueçam de que Ceauşescu também tinha um pé em cada lado — frisou Mary. — Em que ano isso começou?

Foi Barry quem respondeu:

— Em 1963, quando a Romênia tomou partido na disputa entre Rússia e China, a fim de demonstrar sua independência nas questões internacionais.

— Como é o relacionamento atual da Romênia com os outros países do Pacto de Varsóvia e com a Rússia em particular? — indagou Mary.

— Eu diria que está mais forte agora.

Outra voz:

— Não concordo. A Romênia criticou a invasão russa do Afeganistão e também o acordo soviético com a CEE. Além disso, professora Ashley...

A campainha soou. A aula acabara. Mary disse:

— Segunda-feira conversaremos sobre os fatores básicos que influenciam a atitude soviética em relação ao Leste europeu e também discutiremos as possíveis consequências do plano do presidente Ellison de se infiltrar no bloco oriental. Um bom fim de semana para vocês.

Mary ficou observando os alunos se levantarem e se encaminharem para a porta.

— Para a senhora também, professora.

Mary Ashley adorava a troca de ideias do seminário. História e geografia adquiriam vida nas discussões acaloradas entre os jovens e brilhantes alunos. Nomes e localidades estrangeiras tornavam-se reais, os eventos históricos assumiam formas definidas. Aquele era o seu quinto ano na Universidade Estadual do Kansas, e dar aulas ainda a emocionava. Tinha cinco cursos de ciência política por ano e ainda promovia os seminários de pós-graduação, sempre versando sobre a União Soviética e os países-satélite. Havia ocasiões em que ela se sentia uma fraude. *Jamais estive em qualquer dos países sobre os quais dou aula*, pensava ela. *Nunca saí dos Estados Unidos.*

Mary Ashley nascera em Junction City, assim como seus pais. A única pessoa da família que conhecera a Europa fora seu avô, que viera da pequena aldeia romena de Voronet.

MARY PLANEJARA uma viagem ao exterior quando recebesse o diploma de mestrado, mas naquele verão conheceu Edward Ashley, e a excursão pela Europa transformou-se numa lua de mel de três dias em Waterville, a noventa quilômetros de Junction City, onde Edward estava cuidando de um paciente cardíaco em estado crítico.

— Precisamos viajar no ano que vem — disse Mary a Edward, pouco depois do casamento. — Estou morrendo de vontade de conhecer Roma, Paris e a Romênia.

— Eu também. Está combinado. Iremos no próximo verão.

MAS NO VERÃO seguinte Beth nasceu, e Edward estava absorvido demais em seu trabalho no Hospital Comunitário de Geary. Dois anos depois nasceu Tim. Mary tirara seu Ph.D. e fora dar aulas na Universidade Estadual do Kansas... e os anos passaram. Exceto por breves viagens a Chicago, Atlanta e Denver, Mary nunca deixara o Estado do Kansas.

Um dia, ela prometia a si mesma. *Um dia...*

MARY RECOLHEU suas anotações e olhou pela janela. A geada pintara a janela com um cinza desolado. Estava começando a nevar outra vez. Vestiu o casaco forrado de couro e a echarpe vermelha de lã e seguiu para a entrada da Vattier Street, onde deixara o carro.

O *campus* era enorme, mais de 127 hectares com 87 prédios, inclusive laboratórios, teatros e capelas, em meio a um cenário bucólico de árvores e relva. A distância, os escuros prédios de calcário da universidade, com suas torrinhas, pareciam castelos antigos, preparados para repelir as hordas inimigas. Enquanto Mary passava pelo Denison Hall, um estranho com uma câmera Nikon avançava em sua direção. Ele apontou a câmera para o prédio e disparou. Mary estava no primeiro plano da foto. *Eu deveria ter saído da frente*, pensou. *Estraguei a fotografia.*

Uma hora depois o fotógrafo estava a caminho de Washington.

CADA CIDADE POSSUI o seu ritmo característico, uma vibração que deriva das pessoas e da terra. Junction City, no condado de Geary, é uma comunidade agrícola, com 20.381 habitantes, duzentos quilômetros a oeste de Kansas City, orgulhando-se de ser o centro geográfico do território continental dos Estados Unidos. Possui um jornal — *The Daily Union* —, uma emissora de rádio e outra de televisão. A área comercial do centro consiste em algumas lojas dispersas e postos de gasolina pela Rua 6 e pela Washington. Há a Penney's, o First National Bank, a Domino Pizza, a Flower Jeweler's e uma Woolworth's. Há lanchonetes, uma estação rodoviária, uma loja de roupas masculinas e uma loja de bebidas — o tipo de estabelecimento que se encontra em centenas de pequenas cidades espalhadas pelos Estados Unidos. Mas os habitantes de Junction City amam-na por sua paz e tranquilidade bucólicas. Pelo menos durante a semana. Nos fins de semana, Junction City torna-se o centro de descanso e recreação para os soldados do Forte Riley, que fica próximo.

Mary Ashley parou para fazer compras para o jantar no Dillon's Market, a caminho de casa. Depois, seguiu para o norte, na direção da Old Milford Road, uma área residencial adorável, que dava para um lago. Carvalhos e olmos estendiam-se pelo lado esquerdo da estrada, enquanto no direito havia lindas casas, dos mais diversos tipos, de pedras, alvenaria ou madeira.

Os Ashley moravam numa casa de pedra de dois andares, no meio de colinas ondulantes. Fora comprada pelo doutor Edward Ashley e sua esposa treze anos antes. Tinha uma sala de estar grande, sala de jantar, biblioteca, copa e cozinha no primeiro andar, uma suíte e dois quartos no segundo.

— É grande demais para apenas duas pessoas — protestara Mary.

Edward a abraçara, murmurando:

— Quem disse que haverá apenas duas pessoas?

Quando Mary chegou em casa, Tim e Beth estavam à sua espera.

— Adivinhe o que aconteceu? — perguntou Tim. — Nossos retratos vão sair no jornal!

— Ajudem-me a guardar as compras — pediu Mary. — Que jornal?

— O homem não disse. Mas tirou fotografias nossas e disse que nos falaria depois.

Mary parou e virou-se para fitar o filho.

— O homem disse por quê?

— Não — respondeu Tim. — Mas tinha uma Nikon sensacional.

No domingo Mary comemorou — embora não fosse essa a palavra que aflorasse em sua mente — seu 35º aniversário. Edward promoveu-lhe uma festa-surpresa no clube. Os vizinhos, Florence e Douglas Schiffer, e quatro outros casais estavam à sua espera. Edward ficou feliz como um garotinho pela expressão aturdida de Mary quando entrou no clube e viu a mesa festiva e a faixa de feliz aniversário. Ela não teve coragem de contar-lhe que já sabia da festa há duas semanas. Adorava Edward. *E por que não? Quem não adoraria?* Ele era inteligente, bonito e carinhoso. O avô e o pai haviam sido médicos e jamais ocorrera a Edward ser qualquer outra coisa. Era o melhor cirurgião de Junction City, um bom pai e um marido maravilhoso.

Ao soprar as velas do bolo de aniversário, Mary olhou para Edward no outro lado da mesa e pensou: *Como uma mulher pode ter tanta sorte?*

Na manhã de segunda-feira Mary acordou de ressaca. Houvera brindes com champanhe na noite anterior e ela não estava acostumada a beber álcool. Teve de fazer um grande esforço para sair da cama. *Aquele champanhe me liquidou. Nunca mais*, prometeu a si mesma.

Desceu devagar e começou a preparar o desjejum dos filhos, cautelosa, tentando ignorar a cabeça latejando.

— O champanhe é a vingança da França contra nós — resmungou Mary.

Beth entrou na copa, carregando seus livros escolares.

— Com quem está falando, mamãe?

— Comigo mesma.

— Que coisa esquisita.

— Quando você está certa, está certa. — Mary pôs uma caixa de cereal na mesa. — Comprei um cereal novo para você. Acho que vai gostar.

Beth sentou à mesa da copa e estudou o rótulo na caixa.

— Não posso comer isso. Você está tentando me matar.

— Não meta ideias estranhas na cabeça — advertiu Mary. — Quer fazer o favor de comer?

Tim, o filho de dez anos, entrou correndo na copa. Sentou-se e disse:

— Quero ovos com *bacon.*

— O que aconteceu com o bom-dia? — indagou Mary.

— Bom-dia. Quero ovos com *bacon.*

— Por favor.

— Ora, mamãe, pare com isso. Estou atrasado para a escola.

— Fico contente que tenha falado nisso. A Sra. Reynolds me telefonou. Você está mal em matemática. O que tem a dizer?

— Dava para calcular.

— Isso é uma piada, Tim?

— Pessoalmente, não acho a menor graça — comentou Beth, desdenhosa.

Ele fez uma careta para a irmã.

— Se quer uma coisa engraçada, basta se olhar no espelho.

— Já chega — disse Mary. — Tratem de se comportar.

Sua dor de cabeça estava cada vez pior. Tim perguntou:

— Posso ir ao rinque de patinação depois da escola, mamãe?

— Você já está patinando em gelo fino. Volte direto para casa e trate de estudar. Como acha que vai parecer uma professora universitária ter um filho reprovado em matemática?

— Não vai ser nada demais. Você não é professora de matemática.

Costumam falar sobre a terrível idade de dois anos, pensou Mary. *E o que dizer dos terríveis nove, dez, onze e doze anos?*

Beth indagou:

— Tim já contou que teve a pior nota em ortografia?

Ele lançou um olhar furioso para a irmã.

— Nunca ouviu falar de Mark Twain?

— O que Mark Twain tem a ver com isso? — perguntou Mary.

— Mark Twain disse que não tem o menor respeito por um homem que só sabe soletrar uma palavra da mesma forma.

Não podemos vencer, pensou Mary. *Eles são mais espertos do que nós.*

Ela preparara um lanche para os filhos, mas andava preocupada com Beth, que estava empenhada em alguma nova dieta maluca.

— Por favor, Beth, coma todo o seu lanche hoje.

— Só se não tiver conservantes artificiais. Não vou deixar que a ganância da indústria alimentícia arruíne a minha saúde.

O que aconteceu com os bons tempos de antigamente de comidas que faziam mal?, especulou Mary.

Tim tirou um papel solto de um dos cadernos de Beth.

— Olhe só para isto! — gritou ele. — "Querida Beth, vamos sentar juntos durante o período das aulas. Pensei em você durante todo o dia de ontem e..."

— Devolva isso! — berrou Beth. — É meu!

Ela tentou arrancar o papel da mão do irmão, mas Tim se esquivou e leu a assinatura.

— Ei, está assinado "Virgil"! Pensei que você era apaixonada pelo Arnold.

Beth pegou o bilhete.

— O que você sabe sobre o amor? — indagou a filha de doze anos de Mary. — Não passa de uma criança.

O latejar na cabeça de Mary estava se tornando insuportável.

— Crianças... deem-me um pouco de descanso.

Ela ouviu a buzina do ônibus escolar. Tim e Beth se encaminharam para a porta.

— Esperem! — chamou Mary. — Vocês ainda não acabaram de comer!

Ela os seguiu para o hall.

— Não há tempo, mamãe. Temos de ir.

— Até mais, mamãe.

— Está congelando lá fora. Ponham os casacos e cachecóis.

— Não posso — respondeu Tim. — Perdi meu cachecol.

E eles se foram. Mary sentia-se esgotada. *A maternidade é viver no olho de um furacão.*

Ela levantou os olhos quando Edward desceu e sentiu-se mais animada. *Mesmo depois de tantos anos*, pensou Mary, *ele ainda é o homem mais atraente que já conheci.* Fora a gentileza de Edward que primeiro despertara o seu interesse. Seus olhos eram de um cinza suave, refletindo uma inteligência efusiva, mas podiam se transformar em chamas quando se deixava arrebatar por alguma coisa.

— Bom-dia, querida.

Ele a beijou e os dois foram para a copa.

— Pode me fazer um favor, meu bem?

— Claro, querida. Qualquer coisa.

— Quero vender as crianças.

— As duas?

— As duas.

— Quando?

— Hoje.

— Quem as compraria?

— Estranhos. Eles chegaram à idade em que eu não sou capaz de fazer nada certo. Beth tornou-se maníaca pela alimentação saudável e seu filho está se tornando um ignorante de categoria internacional.

Edward comentou, com expressão pensativa:

— Talvez eles não sejam nossos filhos.

— Espero que não. Estou fazendo um mingau de aveia para você.

Ele olhou para o relógio.

— Desculpe, querida, mas não tenho tempo. Preciso entrar na sala de cirurgia dentro de meia hora. Hank Cates ficou preso numa máquina qualquer. Talvez perca alguns dedos.

— Ele não está muito velho para cuidar da fazenda?

— Não o deixe ouvi-la dizer isso.

Mary sabia que Hank Cates não pagava as contas a seu marido há três anos. Como a maioria dos fazendeiros da comunidade, ele estava sofrendo com os baixos preços agrícolas e com a atitude de indiferença da Administração do Crédito Agrícola. Muitos estavam perdendo as propriedades que haviam trabalhado durante toda a vida. Edward jamais pressionava qualquer paciente pelo pagamento e vários saldavam as contas com colheitas. Os Ashley tinham um celeiro cheio de milho, batata e trigo. Um fazendeiro propusera pagar com uma vaca, mas Mary protestara quando Edward lhe falara a respeito:

— Pelo amor de Deus, diga a ele que é por conta da casa!

Ela contemplou o marido agora e pensou de novo: *Como dei sorte!*

— Está bem — disse ela. — Talvez eu me decida a ficar com as crianças. Gosto muito do pai delas.

— Para dizer a verdade, eu também gosto da mãe. — Ele a abraçou. — Feliz aniversário, mais um.

— Você ainda me ama, agora que sou uma mulher mais velha?

— Gosto de mulheres mais velhas.

— Obrigada. — Mary lembrou-se subitamente de uma coisa. — Tenho de chegar em casa mais cedo hoje e preparar o jantar. É a nossa vez de receber os Schiffer.

O bridge com os vizinhos era um ritual da noite de segunda-feira. O fato de Douglas Schiffer ser médico e trabalhar com Edward no hospital os tornava ainda mais íntimos.

Mary e Edward saíram de casa juntos, inclinando a cabeça contra o vento implacável. Edward instalou-se em seu Ford Granada e ficou observando a mulher sentar ao volante de sua caminhonete.

— A estrada provavelmente está gelada — gritou ele. — Dirija com cuidado.

— Você também, querido.

Ela soprou-lhe um beijo e os dois carros se afastaram da casa, Edward seguindo para o hospital e Mary para a cidadezinha de Manhattan, onde ficava a universidade, a 25 quilômetros de distância.

Dois homens num carro estacionado a meio quarteirão da casa dos Ashley observavam a cena. Esperaram até que os dois carros sumissem.

— Vamos embora.

Foram até a casa vizinha aos Ashley. Rex Olds, que estava ao volante, ficou sentado no carro, enquanto seu companheiro subia até a porta e tocava a campainha. A porta foi aberta por uma morena atraente, de trinta e poucos anos.

— O que deseja?

— Senhora Douglas Schiffer?

— Sou eu.

O homem meteu a mão no bolso do casaco e tirou um cartão de identificação.

— Meu nome é Donald Zamlock. Trabalho na Agência de Segurança do Departamento de Estado.

— Santo Deus! Não me diga que Doug assaltou um banco!

O agente sorriu polidamente.

— Não, madame. Ou pelo menos não sabemos de nada a respeito. Eu queria apenas fazer algumas perguntas sobre sua vizinha, a senhora Ashley.

Ela fitou-o com súbita preocupação.

— Mary? O que há com ela?

— Posso entrar?

— Claro. — Florence Schiffer levou-o para a sala de estar. — Sente-se, por favor. Aceita um café?

— Não, obrigado. Só tomarei uns poucos minutos do seu tempo.

— Por que está querendo fazer perguntas sobre Mary?

Ele exibiu um sorriso tranquilizador.

— É apenas uma verificação de rotina. Ela não é suspeita de ter feito nada de errado.

— Espero mesmo que não — declarou Florence Schiffer, indignada. — Mary Ashley é uma das melhores pessoas que já conheci. — Uma pausa, e ela acrescentou: — Já falou com ela?

— Não, senhora. A visita é confidencial e agradeceria se a mantivesse assim. Há quanto tempo conhece a senhora Ashley?

— Há cerca de treze anos. Desde o dia em que ela se mudou para a casa ao lado.

— Diria que conhece a senhora Ashley muito bem?

— Claro que sim. Mary é minha melhor amiga. Mas o que...

— Ela e o marido se dão bem?

— Depois de Doug e eu, eles formam o casal mais feliz que já conheci. — Pensou por um instante. — Retiro o que disse. Eles são de fato o casal mais feliz que conheço.

— Fui informado de que a senhora Ashley tem dois filhos. Uma garota de doze anos e um menino de dez?

— Isso mesmo. Beth e Tim.

— Diria que ela é uma boa mãe?

— Ela é uma *grande* mãe. Mas afinal...

— Senhora Schiffer, em sua opinião a senhora Ashley é uma pessoa emocionalmente estável?

— Claro que é.

— Ela não tem problemas emocionais que sejam do seu conhecimento?

— De jeito nenhum.

— Ela bebe?

— Não. Não gosta de álcool.

— E drogas?

— Veio à cidade errada. Não temos nenhum problema de drogas em Junction City.

— A senhora Ashley não é casada com um médico?

— É sim.

— Se ela quisesse drogas...?

— Está redondamente enganado. Ela não consome drogas. Não funga e não toma pico na veia.

O agente estudou-a por um momento.

— Parece conhecer bem a terminologia.

— Assisto a *Miami Vice*, como todo mundo. — Florence Schiffer estava começando a se irritar. — Tem mais alguma pergunta?

— O avô de Mary Ashley nasceu na Romênia. Já ouviu-a alguma vez falar sobre a Romênia?

— De vez em quando ela relata as histórias que o avô contava sobre a velha terra. Ele nasceu na Romênia, mas veio para os Estados Unidos ainda adolescente.

— Já ouviu a senhora Ashley manifestar alguma opinião negativa sobre o atual governo da Romênia?

— Não. Ou pelo menos não me lembro.

— Só mais uma pergunta. Já ouviu a senhora Ashley ou o doutor Ashley dizerem qualquer coisa contra o governo dos Estados Unidos?

— Absolutamente não!

— Então, na sua avaliação, eles são americanos leais?

— Pode apostar que sim. Importa-se de me explicar...

O homem levantou-se.

— Quero agradecer pelo tempo que me dispensou, senhora Schiffer. E gostaria de repetir que se trata de um assunto altamente confidencial. Agradeceria se não falasse a respeito com ninguém... nem mesmo com seu marido.

Um momento depois ele saía pela porta da frente. Florence Schiffer ficou parada ali, a observá-lo fixamente. E murmurou:

— Não posso acreditar que toda essa conversa tenha mesmo ocorrido...

Os DOIS AGENTES desceram pela Washington Street, seguindo para o norte.

Passaram pela Câmara de Comércio e pelo prédio em que estava instalada a Real Ordem dos Alces, pelo Irma's Pet Grooming e por um bar chamado The Fat Chance. Os prédios comerciais acabaram abruptamente. Donald Zamlock comentou:

— É incrível, mas a rua principal tem apenas dois quarteirões. Isto não é uma cidade, é uma parada de ônibus.

Rex Olds disse:

— Pode ser para você e para mim, mas para esta gente é uma cidade.

Zamlock sacudiu a cabeça.

— Provavelmente é um bom lugar para se viver, mas juro que eu não gostaria de morar aqui.

O sedã parou na frente do banco e Rex Olds entrou. Voltou vinte minutos depois.

— Tudo certo — disse ele, entrando no carro. — Os Ashley têm sete mil dólares no banco, uma hipoteca sobre a casa e pagam suas contas pontualmente. O gerente do banco acha que o doutor tem um coração mole demais para ser um bom homem de negócios, mas o considera um risco de crédito dos melhores.

Zamlock olhou para uma prancheta ao seu lado.

— Vamos conferir mais alguns nomes e voltar logo à civilização, antes que eu comece a mugir.

DOUGLAS SCHIFFER era normalmente um homem jovial e tranquilo, mas naquele momento havia uma expressão sombria em seu rosto. Os Schiffer e os Ashley estavam no meio de seu jogo de bridge semanal, e os Schiffer estavam dez mil pontos atrás. E pela quarta vez naquela noite Florence Schiffer renunciou. Douglas Schiffer bateu com as cartas na mesa.

— Florence! — explodiu ele. — De que lado você está jogando? Sabe quantos pontos estamos perdendo?

— Desculpe — balbuciou ela, nervosa. — Eu... eu não consigo me concentrar.

— Isso é mais do que evidente — resmungou o marido.

— Alguma coisa a está incomodando? — Edward Ashley perguntou a Florence.

— Não posso contar.

Todos a fitaram, surpresos.

— O que *isso* significa? — indagou o marido.

Florence Schiffer respirou fundo.

— Mary... é sobre você.

— Como assim?

— Você está metida em alguma encrenca, não é?

Mary ficou aturdida.

— Encrenca? Não. Eu... o que a faz pensar assim?

— Eu não deveria contar. Prometi.

— Prometeu a quem? — perguntou Edward.

— Um agente federal de Washington. Ele esteve lá em casa esta manhã, fazendo uma porção de perguntas sobre Mary. Fez com que ela parecesse uma espécie de espiã internacional.

— Que tipo de perguntas? — insistiu Edward.

— As coisas que a gente vê na televisão. Ela é uma americana leal? É uma boa esposa e mãe? Consome drogas?

— Mas por que fariam perguntas assim sobre Mary?

— Ei, esperem um pouco! — interveio Mary, muito excitada. — Acho que sei o que é. Só pode ser por causa da minha nomeação.

— Não estou entendendo — disse Florence.

— Estou para ser promovida a catedrática. Como a universidade realiza algumas pesquisas confidenciais para o governo no *campus*, imagino que eles precisam investigar todo mundo de maneira meticulosa.

— Graças a Deus que é só isso. — Florence Schiffer deixou escapar um suspiro de alívio. — Pensei que iam prender você.

— Espero que façam isso mesmo. — Mary sorriu. — Na Universidade Estadual do Kansas.

— Agora que o problema foi esclarecido — disse Douglas Schiffer —, podemos continuar o jogo? — Ele se virou para a esposa. — Se você abandonar mais uma vez, vou botá-la nos meus joelhos e aplicar umas boas palmadas.

— Promessas, promessas...

Capítulo 5

ABBEYWOOD, INGLATERRA

— ESTAMOS REUNIDOS nos termos das regras habituais — anunciou o presidente. — Não haverá registros, esta reunião nunca será discutida, e só vamos nos referir uns aos outros pelos codinomes que foram determinados.

Havia oito homens na biblioteca do Castelo Claymore, que datava do século XV. Dois homens armados, envoltos por grossos sobretudos, estavam de vigia lá fora, enquanto um terceiro homem guardava a porta da biblioteca. Os oito homens lá dentro haviam chegado separadamente, pouco tempo antes. O presidente continuou:

— O Controlador recebeu algumas informações desconcertantes. Marin Groza está preparando um golpe contra Alexandros Ionescu. Um grupo de oficiais superiores do exército romeno resolveu apoiar Groza. Desta vez ele pode ser bem-sucedido.

Odin perguntou:

— Como isso afetaria nosso plano?

— Pode destruí-lo. Abriria muitas pontes para o Ocidente.

— Então devemos impedir que aconteça — disse Freyr.

— Como? — indagou Balder.

— Temos que assassinar Groza — respondeu o presidente.

— É impossível. Os homens de Ionescu já cometeram meia dúzia de atentados, ao que saibamos. Todos fracassaram. Sua *villa*, ao que parece, é inexpugnável. De qualquer forma, ninguém nesta sala pode se permitir o envolvimento numa tentativa de assassinato.

— Não estaríamos envolvidos diretamente — explicou o presidente.

— Então como seria?

— O Controlador descobriu um dossiê confidencial sobre um terrorista internacional que pode ser contratado.

— Abul Abbas, o homem que organizou o sequestro do *Achille Lauro*?

— Não. Há um novo pistoleiro na cidade, senhores. O melhor. É conhecido como Angel.

— Nunca ouvi falar — disse Sigmund.

— Exatamente. Suas credenciais são das mais impressionantes. Segundo o dossiê do Controlador, Angel esteve envolvido no assassinato *sikh* de Khalistan, na Índia. Ajudou os terroristas *machateros* em Porto Rico, assim como o Khmer Vermelho, no Camboja. Planejou o assassinato de meia dúzia de oficiais do exército em Israel. Os israelenses ofereceram um prêmio de um milhão de dólares por ele, vivo ou morto.

— Parece promissor — comentou Thor. — Podemos consegui-lo?

— Ele é caro. Se concordar em aceitar o contrato, vai nos custar dois milhões de dólares.

Freyr soltou um assovio, depois deu de ombros.

— Pode-se dar um jeito. Tiraremos o dinheiro do fundo de despesas gerais que instituímos.

— Como fazemos contato com esse tal de Angel? — perguntou Sigmund.

— Todos os seus contatos são efetuados por intermédio da amante, Neusa Muñez.

— Onde a encontramos?

— Ela vive na Argentina. Angel montou um apartamento para ela em Buenos Aires.

— Qual seria o próximo passo? — perguntou Thor. — Quem entraria em contato com ela por nós?

— O Controlador sugeriu um homem chamado Harry Lantz — respondeu o presidente.

— O nome parece familiar.

O presidente acrescentou, secamente:

— Tem saído nos jornais. Harry Lantz é um indisciplinado. Foi expulso da CIA por organizar sua quadrilha de traficantes de tóxicos no Vietnã. Enquanto estava na CIA, fez uma excursão pela América do Sul, e por isso conhece o território. Seria um intermediário perfeito. — O presidente fez uma pausa. — Sugiro que façamos uma votação. Todos que estão a favor da contratação de Angel levantem as mãos, por favor.

Oito mãos bem cuidadas se elevaram pelo ar.

— Então está resolvido. — O presidente levantou-se. — A reunião está encerrada. Por favor, observem as precauções habituais.

Era uma segunda-feira, e o guarda Leslie Hanson estava fazendo um piquenique na estufa do castelo, onde não tinha direito de ficar. Não estava sozinho, como mais tarde teve de explicar a seus superiores. Fazia calor na estufa, e sua companheira, Annie, uma rechonchuda camponesa, persuadira o bom guarda a levar um cesto de piquenique.

— Você entra com a comida e eu ofereço a sobremesa — comentara Annie, rindo.

A "sobremesa" tinha quase um metro e setenta de altura, seios lindos e firmes, e quadris que deixava um homem com vontade de cravar os dentes.

Infelizmente, porém, no meio da sobremesa a concentração do guarda Hanson foi desviada por uma limusine que saía pelo portão do castelo.

— Este lugar deveria estar fechado às segundas-feiras — murmurou.

— Não perca o seu lugar, meu bem — sussurrou Annie.

— De jeito nenhum, querida.

Vinte minutos depois o guarda ouviu um segundo carro partindo. Desta vez ele ficou bastante curioso para se levantar e dar uma espiada. Parecia uma limusine oficial, com as janelas escuras que não deixavam ver os passageiros.

— Você não vem, Leslie?

— Já estou indo. Não consigo imaginar quem poderia ter ido ao castelo. Está sempre fechado, a não ser nos dias de visita.

— Exatamente o que vai acontecer comigo, meu bem, se você não vier logo.

Vinte minutos depois, quando ouviu o terceiro carro partindo, a libido do guarda Hanson perdeu a batalha para o seu instinto de policial. Houve mais cinco veículos, sempre limusines, deixando o castelo a intervalos de vinte minutos. Um dos carros parou por um momento para deixar que um cervo passasse pelo caminho, e o guarda Hanson pôde anotar o número da placa.

— Este deveria ser o seu dia de folga — queixou-se Annie.

— Pode ser importante.

Enquanto falava, o guarda Hanson especulava se deveria ou não comunicar o incidente.

— O QUE ESTAVA fazendo no Castelo Claymore? — perguntou o Sargento Twill.

— Uma visita turística, senhor.

— O castelo estava fechado.
— Mas a estufa estava aberta, senhor.
— Então você resolveu fazer uma visita turística à estufa.
— Isso mesmo, senhor.
— Sozinho, não é?
— Para ser franco, senhor...
— Não precisa relatar os detalhes escabrosos. O que o fez desconfiar dos carros?
— O comportamento deles, senhor.
— Carros não têm comportamento, Hanson. Os motoristas é que têm.
— Tem razão, senhor. Os motoristas pareciam muito cautelosos. Os carros partiram a intervalos de vinte minutos.
— Deve saber que há provavelmente mil explicações inocentes para isso. Na verdade, só você é que parece não ter uma explicação inocente.
— É verdade, senhor. Mas achei que deveria comunicar o que aconteceu.
— Agiu certo. Esta é a placa que você anotou?
— É sim, senhor.
— Muito bem. Pode deixar comigo. — O sargento pensou num comentário crítico para acrescentar. — E não se esqueça... é perigoso jogar pedras nos outros se você tem um telhado de vidro.
E riu de sua piada durante toda a manhã.

QUANDO RECEBEU a informação sobre a placa do carro, o sargento Twill concluiu que Hanson se enganara. Levou a informação para o inspetor Pakula e explicou a situação.
— Eu não o incomodaria com esse problema, inspetor, mas a placa do carro...
— Entendo. Pode deixar que cuidarei do caso.
— Obrigado, senhor.

No QUARTEL-GENERAL DO SIS, o Serviço de Informações Secretas da Inglaterra, o inspetor Pakula teve uma rápida reunião com um dos diretores, um homem corpulento e de rosto avermelhado, sir Alex Hyde-White.

— Fez bem em trazer o problema ao meu conhecimento — disse sir Alex, sorrindo. — Mas receio que não haja nada mais sinistro do que tentar arrumar uma viagem real de férias sem que a imprensa tome conhecimento.

— Lamento tê-lo incomodado com algo assim.

O inspetor Pakula levantou-se.

— Não tem problema, inspetor. Demonstra que seu serviço está vigilante. Como é mesmo o nome do jovem guarda?

— Hanson, senhor. Leslie Hanson.

ASSIM QUE O inspetor Pakula se retirou e a porta foi fechada, sir Alex Hyde-White pegou um telefone vermelho em cima da mesa.

— Tenho uma mensagem para Balder. Estamos com um pequeno problema. Explicarei na próxima reunião. Enquanto isso, quero que providencie três transferências. Sargento policial Twill, inspetor Pakula e guarda Leslie Hanson. Espace as transferências em alguns dias. Quero que sejam enviados para postos separados, o mais longe possível de Londres. Informarei ao Controlador e verei se ele quer que se tome mais alguma providência.

EM SEU QUARTO de hotel em Nova York, Harry Lantz foi despertado no meio da noite pela campainha do telefone.

Quem pode saber que estou aqui?, pensou. Olhou para o relógio na mesinha de cabeceira e depois atendeu.

— Porra! São quatro horas da madrugada! Quem...

Uma voz suave começou a falar e no mesmo instante Lantz sentou na cama, o coração disparando.

— Pois não, senhor — disse ele. — Está bem, senhor... Não, senhor, mas posso dar um jeito de ficar livre.

Escutou em silêncio por um longo tempo e depois murmurou:

— Compreendo, senhor. Pegarei o primeiro avião para Buenos Aires. Obrigado, senhor.

Lantz desligou e acendeu um cigarro. As mãos tremiam. O homem com quem acabara de falar era uma das pessoas mais poderosas do mundo e o que pedira a Harry Lantz para fazer... *Mas afinal, o que está acontecendo?*, perguntou a si mesmo. *Só pode ser alguma coisa muito grande.* O homem ia lhe pagar cinquenta mil dólares para transmitir um recado. Seria divertido voltar à Argentina. Harry Lantz adorava as mulheres sul-americanas. *Conheço uma dúzia de sacanas com tanto tesão que preferem foder a comer.*

O dia estava começando muito bem.

ÀS NOVE HORAS da manhã Lantz pegou o telefone e ligou para a Aerolineas Argentinas.

— A que horas parte o primeiro voo para Buenos Aires?

O 747 CHEGOU ao Aeroporto de Ezeiza, em Buenos Aires, às cinco horas da tarde seguinte. Fora um longo voo, mas Harry Lantz não se importara. *Cinquenta mil dólares para transmitir uma mensagem.* Sentiu um ímpeto de excitação no instante em que as rodas do avião tocaram de leve na pista. Não visitava a Argentina há quase cinco anos. Seria divertido renovar antigas amizades.

Ao deixar o avião, Harry Lantz ficou aturdido com a lufada de ar quente. *Mas é claro*, pensou ele. *É verão aqui.*

Durante a viagem de táxi para o centro da cidade, Lantz divertiu-se ao constatar que os grafites nas paredes dos prédios e nas calçadas não haviam mudado. PLEBISCITO LAS PELOTAS (Foda-se o plebiscito). MILITARES, ASSEINOS (Militares, assassinos). TENEMOS HAMBRE (Estamos com fome). MARIHUANA LIBRE

(Maconha livre). DROGA, SEXO Y MUCHO ROCK (Droga, sexo e muito *rock*). JUICIO Y CASTIGO A LOS CULPABLES (Julgamento e punição para os culpados).

Isso mesmo, era bom estar de volta.

A sesta já terminara, e as ruas estavam apinhadas de pessoas vindo e seguindo indolentemente para encontros. Quando o táxi chegou ao Hotel El Conquistador, no coração do elegante Barrio Norte, Lantz pagou ao motorista com uma nota de um milhão de pesos.

— Fique com o troco — disse ele.

O dinheiro argentino era uma piada. Ele se registrou na recepção, no vasto e moderno saguão, pegou um exemplar do *Buenos Aires Herald* e outro do *La Prensa* e deixou que o assistente da gerência o conduzisse à suíte. Sessenta dólares por dia por um quarto, banheiro, sala de estar e cozinha, com ar-condicionado e televisão. *Em Washington, um lugar assim custaria um braço e uma perna*, pensou Harry Lantz. *Resolverei o problema com a tal de Neusa amanhã e ficarei mais alguns dias aqui para me divertir.*

MAIS DE DUAS SEMANAS se passaram antes que Harry Lantz conseguisse localizar Neusa Muñez.

SUA BUSCA COMEÇOU pelas listas telefônicas da cidade. Lantz verificou inicialmente os lugares no coração da cidade: Area Constitución, Plaza San Martín, Barrio Norte, Catelinas Norte. Em nenhum deles estava registrada uma Neusa Muñez. Também não havia nenhuma em Bahia Blanca ou Mar del Plata.

Onde será que ela está?, especulou Lantz. Saiu para a rua, procurando antigos contatos. Foi a La Biela, e o *bartender* exclamou:

— ¡*Señor* Lantz! *Por Dios...* ouvi dizer que tinha morrido.

Lantz sorriu.

— E morri mesmo, mas senti muito sua falta, Antonio, e resolvi voltar.

— O que está fazendo em Buenos Aires?

Lantz imprimiu à voz um tom pensativo:

— Vim procurar uma velha namorada. Deveríamos ter casado, mas a família dela mudou e eu a perdi de vista. Seu nome é Neusa Muñez.

O *bartender* coçou a cabeça.

— Nunca ouvi falar. *Lo siento.*

— Pode perguntar por aí, Antonio?

— *¿Por qué no?*

A PRÓXIMA VISITA de Lantz foi a um amigo na chefatura de polícia.

— Lantz! Harry Lantz! *¡Dios! ¿Qué pasa?*

— Olá, Jorge. É um prazer tornar a vê-lo, amigo.

— A última notícia que tive de você é que havia sido expulso da CIA.

Harry Lantz soltou uma risada.

— Nada disso, amigo. Eles me suplicaram que continuasse. Mas eu queria me estabelecer por conta própria.

— É mesmo? E qual é o seu negócio?

— Abri uma agência de detetive. E, para ser franco, foi isso que me trouxe a Buenos Aires. Um cliente meu morreu há poucas semanas. Deixou um bocado de dinheiro para a filha, e estou tentando localizá-la. A única informação de que disponho é de que ela mora num apartamento em algum lugar de Buenos Aires.

— Como ela se chama?

— Neusa Muñez.

— Espere um instante.

O instante prolongou-se por meia hora.

— Desculpe, amigo, mas não posso ajudá-lo. O nome não consta no computador ou em qualquer dos nossos arquivos.

— Está bem. Se descobrir alguma coisa sobre ela, estou no El Conquistador.

— *Bueno.*

LANTZ VISITOU os bares em seguida. Pontos de encontro conhecidos. Pepe Gonzalez e Almeida, Café Tabac.

— *Buenas tardes, amigo. Soy de los Estados Unidos. Estoy buscando una mujer. El nombre es Neusa Muñez. Es una emergencia.*

— *Lo siento, señor. No la conozco.*

A resposta era a mesma por toda parte. *Ninguém jamais ouviu falar da porra da mulher.*

Harry Lantz circulou por La Boca, a pitoresca área do cais em que se pode ver velhos navios enferrujando, ancorados no rio. Ninguém por ali conhecia Neusa Muñez. Pela primeira vez, Harry Lantz começou a sentir que poderia estar empenhado numa busca inútil.

FOI NO PILAR, um pequeno bar no bairro de Floresta, que sua sorte mudou de repente. Era uma noite de sexta-feira, e o bar estava repleto de trabalhadores. Lantz levou dez minutos para receber a atenção do *bartender.* Antes que Lantz chegasse à metade de seu discurso preparado, o *bartender* interrompeu-o:

— Neusa Muñez? *Sí*, eu a conheço. Se ela quiser falar com você, estará aqui *mañana*, por volta da meia-noite.

NA NOITE SEGUINTE Lantz voltou ao Pilar às onze horas e ficou observando o bar ir lotando pouco a pouco. Perto da meia-noite, ele se descobriu mais e mais nervoso. E se ela não aparecesse? E se fosse a Neusa Muñez errada?

Lantz observou um grupo de moças rindo entrar no bar. Elas foram se juntar a alguns rapazes que ocupavam uma mesa. *Ela tem de aparecer*, pensou Lantz. *Se não vier, posso dar adeus a cinquenta mil dólares.*

Especulou como seria a mulher. Devia ser deslumbrante. Ele estava autorizado a oferecer ao namorado dela, Angel, dois milhões de dólares para assassinar alguém. O que significava que o tal de Angel devia ter dinheiro que não acabava mais. Podia muito bem sustentar uma amante linda e jovem. Mais do que isso, podia sustentar uma dúzia de amantes assim. A tal Neusa devia ser uma atriz ou modelo. *Talvez até eu possa me divertir um pouco com ela antes de deixar a cidade*, pensou Harry Lantz, feliz. *Nada como combinar negócios e prazer.*

A porta se abriu e Lantz olhou, em expectativa. Uma mulher entrou, sozinha. Era de meia-idade e desgraciosa, o corpo enorme, inchado, seios caídos, que balançavam quando ela andava. O rosto era bexiguento, e os cabelos estavam pintados de louro, mas a pele morena indicava o sangue *mestizo*, herdado de uma ancestral índia que fora para a cama com um espanhol. Vestia uma saia malfeita e uma suéter destinada a uma mulher muito mais jovem. *Uma vigarista sem sorte*, concluiu Lantz. *Mas quem poderia querer trepar com uma mulher assim?*

A mulher correu os olhos vazios e apáticos pelo bar. Acenou com a cabeça vagamente para diversas pessoas e depois abriu caminho pela multidão. Foi até o balcão.

— Quer me pagar um drinque?

Ela tinha um sotaque espanhol carregado e de perto era ainda mais desgraciosa. *Parece uma vaca gorda que não dá mais leite*, pensou Harry Lantz. *E está de porre.*

— Não enche, irmã.

— Esteban disse que você está à minha procura.

Lantz ficou aturdido.

— Quem?

— Esteban. O *bartender.*

Harry Lantz ainda não podia aceitar.

— Ele deve ter se enganado. Estou procurando por Neusa Muñez.

— *Sí. Yo soy Neusa Muñez.*

Só que a errada, pensou Harry Lantz. *Mas que merda!*

— É amiga de Angel?

Ela sorriu, meio embriagada.

— *Sí.*

Harry Lantz recuperou-se no mesmo instante.

— Bom, bom... — Forçou um sorriso. — Podemos ir para uma mesa no canto e conversar?

A mulher acenou com a cabeça, indiferente.

— Está bem.

Eles abriram caminho pelo bar enfumaçado. Quando sentaram, Harry Lantz disse:

— Eu gostaria de falar sobre...

— Não quer me pagar um rum?

Lantz assentiu.

— Claro.

Um garçom se aproximou, usando um avental imundo. Lantz pediu:

— Um rum e um uísque com soda.

— O rum é duplo, hein? — disse Neusa Muñez.

Depois que o garçom se afastou, Lantz virou-se para a mulher sentada a seu lado.

— Quero me encontrar com Angel.

Ela o estudou com olhos opacos.

— Para quê?

Lantz baixou a voz.

— Tenho um presente para ele.

— Que tipo de presente?

— Dois milhões de dólares.

O garçom trouxe os drinques. Harry Lantz levantou o copo e disse:

— A nós.

— A nós. — Ela bebeu tudo de um só gole. — Por que quer dar dois milhões de dólares a Angel?

— É uma coisa que devo discutir com ele pessoalmente.

— Isso não é possível. Angel não fala com ninguém.

— Por dois milhões de dólares...

— Posso tomar outro rum? Um duplo, hein?

Essa não! Ela parece que está prestes a apagar!

— Claro. — Lantz chamou o garçom e pediu o drinque. — Conhece Angel há muito tempo?

Ele procurou imprimir um tom casual à voz. A mulher deu de ombros.

— Conheço.

— Ele deve ser um homem interessante.

Os olhos vazios de Neusa Muñez estavam fixados num ponto da mesa à sua frente.

É demais!, pensou Harry Lantz. *É como tentar conversar com uma parede!*

O rum chegou, e ela tomou tudo num longo gole. *Ela tem* o *corpo de uma vaca e as maneiras de um porco.*

— Quando posso me encontrar com Angel?

Neusa Muñez fez um esforço para se levantar.

— Eu já disse que ele não fala com ninguém. *Adios.*

Harry Lantz foi dominado por um súbito pânico.

— Ei, espere um pouco! Não vá embora!

Ela parou e fitou-o com os olhos injetados.

— O que você quer?

— Sente-se e direi o que quero.

A mulher arriou na cadeira.

— Preciso de um drinque, hein?

Harry Lantz estava aturdido. *Que porra de homem é esse Angel? Sua amante não só é a mulher mais feia de toda a América do Sul, mas é também uma bêbada.*

Lantz não gostava de lidar com bêbados. Não mereciam confiança. Por outro lado, ele detestava a perspectiva de perder sua comissão de cinquenta mil dólares. Observou Neusa Muñez tomar o rum. Especulou quantas doses ela já teria bebido antes de encontrá-lo. Lantz sorriu e disse, persuasivo:

— Se eu não puder falar com Angel, Neusa, como poderei tratar de negócios com ele?

— É muito simples. Você me diz o que quer. Eu digo a Angel. Se ele disser *sí*, eu digo *sí*. Se ele disser não, eu digo não.

Harry não gostava da ideia de usá-la como intermediária, mas não tinha alternativa.

— Já ouviu falar de Marin Groza?

— Não.

Claro que ela nunca ouvira. Porque não era o nome de uma marca de rum. Aquela mulher estúpida ia transmitir o recado completamente errado e estragar seu negócio.

— Preciso de um trago, hein?

Lantz afagou-lhe a mão gorda.

— Está certo. — Pediu outra dose dupla de rum. — Angel saberá quem é Groza. Você apenas diz Marin Groza. Ele saberá.

— E depois?

Ela era ainda mais estúpida do que parecia. O que ela pensava que Angel deveria fazer por dois milhões de dólares? Dar um beijo no cara? Lantz disse, com muito cuidado:

— As pessoas que me mandaram aqui querem que ele seja liquidado.

— Como assim?

Oh, Deus!

— Morto.

— Ahn... — Ela balançou a cabeça, indiferente. — Perguntarei a Angel. — Sua voz estava cada vez mais engrolada. — Como é mesmo o nome do homem?

Lantz tinha vontade de sacudi-la.

— Groza. Marin Groza.

— Está bem. Meu neném está fora da cidade. Telefono para ele esta noite e me encontro aqui com você amanhã. Posso tomar outro rum?

Neusa Muñez estava se revelando um pesadelo.

NA NOITE SEGUINTE Harry Lantz sentou à mesma mesa no bar, da meia-noite às quatro horas da madrugada, quando a casa fechou. Neusa Muñez não apareceu.

— Sabe onde ela mora? — Lantz perguntou ao *bartender*.

O *bartender* fitou-o com expressão inocente.

— *¿Quién sabe?*

A sacana estragara tudo. Como um homem supostamente tão eficiente quanto Angel podia se ligar a uma viciada em rum? Harry Lantz orgulhava-se de ser um profissional. Era esperto demais para entrar num negócio como aquele sem antes fazer algumas indagações. O que mais o impressionara fora a informação de que os israelenses fixaram o preço de um milhão de dólares pela cabeça de Angel. Um milhão compraria uma vida inteira de bebida e vigaristas jovens. Mas ele podia esquecer isso e podia esquecer também os seus cinquenta mil. Seu único elo com Angel se rompera. Teria de procurar O Homem e comunicar que fracassara.

Não vou falar com ele por enquanto, decidiu Harry Lantz. *Talvez ela ainda volte aqui. Talvez os outros bares esgotem seu estoque de rum. Talvez eu estivesse maluco quando aceitei a porra desta missão.*

Capítulo 6

NA NOITE SEGUINTE, às onze horas, Harry Lantz estava sentado à mesma mesa no Pilar, mastigando amendoins e roendo as unhas. Às duas horas da madrugada ele viu Neusa Muñez passar pela porta, cambaleando. O coração de Harry logo disparou. Ficou observando a mulher se encaminhar para a sua mesa.

— Oi — murmurou ela, arriando na cadeira.

— O que aconteceu com você? — perguntou Harry.

Ele tinha de fazer um grande esforço para controlar sua raiva. Ela piscou os olhos, surpresa.

— Hein?

— Ficou de se encontrar aqui comigo ontem à noite.

— É mesmo?

— Marcamos um encontro, Neusa.

— Ahn... Fui ao cinema com uma amiga. Está passando um filme novo, entende? É sobre um homem que se apaixona pela porra de uma freira e...

Lantz sentia-se tão frustrado que podia até chorar. *O que Angel pode ver nesta mulher estúpida e bêbada? Ela deve ter uma boceta de ouro*, concluiu Lantz.

— Neusa... você se lembrou de falar com Angel?

Ela o fitou distraída, procurando compreender a pergunta.

— Angel? *Sí*. Posso tomar um trago, hein?

Ele pediu uma dose dupla de rum para a mulher e um uísque também duplo para si mesmo. Precisava desesperadamente da bebida.

— E o que Angel disse, Neusa?

— Angel? Ah, ele disse sim. Está bem.

Harry Lantz sentiu um alívio intenso.

— Isso é maravilhoso!

Ele não estava mais interessado em sua missão como mensageiro. Tinha uma ideia melhor. Aquela bêbada idiota ia levá-lo a Angel. Uma recompensa em dinheiro de um milhão de dólares.

Ele ficou observando-a tomar o rum, derramando um pouco pela blusa já suja.

— O que mais Angel disse?

A mulher franziu a testa em concentração.

— Angel disse que quer saber quem são vocês.

Lantz ofereceu seu sorriso mais cativante.

— Diga a ele que isso é confidencial, Neusa. Não posso lhe fornecer essa informação.

Ela balançou a cabeça com indiferença.

— Então Angel vai dizer a você para ir se foder. Posso tomar outro rum antes de ir embora?

A mente de Harry Lantz começou a trabalhar em alta velocidade. Se a mulher fosse embora, ele tinha certeza de que nunca mais tornaria a vê-la.

— Vamos fazer uma coisa, Neusa. Telefonarei às pessoas para as quais estou trabalhando. Se me derem permissão, eu lhe direi um nome. Está bom assim?

Ela deu de ombros.

— Não me importo.

— Mas Angel se importa — explicou Lantz, paciente. — Diga a ele que terei uma resposta amanhã. Há algum lugar em que eu possa encontrar você?

— Acho que sim.

Ele estava fazendo algum progresso.

— Onde?

— Aqui.

O garçom trouxe o rum e Lantz observou-a tomar tudo de um só gole, como um animal.

Sentiu vontade de matá-la.

LANTZ LIGOU A COBRAR, a fim de que não pudessem localizá-lo na origem da chamada, de uma cabine pública na rua Calvo. Esperou mais de uma hora para que a ligação fosse completada.

— Não — disse o Controlador. — Eu falei que nenhum nome seria mencionado.

— Sei disso, senhor. Mas estou com um problema. Neusa Muñez, a amante de Angel, diz que ele está disposto a fazer o negócio, mas não levantará um dedo enquanto não souber com quem está tratando. Como não podia deixar de ser, eu disse a ela que precisava consultar as pessoas que me haviam enviado até aqui.

— Como é essa mulher?

O Controlador não era um homem que se pudesse enganar.

— Ela é gorda, feia e estúpida, senhor.

— É muito perigoso usar o meu nome.

Harry Lantz podia sentir que o negócio estava lhe escapando.

— Compreendo, senhor. Mas não se pode esquecer que a reputação de Angel está baseada em sua capacidade de ficar de boca fechada. Se ele algum dia começasse a falar, não duraria cinco minutos neste negócio.

Houve um silêncio prolongado.

— Tem razão nesse ponto. — Houve outro silêncio, ainda mais prolongado. — Está bem. Pode dar meu nome a Angel. Mas ele não deve divulgá-lo e nunca deve entrar em contato comigo diretamente. Todo o trabalho será realizado por seu intermédio.

Harry Lantz sentia-se tão contente que podia sair dançando.

— Direi a ele, senhor. Obrigado.

Desligou, sorrindo. Ia receber cinquenta mil dólares.

E depois a recompensa de um milhão de dólares.

QUANDO SE ENCONTROU com Neusa Muñez, naquela noite, Harry Lantz pediu imediatamente um rum duplo para ela e disse, na maior felicidade:

— Está tudo acertado. Obtive permissão.

Ela fitou-o com a indiferença habitual.

— É mesmo?

Ele comunicou o nome de seu empregador. Era conhecido no mundo inteiro, e Lantz esperava que ela se mostrasse impressionada. Mas a mulher deu de ombros.

— Nunca ouvi falar.

— As pessoas para quem trabalho, Neusa, querem que o serviço seja feito o mais depressa possível. Marin Groza está escondido numa *villa* em Neuilly e...

— Onde?

Oh, Deus Todo-Poderoso! Ele estava tentando se comunicar com uma bêbada idiota. E disse, paciente:

— É uma cidadezinha nos arredores de Paris. Angel saberá onde fica.

— Preciso de outro trago.

UMA HORA DEPOIS Neusa ainda estava bebendo, e desta vez Harry Lantz a estimulava. *Não que ela precise de muito estímulo,* pensou Lantz. *Quando estiver completamente embriagada, vai me levar a seu namorado. O resto será fácil.*

Observou Neusa Muñez, que contemplava seu drinque com os olhos vidrados.

Não deve ser muito difícil pegar Angel. Ele pode ser duro, mas não deve ser muito inteligente.

— Quando Angel voltará à cidade?

Ela focalizou os olhos vazios em Lantz.

— Semana que vem.

Harry Lantz pegou a mão da mulher e afagou-a, indagando suavemente:

— Por que nós dois não vamos para a sua casa?

— Está bem.

Ele conseguira.

NEUSA MUÑEZ morava num sórdido apartamento de dois cômodos, no bairro de Belgrano, em Buenos Aires. O apartamento era sujo e desarrumado, como sua moradora. Passaram pela porta, e Neusa encaminhou-se direto para o pequeno bar no canto da sala. Estava cambaleando.

— Quer um drinque?

— Não, obrigado — respondeu Lantz. — Mas você pode tomar.

Ele observou-a servir o drinque e tomá-lo. *Ela é a mulher mais feia e repulsiva que já conheci*, pensou Lantz. *Mas o milhão de dólares que vai me proporcionar será uma beleza.*

Correu os olhos pelo apartamento. Havia alguns livros empilhados sobre uma mesinha baixa. Lantz pegou-os um a um, esperando descobrir alguma coisa sobre a mente de Angel. Os títulos o surpreenderam: *Gabriela, cravo e canela*, de Jorge Amado; *Fogo da montanha*, de Omar Cabezas; *Cem anos de solidão*, de Gabriel García Márquez; *À noite, os gatos*, de Antonio Cisneros. Então Angel era um intelectual. Os livros não combinavam com o apartamento nem com a mulher. Lantz aproximou-se dela e passou os braços pela cintura enorme e flácida.

— Sabia que você é muito atraente? — Ele levantou a mão e afagou os seios. Eram do tamanho de melancias. Detestava mulheres de seios grandes. — Tem realmente um corpo sensacional.

— Hein?

Os olhos de Neusa estavam vidrados. Lantz baixou os braços e acariciou as coxas gordas através do vestido fino de algodão, sussurrando:

— Gosta disso?

— De quê?

Ele não estava fazendo nenhum progresso. Tinha de pensar num meio de levar aquela amazona para a cama. Mas também sabia que precisava agir com todo cuidado. Se a ofendesse, ela poderia ficar furiosa e contar tudo a Angel, o que acabaria com suas perspectivas. Poderia tentar a persuasão, mas ela estava bêbada demais para entender o que ele dissesse.

Enquanto Lantz tentava desesperadamente pensar numa manobra esperta, Neusa murmurou:

— Quer foder?

Ele sorriu, aliviado.

— É uma grande ideia, meu bem.

— Vamos para o quarto.

Ela estava cambaleando quando Lantz a seguiu para o pequeno quarto. Tinha um *closet*, com a porta entreaberta, uma cama de casal desarrumada, duas cadeiras e uma cômoda, com um espelho rachado por cima. Foi o *closet* que atraiu a atenção de Harry Lantz. Viu uma fileira de ternos de homem pendurados lá dentro.

Neusa estava ao lado da cama, tentando abrir os botões da blusa. Em circunstâncias normais, Harry Lantz estaria junto dela, despindo-a, acariciando seu corpo e murmurando obscenidades excitantes em seu ouvido. Mas a visão de Neusa Muñez lhe causava a maior repulsa. Ficou parado, observando, enquanto a saia caía no chão. Ela não usava nada por baixo. Nua, era ainda mais feia do que vestida. Os seios enormes eram flácidos, e a barriga protuberante tremia como geleia quando ela se mexia. As coxas gordas eram uma massa de celulite. *Ela é a coisa mais grotesca que já vi*, pensou Lantz. *Pense de maneira positiva*, disse a si mesmo. *Isto acabará em poucos minutos, enquanto o milhão de dólares durará para sempre.*

Lentamente, forçou-se a tirar as roupas. Ela estava estendida na cama, como um leviatã, à sua espera. Lantz foi ficar ao seu lado.

— Do que você gosta? — perguntou ele.

— Hein? Chocolate. Gosto de chocolate.

Ela estava mais bêbada do que ele pensara. *Isso é ótimo. Tornará tudo mais fácil.* Começou a acariciar o corpo flácido e branco.

— Você é uma mulher muito bonita, meu bem. Sabia disso?

— Hein?

— Gosto muito de você, Neusa. — Lantz desceu as mãos para o monte peludo entre as pernas gordas e começou a traçar pequenos círculos. — Aposto que leva uma vida emocionante.

— Hein?

— Afinal... ser a namorada de Angel... Deve ser muito interessante. Diga-me uma coisa, meu bem: como é Angel?

Houve silêncio, e ele especulou se Neusa adormecera. Enfiou os dedos na fenda macia e úmida entre as pernas e sentiu-a se mexer.

— Não durma agora, querida. Ainda não. Que tipo de homem é Angel? Ele é bonito?

— Rico. Angel é rico.

A mão de Lantz continuou em ação.

— Ele é bom para você?

— É, sim. Angel é muito bom para mim.

— Também serei bom para você, meu bem.

A voz de Lantz era suave e mole. O problema é que o resto também estava mole. Precisava de uma ereção de um milhão de dólares. Começou a pensar nas irmãs Dolly e algumas das coisas que haviam feito com ele. Visualizou-as trabalhando em seu corpo nu, com as línguas, dedos e mamilos. O pênis começou a ficar duro. Virou rapidamente para cima de Neusa e penetrou-a. *É como foder um pudim*, pensou Harry Lantz.

— Está gostando?

— Acho que estou.

Harry Lantz sentiu vontade de estrangulá-la. Havia dezenas de mulheres lindas no mundo inteiro que ficavam no maior excitamento por seu ato amoroso e aquela sacana gorda se limitava a dizer que achava que estava gostando. Ele começou a deslocar os quadris para a frente e para trás.

— Fale-me sobre Angel. Quem são os amigos dele?

A voz de Neusa estava sonolenta:

— Angel não tem amigos. Eu sou sua amiga.

— Claro que é, meu bem. Angel mora aqui com você ou tem seu próprio apartamento?

Neusa fechou os olhos.

— Estou com sono. Quando você vai gozar?

Nunca, pensou ele. *Não com esta vaca.*

— Já gozei — mentiu Lantz.

— Então vamos dormir.

Ele saiu de cima da mulher e estendeu-se a seu lado, furioso. *Por que Angel não podia ter uma amante normal? Uma mulher jovem, bonita, de sangue quente?* Ele não teria então qualquer dificuldade para obter as informações que desejava. Mas aquela vaca estúpida... Ainda assim... havia outros meios.

Lantz ficou imóvel na cama por um longo tempo, até ter certeza absoluta de que Neusa estava dormindo. Levantou-se então, com todo cuidado, e foi até o *closet*. Acendeu a luz no interior e fechou a porta, a fim de que a claridade não despertasse a baleia roncando.

Havia uma dúzia de ternos e trajes esportes pendurados, seis pares de sapatos de homem no chão. Lantz abriu os paletós e verificou as etiquetas. Os ternos eram todos feitos sob medida por Herrera, avenida la Plata. Os sapatos eram da Vill. *Tirei a sorte grande!*, pensou Lantz, exultante. *Eles devem ter o registro do endereço de Angel. Irei à loja pela manhã e farei algumas perguntas.* Um alarme soou em sua mente. *Não, nada de perguntas.* Ele tinha de ser mais esperto. Afinal, estava lidando com um assassino de categoria internacional. Seria mais seguro deixar que Neusa o levasse a Angel. *Tudo o que terei de fazer então será avisar meus amigos no Mossad e receber o dinheiro. Mostrarei a Ned Tillingast e ao resto daquele bando de desgraçados da CIA que o velho Harry Lantz ainda não perdeu a classe. Todos aqueles garotos brilhantes estavam fazendo o possível e o impossível para descobrir Angel e sou eu quem o encontra.*

Teve a impressão de ouvir um ruído na cama. Espiou cauteloso pela porta do *closet*, mas Neusa ainda estava dormindo.

Lantz apagou a luz do *closet* e voltou para a cama. Os olhos da mulher estavam fechados. Ele foi na ponta dos pés até a cômoda e começou a vasculhar as gavetas, na esperança de encontrar uma fotografia de Angel. Seria uma grande ajuda. Não teve sorte. Retornou à cama. Neusa roncava alto.

Quando Harry Lantz finalmente adormeceu, seus sonhos foram repletos de visões de um iate branco, cheio de mulheres bonitas e jovens, completamente nuas, com seios pequenos e firmes.

PELA MANHÃ, quando Harry Lantz acordou, Neusa não estava na cama. Por um instante, ele foi dominado pelo pânico. Ela já teria saído para se encontrar com Angel? Ouviu barulho na cozinha. Saiu da cama apressado e vestiu-se. Neusa estava no fogão.

— *Buenos dias* — disse Lantz.

— Quer café? — murmurou Neusa. — Não posso fazer nada para você comer. Tenho um encontro marcado.

Com Angel. Harry Lantz tentou esconder sua excitação.

— Não há problema, pois não estou com fome. Pode ir para o seu encontro. Jantaremos juntos esta noite. — Ele abraçou-a, acariciando os seios enormes. — Onde você gostaria de jantar? Só o melhor para a minha garota.

Eu deveria ser um ator, pensou Lantz.

— Não me importo.

— Conhece o Chiquin, na avenida Cangallo?

— Não.

— Tenho certeza de que vai gostar. Está bem eu vir buscá-la aqui às oito horas? Tenho muitos negócios para tratar hoje.

Ele não tinha negócio nenhum a tratar.

— Está bem.

Lantz teve de recorrer a toda sua força de vontade para se inclinar e dar um beijo de despedida em Neusa. Os lábios da mulher eram flácidos, úmidos e repulsivos.

— Às oito horas.

Ele deixou o apartamento e fez sinal para um táxi. Esperava que Neusa estivesse observando da janela.

— Vire à direita na próxima esquina — ordenou ao motorista.

Depois que viraram a esquina, Harry Lantz acrescentou:

— Vou saltar aqui.

O motorista fitou-o com expressão espantada.

— Pegou um táxi para andar só um quarteirão, *señor?*

— Isso mesmo. Tenho uma perna ruim. Ferimento de guerra.

Lantz pagou a corrida e depois voltou apressado para uma tabacaria em frente ao prédio de Neusa, no outro lado da rua. Acendeu um cigarro e ficou esperando.

Vinte minutos depois Neusa saiu do prédio. Lantz observou-a se afastar pela rua e seguiu-a a uma distância cautelosa. Não havia a menor possibilidade de perdê-la. Era como seguir o *Lusitânia.*

Neusa Muñez parecia não ter a menor pressa. Desceu pela avenida Belgrano, passou pela biblioteca Espanhola e seguiu pela avenida Córdoba. Lantz observava quando ela entrou na Berenes, uma loja de couros na San Martín. Ficou parado no outro lado da rua, vendo-a conversar com um vendedor. Especulou se a loja teria alguma ligação com Angel. Fez uma anotação mental.

Neusa saiu alguns minutos depois, carregando um embrulho pequeno. Sua parada seguinte foi numa *heladería* na Corrientes, para tomar um sorvete. Desceu pela San Martín, andando devagar. Parecia estar passeando a esmo, sem qualquer destino específico em mente.

O *que aconteceu com seu encontro marcado?*, pensou Lantz. *Onde está Angel?* Ele não acreditava na declaração de Neusa de que Angel não estava na cidade. O instinto lhe dizia que Angel se encontrava em algum lugar nas proximidades.

Lantz compreendeu subitamente que Neusa Muñez não estava mais à vista. Ela virara uma esquina à frente e desaparecera. Ele acelerou os passos. Não a viu quando dobrou a esquina. Havia pequenas lojas nos dois lados da rua e Lantz foi avançando com todo cuidado, os olhos esquadrinhando tudo, temeroso de que Neusa pudesse avistá-lo antes que ele a visse.

Finalmente localizou-a numa *fiambrería*, comprando coisas. Seriam para ela ou estaria esperando alguém no apartamento para almoçar? Alguém chamado Angel.

A distância, Lantz observou Neusa entrar numa *verdulería* e comprar frutas e legumes. Seguiu-a de volta ao prédio em que morava. Até onde ele podia determinar, não houvera qualquer contato suspeito.

HARRY LANTZ FICOU observando o prédio de Neusa do outro lado da rua durante as quatro horas seguintes, mudando de posição constantemente, a fim de não chamar atenção. Acabou chegando à conclusão de que Angel não ia aparecer. *Talvez eu consiga lhe arrancar mais alguma informação esta noite*, pensou ele. *Sem precisar comê-la, é claro.* A ideia de ter de fazer amor com Neusa outra vez deixava-o com vontade de vomitar.

NO GABINETE OVAL da Casa Branca a noite caía. Fora um dia comprido para Paul Ellison. O mundo inteiro parecia composto de comitês e conselhos, telegramas urgentes, reuniões e conversas. Só agora tinha um momento para refletir, um momento para si mesmo. Ou *quase* para si mesmo. Stanton Rogers estava sentado no outro lado da mesa, e o presidente descobriu-se relaxando pela primeira vez naquele dia.

— Estou tirando-o de sua família, Stan.

— Não tem problema, Paul.

— Eu queria falar com você sobre a investigação de Mary Ashley. Como está indo?

— Está quase concluída. Teremos uma verificação final amanhã ou depois. Até agora, parece que está tudo certo. Estou começando a ficar excitado com a ideia. Acho que vai dar certo.

— *Nós faremos* com que dê certo. Quer outro drinque?

— Não, obrigado. A menos que você precise de mim para alguma coisa, vou levar Barbara para uma estreia no Kennedy Center.

— Pode ir — disse Paul Ellison. — Alice e eu vamos receber alguns parentes dela.

— Por favor, dê lembranças minhas a Alice.

Stanton Rogers levantou-se.

— E você dê lembranças minhas a Barbara.

O presidente ficou observando Stanton Rogers se retirar. E seus pensamentos voltaram a se concentrar em Mary Ashley.

AO CHEGAR AO APARTAMENTO de Neusa naquela noite a fim de levá-la para jantar fora, Harry Lantz bateu na porta e não houve resposta. Sentiu um momento de consternação. Será que ela saíra, esquecendo o encontro?

Experimentou a porta. Não estava trancada. Angel estaria ali à sua espera? Talvez ele tivesse decidido discutir o contrato pessoalmente. Harry assumiu uma atitude firme, profissional, e entrou. A sala estava vazia.

— Olá.

Apenas um eco. Ele passou para o quarto. Neusa estava estendida na cama, bêbada.

— Sua idiota...

Harry se controlou. Não podia esquecer que aquela mulher estúpida e bêbada era a sua mina de ouro. Pôs as mãos nos ombros de Neusa e tentou acordá-la. Ela abriu os olhos.

— O que é?

— Estou preocupado com você. — A voz de Harry Lantz estava impregnada de sinceridade. — Detesto vê-la infeliz e acho que anda bebendo porque alguém a deixa infeliz. Sou seu amigo. Pode me contar tudo. É Angel, não é?

— Angel... — murmurou ela.

— Tenho certeza de que ele é um bom homem — continuou Harry suavemente. — Provavelmente vocês dois tiveram apenas um mal-entendido, não é?

Ele tentou tirá-la da cama. *É como desencalhar uma baleia*, pensou Lantz.

— Fale-me sobre Angel — pediu ele, sentando-se na cama. — O que ele está fazendo com você?

Neusa fitou-o, os olhos remelentos, tentando focalizá-lo.

— Vamos foder.

Essa não! Ia ser uma longa noite.

— Claro. Grande ideia.

Relutante, Lantz começou a se despir.

QUANDO HARRY LANTZ acordou pela manhã, sozinho na cama, as lembranças afloraram em sua mente e ele sentiu o estômago revirar. Neusa o acordara no meio da noite.

— Sabe o que eu quero que faça comigo?

E ela lhe dissera. Lantz escutara, aturdido, mas fizera todas as coisas que ela pedira. Não podia se dar o luxo de hostilizá-la. Neusa era um animal selvagem e doentio, e Lantz especulou se Angel alguma vez fizera aquelas coisas com ela. A lembrança do que acontecera deixou Lantz com vontade de vomitar.

Ele ouviu Neusa cantando no banheiro, desafinada. Não tinha certeza se seria capaz de encará-la. Já fui longe demais, pensou

Lantz. *Se ela não me disser esta manhã onde posso encontrar Angel, vou procurar o alfaiate e o sapateiro.*

Empurrou as cobertas para o lado e foi falar com Neusa. Ela estava parada na frente do espelho do banheiro. Tinha os cabelos enrolados e parecia, se possível, ainda mais desgraciosa do que antes.

— Nós dois precisamos ter uma conversa — disse Lantz, a voz firme.

— Claro. — Neusa apontou para a banheira cheia de água. — Preparei um banho para você. Quando acabar, arrumo o café da manhã.

Lantz estava impaciente, mas sabia que não devia pressioná-la demais.

— Você gosta de omelete?

Ele não estava com o menor apetite.

— Gosto, sim.

— Faço uma boa omelete. Angel me ensinou.

Lantz ficou observando enquanto ela começava a tirar os enormes rolos do cabelo. Ele entrou na banheira.

Neusa pegou um secador elétrico, ligou-o e pôs-se a enxugar os cabelos.

Lantz refestelou-se na banheira com água quente, pensando: *Talvez eu devesse arrumar um revólver e cuidar de Angel pessoalmente. Se deixar os israelenses fazerem isso, provavelmente haverá a porra de um inquérito para saber com quem fica a recompensa. Dessa maneira não haverá qualquer dúvida. Apenas direi a eles onde podem pegar o corpo.*

Neusa disse alguma coisa, mas Harry Lantz mal pôde ouvi-la, com o barulho do secador.

— O que foi que disse? — gritou ele.

Neusa se aproximou da banheira.

— Tenho um presente de Angel para você.

Ela largou o secador de cabelos elétrico na água e ficou olhando o corpo de Harry Lantz se contorcer na dança da morte.

Capítulo 7

O PRESIDENTE PAUL ELLISON largou o último relatório de segurança sobre Mary Ashley e disse:

— Não há nenhuma falha, Stan.

— Sei disso. Acho que ela é a candidata perfeita. Mas é claro que o pessoal do Departamento de Estado não vai ficar muito satisfeito.

— Mandaremos uma caixa de lenços para eles chorarem. E agora vamos torcer para que o Senado concorde com a nossa ideia.

A SALA DE Mary ASHLEY no Kedzie Hall era pequena e agradável, forrada de estantes com livros de referências sobre os países da Europa Central. O mobiliário era mínimo, consistindo em uma escrivaninha escalavrada, uma cadeira giratória, e uma mesinha junto à janela em que se acumulavam muitas provas, uma poltrona e uma luminária de leitura. Na parede por trás da escrivaninha havia um mapa dos Bálcãs. Uma fotografia antiga do avô de Mary estava pendurada na parede. Fora tirada na passagem do século, e o vulto na fotografia mantinha uma pose rígida, sem naturalidade, vestindo as roupas da época. Era um dos tesouros de Mary. Fora o avô quem lhe incutira profunda curiosidade pela Romênia. Ele lhe contava histórias românticas da rainha Marie, de baronesas e princesas, histórias de Albert, o príncipe consorte da Inglaterra, de Alexandre II, czar da Rússia, e dezenas de outros personagens emocionantes.

Em algum lugar do nosso passado existe sangue real. Se a revolução não tivesse acontecido, você seria uma princesa.

Mary costumava sonhar com isso.

ELA ESTAVA CONFERINDO as provas e dando notas quando a porta se abriu e o reitor Hunter entrou.

— Bom-dia, senhora Ashley. Pode me dar um momento?

Era a primeira vez que o reitor a procurava em sua sala. Mary experimentou um súbito momento de exultação. Só podia haver um motivo para que o reitor ali viesse pessoalmente: ele ia comunicar que a universidade a contratara como catedrática.

— Claro — disse ela. — Não quer sentar?

Ele sentou.

— Como estão suas turmas?

— Acho que muito bem.

Mary estava ansiosa para transmitir a notícia a Edward. Ele ficaria muito orgulhoso. Não era sempre que uma pessoa de sua idade se tornava catedrática numa universidade. O reitor Hunter parecia constrangido.

— Está metida em alguma encrenca, senhora Ashley?

A pergunta pegou Mary completamente desprevenida.

— Encrenca? Eu... não. Por que pergunta?

— Alguns homens de Washington vieram me procurar, fazendo perguntas a seu respeito.

Mary Ashley ouviu o eco das palavras de Florence Schiffer: *Algum agente federal de Washington!... Estava fazendo uma porção de perguntas sobre Mary. Do jeito como falava, parecia que ela era uma espiã internacional... Ela é uma americana leal? Tem sido uma boa esposa e mãe...*

Portanto, no final das contas, o intruso não tinha nada a ver com seu posto de catedrática. Ela se descobriu de repente com dificuldade para falar.

— O que... o que eles queriam saber, reitor Hunter?

— Perguntaram sobre sua reputação como professora e também queriam saber de sua vida pessoal.

— Não posso explicar. Não tenho a menor ideia do que está acontecendo. E não estou metida em nenhuma encrenca. Pelo menos ao que eu saiba.

O reitor observava-a com um ceticismo óbvio.

— Não lhe contaram *por que* estavam fazendo perguntas a meu respeito?

— Não. Para dizer a verdade, pediram-me que mantivesse a conversa no mais absoluto sigilo. Mas tenho um dever de lealdade para com a minha equipe e achei que seria justo informá-la. Se houver alguma coisa que eu deva saber, prefiro tomar conhecimento por seu intermédio. Qualquer escândalo envolvendo um dos nossos professores poderia ter reflexos prejudiciais sobre a universidade.

Mary sacudiu a cabeça, desamparada.

— Eu... eu não posso imaginar nada.

O reitor fitou-a em silêncio por um momento. Parecia prestes a dizer alguma coisa, mas depois balançou a cabeça e limitou-se a murmurar:

— Está bem, senhora Ashley.

Ela ficou observando o reitor se retirar e especulou: *Mas afinal, o que eu poderia ter feito?*

MARY SE MANTEVE muito quieta durante o jantar. Queria esperar que Edward acabasse de comer antes de contar o que estava acontecendo. Tentariam esclarecer o problema juntos. As crianças estavam insuportáveis outra vez. Beth recusou-se a comer qualquer coisa.

— Ninguém mais come carne. É um costume bárbaro, trazido dos tempos do homem da caverna. Pessoas civilizadas não comem animais vivos.

— Não está vivo — argumentou Tim. — Está morto, e por isso você pode comer.

— Crianças! — Os nervos de Mary estavam à flor da pele. — Não digam mais nada! Beth, vá preparar uma salada para você!

— Ela podia pastar no campo — sugeriu Tim.

— Tim! Termine logo de jantar! — A cabeça de Mary começava a latejar. — Edward...

O telefone tocou.

— É para mim — disse Beth.

Ela se levantou de um pulo e correu para o telefone. Tirou o fone do gancho e murmurou, com sua voz mais sedutora:

— Virgil? — Ela escutou por um momento e sua expressão mudou. Foi com irritação que acrescentou: — Sei disso!

Beth bateu com o telefone e voltou para a mesa.

— Quem era? — perguntou Edward.

— Algum gaiato. Disse que era da Casa Branca, querendo falar com mamãe.

— *Casa Branca?* — repetiu Edward.

O telefone tornou a tocar.

— Eu atendo — disse Mary.

Ela se levantou e foi até o telefone.

— Alô? — Enquanto escutava, sua expressão tornou-se sombria. — Estou no meio do jantar e não acho a menor graça. Você pode... o quê? ... Quem? O presidente?

Houve um súbito silêncio na sala.

— Espere um... eu... oh, boa-noite, senhor presidente. — Havia uma expressão atordoada em seu rosto. Toda a família observava, os olhos arregalados. — Sim, senhor. Reconheço sua voz. Eu... eu... peço desculpas por terem batido com o telefone há pouco.

Beth pensou que era Virgil e... sim, senhor. Obrigada. — Ela ficou imóvel, escutando. — Se eu estaria disposta a servir como o *quê*?

O ROSTO DE MARY ficou subitamente vermelho. Edward estava de pé, aproximando-se do telefone, as crianças logo atrás.

— Deve haver algum engano, senhor presidente. Meu nome é Mary Ashley. Sou professora na Universidade Estadual do Kansas e... O senhor leu? Obrigada, senhor... É muita gentileza sua... Eu acho que sim... — Ela escutou em silêncio por um longo momento. — Sim, senhor, eu concordo. Mas isso não significa que eu... Sim, senhor. Sim, senhor. Claro que me sinto lisonjeada. É uma oportunidade maravilhosa, mas eu... Claro que sim, senhor. Conversarei a respeito com meu marido e ligarei depois. — Ela pegou uma caneta e anotou um número. — Sim, senhor. Já anotei. Obrigada, senhor presidente. Adeus.

Lentamente, Mary repôs o fone no gancho e ficou imóvel, em estado de choque.

— O que houve? — perguntou Edward.

— Era mesmo o presidente? — indagou Tim.

Mary arriou numa cadeira.

— Era, sim.

Edward pegou a mão de Mary.

— O que ele disse, Mary? O que queria?

Ela estava atordoada, pensando: *Então era esse o motivo para todas as perguntas*. Ela levantou os olhos para o marido e os filhos e disse, falando bem devagar:

— O presidente leu meu livro e o artigo que saiu na revista *Foreign Affairs* e os achou brilhantes. Disse que é o tipo de pensamento que deseja em seu programa povo-para-povo. E quer me designar para embaixadora na Romênia.

Havia uma expressão de total incredulidade no rosto de Edward.

— *Você? Por que você?*

Era exatamente o que Mary perguntara a si mesma, mas sentiu agora que Edward poderia ter sido mais diplomático. Poderia falar: *"Mas que ideia maravilhosa! Você dará uma grande embaixadora!"* Mas ele estava sendo realista. *É verdade, por que logo eu?*

— Você não tem qualquer experiência política.

— Sei disso muito bem — respondeu Mary, com alguma irritação. — Concordo que toda a ideia é absurda.

— Você vai ser embaixadora? — perguntou Tim. — Vamos nos mudar para Roma?

— Romênia.

— Onde fica a Romênia?

Edward virou-se para os filhos.

— Vocês dois acabem de jantar. Sua mãe e eu gostaríamos de ter uma conversinha em particular.

— Não temos direito a voto? — indagou Tim.

— Votam pela ausência.

Edward pegou Mary pelo braço e levou-a para a biblioteca. Ali, virou-se para ela e disse:

— Desculpe se pareci um idiota pomposo. É que fiquei tão...

— Você tinha toda razão, Edward. Por que haveriam de escolher logo a mim?

Quando Mary o chamava de Edward, ele sabia que se encontrava numa situação difícil.

— Meu bem, provavelmente você daria uma grande embaixadora... ou embaixatriz, não sei como é que chamam. Mas deve admitir que a notícia foi um choque.

Mary abrandou.

— Mais do que isso, um relâmpago. — Ela parecia uma garotinha. — Ainda não posso acreditar. — Riu. — Espere só até eu contar a Florence. Ela vai morrer.

Edward observava-a atentamente.

— Está muito excitada com isso, não é?

Ela fitou-o, surpresa.

— Claro que estou. Você também não ficaria?

Edward escolheu suas palavras com extremo cuidado:

— É uma grande honra, meu bem, e tenho certeza de que não foi uma coisa que ofereceram levianamente. Devem ter um ótimo motivo para escolhê-la. — Ele hesitou. — Temos de pensar a respeito com muito cuidado. Sobre as consequências para as nossas vidas.

Ela sabia o que o marido ia dizer e pensou: *Edward está certo. Claro que ele está certo.*

— Não posso deixar a clínica e abandonar meus pacientes. Tenho de ficar aqui. Não sei por quanto tempo ficaríamos separados, mas se isso é muito importante para você... então acho que devemos arrumar um jeito para que vá com as crianças e eu iria me encontrar com vocês sempre que...

Mary interrompeu-o, a voz suave:

— Você é mesmo doido. Acha que eu poderia viver longe de você?

— Afinal, é uma grande honra e...

— E ser sua esposa também é uma grande honra. Nada é mais importante para mim do que você e as crianças. Eu nunca o deixaria. Esta cidade não pode encontrar outro médico como você, mas tudo o que o governo precisa fazer para encontrar alguém melhor do que eu para a embaixada é procurar nas páginas amarelas.

Edward abraçou-a.

— Tem certeza?

— Absoluta. Foi emocionante ser convidada. Isso é suficiente para...

A porta se abriu e Beth e Tim entraram correndo. Beth disse:

— Acabei de ligar para Virgil e contei a ele que você vai ser embaixadora.

— Então é melhor ligar de novo e dizer que eu não vou ser.

— Por que não? — perguntou Beth.

— Sua mãe acaba de decidir que vai continuar aqui.

— Por quê? — lamentou Beth. — Eu nunca estive na Romênia. Nunca estive em lugar nenhum.

— Eu também não. — Tim virou-se para Beth. — Eu falei que a gente nunca conseguiria escapar daqui.

— O assunto está encerrado — declarou Mary.

NA MANHÃ SEGUINTE Mary ligou para o número que o presidente lhe dera. Quando a telefonista atendeu, ela disse:

— Aqui é a senhora Mary Ashley. Creio que o assessor do presidente... o senhor Greene... está esperando por minha ligação.

— Um momento, por favor.

Uma voz de homem atendeu:

— Senhora Ashley?

— Eu mesma. Pode fazer o favor de transmitir um recado meu ao presidente?

— Claro.

— Pode dizer a ele, por gentileza, que me sinto muito lisonjeada com o convite, mas as atividades profissionais de meu marido não lhe permitem sair daqui. Assim, seria impossível eu aceitar. Espero que ele compreenda.

— Transmitirei o recado. — A voz era neutra. — Obrigado, senhora Ashley.

O telefone ficou mudo. Mary largou o fone no gancho, devagar. Estava feito. Por um breve momento, um sonho fascinante lhe fora oferecido, mas não passava disso. Um sonho. *Este é o meu mundo real. E agora é melhor eu me aprontar para a minha próxima aula de ciência política.*

MANAMA, BAHREIN

A CASA DE PEDRA CAIADA de branco era anônima, escondida entre dezenas de casas idênticas, a pouca distância a pé dos *souks*, os enormes e pitorescos mercados ao ar livre. Pertencia a um mercador que simpatizava com a causa da organização conhecida como Patriotas pela Liberdade.

— Precisaremos da casa apenas por um dia — dissera-lhe uma voz pelo telefone.

Tudo fora combinado. Agora, o presidente estava falando aos homens reunidos na sala.

— Surgiu um problema — disse ele. — A moção que aprovamos recentemente apresenta um problema.

— Que espécie de problema? — perguntou Balder.

— O intermediário que escolhemos... Harry Lantz... está morto.

— Morto? Como aconteceu?

— Foi assassinado. Encontraram o corpo flutuando no porto em Buenos Aires.

— A polícia tem alguma ideia do culpado? O caso pode ser relacionado conosco de alguma forma?

— Não. Estamos absolutamente seguros.

— E o nosso plano? — perguntou Thor. — Podemos executá-lo?

— Não no momento. Não sabemos como entrar em contato com Angel. Mas o Controlador deu permissão a Harry Lantz para revelar seu nome a ele. Se Angel estiver interessado em nossa proposta, encontrará um meio de fazer contato. Tudo o que podemos fazer agora é esperar.

A MANCHETE DO Daily Union de Junction City dizia: MARY ASHLEY, DE JUNCTION CITY, RECUSA POSTO DE EMBAIXADORA.

Havia uma matéria de duas colunas sobre Mary e uma fotografia sua. Na Rádio KJCK, os noticiários da tarde e da noite falaram sobre a nova celebridade da cidade. O fato de Mary Ashley ter recusado o convite do presidente tornava a história ainda maior do que se ela tivesse aceitado. Aos olhos de seus orgulhosos cidadãos, Junction City, Kansas, era muito mais importante do que Bucareste, Romênia.

Ao seguir para a cidade, a fim de fazer compras para o jantar, Mary Ashley ligou o rádio do carro.

— ...O presidente Ellison anunciara antes que a embaixada na Romênia seria o início de seu programa de povo-para-povo, a pedra fundamental de sua política externa. Como a recusa de Mary Ashley ao posto vai se refletir...

Ela trocou de estação.

— ...é casada com o doutor Edward Ashley e se acredita que...

Mary desligou o rádio. Recebera pelo menos três dúzias de telefonemas naquela manhã, de amigos, vizinhos, estudantes e estranhos curiosos. Repórteres haviam-na procurado, de lugares tão distantes como Londres e Tóquio. *Estão levando a história além das proporções normais,* pensou Mary. *Não é culpa minha que o presidente tenha resolvido o sucesso de sua política externa na Romênia. Gostaria de saber até quando esse pandemônio vai durar. Provavelmente acabará em mais um ou dois dias.*

Entrou com a caminhonete num posto de gasolina Derby e parou na frente da bomba de autosserviço. Quando saltou do carro, o senhor Blount, gerente do posto, aproximou-se apressado.

— Bom-dia, senhora Ashley. Uma embaixadora não deve bombear pessoalmente sua gasolina. Deixe-me ajudá-la.

Mary sorriu.

— Obrigada, mas estou acostumada a me servir.

— De jeito nenhum! Eu insisto.

Com o tanque já cheio, Mary seguiu para a Washington Street e parou na frente da Shoe Box.

— Bom-dia, senhora Ashley — cumprimentou-a o funcionário. — Como vai a embaixadora esta manhã?

Isto vai se tornar cansativo, pensou Mary. Em voz alta, ela disse:

— Não sou embaixadora, mas vou bem, obrigada. — Entregou um par de sapatos. — Gostaria que pusessem solas novas nos sapatos de Tim.

O homem examinou os sapatos.

— Não são os que consertamos na semana passada?

Mary suspirou.

— E na semana anterior também.

A PRÓXIMA PARADA de Mary foi na Loja de Departamentos Long's. A senhora Hacker, gerente do departamento de roupas, disse-lhe:

— Acabei de ouvir seu nome no rádio. Está pondo Junction City no mapa. Acho que a senhora, Eisenhower e Al Landon são as únicas grandes personalidades políticas do Kansas, senhora embaixadora.

— Não sou embaixadora — respondeu Mary, paciente. — Recusei a indicação.

— Era o que eu estava querendo dizer.

Não adiantava. Mary disse:

— Preciso de um *jeans* para Beth. De preferência alguma coisa de ferro.

— Qual é a idade de Beth agora? Dez anos?

— Doze.

— Puxa, como as crianças crescem depressa hoje em dia, não é? Ela será uma adolescente antes que se possa perceber.

— Beth já nasceu adolescente, senhora Hacker.

— E como está Tim?

— Ele é muito parecido com Beth.

MARY DEMOROU duas vezes mais do que o habitual nas compras. Todos tinham algum comentário a fazer sobre a grande notícia. Foi ao Dillon's para comprar algumas coisas. Estava examinando as prateleiras quando a senhora Dillon a abordou.

— Bom-dia, senhora Ashley.

— Bom-dia, senhora Dillon. Tem coisas para o café da manhã que não tenham nada?

— Como assim?

Mary consultou a lista que tinha na mão.

— Sem adoçantes artificiais, sódio, gorduras, carboidratos, cafeína, ácido fólico ou flavorizantes.

A senhora Dillon estudou a lista.

— É alguma experiência médica?

— De certa forma. É para Beth. Ela só quer comer alimentos naturais.

— Por que não a leva para o pasto e a deixa pastar?

Mary soltou uma risada.

— Foi exatamente o que meu filho sugeriu. — Pegou um pacote e verificou o rótulo. — A culpa é minha. Eu nunca deveria ter ensinado Beth a ler.

MARY VOLTOU PARA casa com todo cuidado, subindo o caminho sinuoso para Milford Lake. Estava alguns graus acima de zero, mas o vento gelado levava a temperatura para o negativo, pois não havia nada que detivesse o seu avanço pelas planícies intermináveis. Os gramados estavam cobertos de neve, e Mary lembrou-se do inverno anterior, quando uma tempestade de gelo se abatera sobre o condado, partindo os cabos de transmissão de energia elétrica. Ficaram sem eletricidade por quase uma semana. Ela e Edward fizeram amor todas as noites. *Talvez tenhamos sorte outra vez este ano*, pensou, sorrindo para si mesma.

QUANDO MARY chegou em casa, Edward ainda não voltara do hospital. Tim estava no escritório, assistindo a um programa de ficção científica. Mary guardou as compras e foi confrontar o filho.

— Você não deveria estar fazendo o dever de casa?

— Não posso.

— E por que não?

— Porque não entendo.

— E não vai mesmo entender se continuar assistindo a *Jornada nas estrelas*. Mostre-me o dever.

Tim mostrou o livro de matemática da quinta série, comentando:

— Estes problemas são muito burros.

— Não existem problemas burros, mas sim alunos burros. E agora vamos estudar este aqui.

Mary leu o problema em voz alta:

— Um trem deixando Minneapolis levava 149 pessoas a bordo. Mais pessoas embarcaram em Atlanta. Agora, havia 223 pessoas a bordo. Quantas pessoas embarcaram em Atlanta? — Ela levantou os olhos. — É muito simples, Tim. Basta subtrair 149 de 223.

— Não, não é isso — protestou Tim, sombriamente. — Tem de se armar uma equação. 149 mais *N* é igual a 223. *N* é igual a 223 menos 149. *N* é igual a 74.

— Isso é uma burrice — concluiu Mary.

AO PASSAR PELO quarto de Beth, Mary ouviu um barulho. Entrou. Beth estava sentada no chão, de pernas cruzadas, assistindo à televisão, escutando um disco de *rock* e fazendo o dever de casa.

— Como pode se concentrar com este barulho todo? — perguntou Mary.

Ela foi até a televisão e desligou-a, depois desligou também o toca-discos. Beth levantou os olhos, surpresa.

— Por que fez isso? Era George Michael!

O quarto de Beth era revestido de *posters* de músicos. Havia Kiss e Van Halen, Motley Crue, Aldo Nova e David Lee Roth. A cama estava coberta de revistas: *Seventeen, Teen idol* e meia dúzia de outras. As roupas de Beth estavam espalhadas pelo chão. Em desespero, Mary correu os olhos pelo quarto desarrumado.

— Como pode viver assim, Beth?

A menina ficou aturdida.

— Viver como, mamãe?

Mary rangeu os dentes.

— Nada. — Ela olhou para um envelope na escrivaninha da filha. — Está escrevendo para Rick Springfield?

— Estou apaixonada por ele.

— Pensei que estivesse apaixonada por George Michael.

— Eu *queimo* por George Michael, mas estou apaixonada por Rick Springfield. Mamãe, você nunca *queimou* por ninguém no seu tempo?

— No meu tempo estávamos ocupadas demais atravessando o continente em carroças.

Beth suspirou.

— Sabia que Rick Springfield teve uma infância horrível?

— Para ser absolutamente sincera, Beth, eu não tinha a menor ideia.

— Foi uma coisa pavorosa. O pai era militar e estavam sempre mudando de lugar. Ele também é vegetariano. Como eu. Ele é sensacional.

Então é isso o que está por trás dessa dieta maluca de Beth!

— Mamãe, posso ir ao cinema no sábado à noite com Virgil?

— Virgil? O que aconteceu com Arnold?

Houve uma pausa.

— Arnold quis bancar o engraçadinho. Ele é nojento.

Mary fez um esforço para parecer calma.

— Com "bancar o engraçadinho" você está querendo dizer...?

— Só porque meus seios começaram a crescer, os garotos acham que sou fácil. Você se sentia embaraçada com seu corpo, mamãe?

Mary foi postar-se atrás da filha e enlaçou-a.

— Claro que sim, querida. Eu me sentia muito embaraçada quando tinha a sua idade.

— Detesto ter a menstruação, ficar com seios e toda cabeluda. Por quê?

— Acontece com todas as garotas, mas vai acabar se acostumando.

— Não vou, não. — Beth desvencilhou-se da mãe e declarou, veemente: — Não me importo de ficar apaixonada, mas nunca vou fazer sexo. Ninguém vai me tocar. Nem Arnold, nem Virgil, nem Kevin Bacon.

Mary disse, em tom solene:

— Se é essa a sua decisão...

— Uma decisão irrevogável. Mamãe, o que o presidente Ellison falou quando você disse que não queria ser embaixadora?

— Ele aceitou minha decisão muito bem. E agora, acho que é melhor eu começar a preparar o jantar.

COZINHAR ERA A tragédia secreta de Mary Ashley. Detestava cozinhar, e por isso não era muito boa; e como gostava de ser boa em tudo o que fazia, detestava ainda mais. Era um círculo vicioso, que fora resolvido em parte pela presença de Lucinda, três vezes por semana, para cozinhar e arrumar a casa. Aquele era um dos dias de folga de Lucinda.

QUANDO EDWARD CHEGOU do hospital, Mary estava na cozinha, queimando algumas ervilhas. Ela virou-se no fogão e deu-lhe um beijo.

— Olá, querido. Como foi o seu dia? Nojento?

— Você deve ter se comunicado com nossa filha — comentou Edward. — Para dizer a verdade, foi mesmo nojento. Tratei esta tarde de uma garota de treze anos que tinha herpes genital.

— Oh, querido!

Mary jogou fora as ervilhas e abriu uma lata de tomates.

— Isso me deixa preocupado com Beth.

— Pois não precisa se preocupar — garantiu Mary. — Ela está planejando morrer virgem.

Ao jantar, Tim perguntou:

— Papai, posso ganhar uma prancha de surfe no meu aniversário?

— Não quero interferir no seu sonho, Tim, mas acontece que você mora no *Kansas*.

— Sei disso, mas Johnny me convidou para ir com ele para o Havaí no próximo verão. Sua família tem uma casa na praia em Maui.

— Se Johnny tem uma casa na praia em Maui — comentou Edward, ponderado —, então provavelmente tem uma prancha de surfe.

Tim virou-se para a mãe.

— Posso ir?

— Veremos. Por favor, não coma tão depressa, Tim. Beth, você não está comendo nada.

— Não há nada aqui que seja apropriado ao consumo humano.

Ela fitou os pais em silêncio por um momento, depois acrescentou:

— Tenho um comunicado a fazer. Vou mudar de nome.

Edward perguntou, com toda cautela:

— Algum motivo em particular?

— Resolvi me tornar uma artista.

Mary e Edward trocaram um olhar longo e angustiado. E foi Edward quem disse:

— Está bem. Descubra quanto consegue obter por eles.

Capítulo 8

EM 1965, NUM escândalo que abalou as organizações internacionais de serviço secreto, Mehdi ben Barka, um oponente do rei Hassan II, do Marrocos, foi atraído a Paris de seu exílio em Genebra e assassinado com a ajuda do serviço secreto francês. Em decorrência desse incidente, o presidente Charles de Gaulle tirou o serviço secreto do controle do gabinete do primeiro-ministro e colocou-o sob a égide do Ministério da Defesa. Por isso é que o atual ministro da Defesa, Roland Passy, era o responsável pela segurança de Marin Groza, a quem o governo francês concedera asilo. Havia gendarmes de guarda na frente da *villa* em Neuilly em turnos de 24 horas, mas era o conhecimento de que Lev Pasternak estava no comando da segurança interna da propriedade que dava confiança a Passy. Ele vira pessoalmente as medidas de segurança e estava convencido de que a casa era inexpugnável.

Nas últimas semanas havia rumores no mundo diplomático de que era iminente um golpe, que Marin Groza estava planejando voltar à Romênia e que Alexandros Ionescu seria deposto pelos principais militares do país.

Lev Pasternak bateu na porta e entrou na biblioteca atulhada de livros que servia como escritório de Marin Groza. O líder rebelde romeno estava sentado à sua escrivaninha, trabalhando. Levantou os olhos quando Lev Pasternak entrou.

— Todo mundo quer saber quando vai ser a revolução — disse Pasternak. — É o segredo menos bem guardado do mundo.

— Diga a eles para terem mais um pouco de paciência. Você irá comigo para Bucareste, Lev?

Mais do que qualquer outra coisa, Lev Pasternak ansiava para voltar para Israel. *Aceitarei o cargo apenas em caráter temporário,* dissera a Marin Groza. *Até você estar pronto para entrar em ação.* O *temporário* se transformara em semanas e meses, até que três anos haviam transcorrido. E agora era o momento de tomar outra decisão.

Num mundo povoado por pigmeus, pensou Lev Pasternak, *tive o privilégio de servir a um gigante.* Marin Groza era o homem mais altruísta e idealista que Lev Pasternak já conhecera.

Quando fora trabalhar para Groza, Pasternak especulara sobre a família do homem. Groza nunca falava a respeito, mas o oficial que promovera o encontro de Pasternak com o líder rebelde romeno lhe contara toda a história:

— Groza foi traído. A Securitate capturou-o e torturou-o por cinco dias. Prometeram libertá-lo se revelasse os nomes de seus companheiros no movimento subterrâneo. Ele se recusou a falar. Prenderam sua esposa e a filha de quatorze anos e levaram-nas para a sala de interrogatório. Ofereceram uma opção a Groza: fale ou observe-as morrerem. Era a decisão mais difícil que um homem já teve de tomar. Eram as vidas de seus entes mais amados contra as vidas de centenas de pessoas que acreditavam nele.

O homem fizera uma pausa e depois continuara, mais devagar:

— Creio que, ao final, Groza tomou a sua decisão porque estava convencido de que ele e sua família seriam mortos de qualquer maneira. Recusou-se a revelar os nomes. Os guardas amarraramno numa cadeira e obrigaram-no a assistir à esposa e à filha serem estupradas até morrerem. Mas ainda não haviam acabado com Groza. Depois que tudo acabou e os corpos ensanguentados das duas estavam caídos a seus pés, eles o castraram.

— Santo Deus!

O oficial fitara Pasternak nos olhos e acrescentara:

— A coisa mais importante que você deve compreender é que Marin Groza não quer voltar à Romênia em busca de vingança. Ele quer voltar para libertar seu povo. Quer dar um jeito para que coisas assim nunca mais aconteçam.

Lev Pasternak estivera com Groza desde aquele dia; quanto mais tempo passava com o líder revolucionário, mais o amava. Agora, precisava decidir se renunciava à volta a Israel e ia para a Romênia com ele.

PASTERNAK ESTAVA ATRAVESSANDO o corredor naquela noite. Ao passar pela porta do quarto de Marin Groza, ouviu os gritos familiares de desespero. *Então é sexta-feira*, pensou Pasternak. Era o dia das prostitutas. Eram escolhidas na Inglaterra, América do Norte, Brasil, Japão, Tailândia e meia dúzia de outros países, ao acaso. Não tinham a menor ideia de seu destino ou de quem iam visitar. Eram recebidas no Aeroporto Charles de Gaulle, e levadas de carro diretamente para a *villa*. Depois de algumas horas, seguiam para o aeroporto e embarcavam num voo de volta. Toda noite de sexta-feira os corredores ressoavam com os gritos de Marin Groza. Todos presumiam que estava ocorrendo alguma prática sexual fora do normal. O único que sabia o que realmente acontecia por trás da porta do quarto era Lev Pasternak. Pois as visitas das prostitutas nada tinham a ver com sexo. Eram uma penitência. Uma vez por semana, Groza tirava as roupas e mandava que uma mulher o amarrasse a uma cadeira e o açoitasse brutalmente. A cada vez que isso acontecia, ele via a esposa e a filha serem estupradas até a morte, gritando por socorro. E berrava:

— Perdoem-me! Eu falarei! Oh, Deus, por favor, deixe-me falar...

O CONTATO FOI efetuado dez dias depois de o corpo de Harry Lantz ser encontrado. O Controlador estava no meio de uma reunião com seu estado-maior, na sala de conferências, quando a campainha do interfone soou.

— Sei que pediu para não ser incomodado, senhor, mas há uma ligação do exterior. Parece urgente. Uma certa senhorita Neusa Muñez está ligando de Buenos Aires. Eu disse a ela...

— Não tem problema. — Ele manteve as emoções sob firme controle. — Atenderei em minha sala.

Pediu licença aos participantes da reunião, passou para a sua sala e trancou a porta. Pegou o telefone.

— Alô? É miss Muñez?

— A própria. — A voz tinha um sotaque sul-americano, rude e inculto. — Recebi uma mensagem para você de Angel. Ele não gostou do mensageiro abelhudo que você mandou.

Ele teve de escolher as palavras com todo cuidado:

— Sinto muito. Mas ainda gostaríamos que Angel fizesse o trabalho. Seria possível?

— Claro. Ele diz que quer fazer.

O homem conteve um suspiro de alívio.

— Ótimo. Como podemos acertar o adiantamento?

A mulher soltou uma risada.

— Angel não precisa de adiantamento. Ninguém engana Angel. — De certa forma, as palavras eram assustadoras. — Depois que o trabalho for realizado, ele diz para você depositar o dinheiro no... espere um instante... anotei em algum lugar... ah, aqui está... no Banco do Estado, em Zurique. É algum lugar na Suíça.

Ela parecia uma débil mental.

— Precisarei do número da conta.

— Ah, sim. O número é... meu Deus, esqueci. Espere um pouco. Anotei em algum lugar. — Ele ouviu o farfalhar de papéis e depois de algum tempo a mulher voltou ao telefone. — Aqui está. Jota-três-quatro-nove-zero-sete-sete.

Ele repetiu o número.

— Quando ele pode resolver o problema?

— Quando estiver pronto, *señor.* Angel diz que o senhor saberá quando o trabalho for realizado. Lerá a notícia nos jornais.

— Está certo. Vou lhe dar meu telefone particular, caso Angel precise entrar em contato comigo.

Ele deu o número, falando bem devagar.

TBILISI, RÚSSIA

A REUNIÃO SE realizava numa *dacha* isolada, à margem do rio Kura. O presidente disse:

— Surgiram dois assuntos urgentes. O primeiro é uma boa notícia. O Controlador foi procurado por Angel. O contrato será executado.

— Esta é uma notícia sensacional! — exclamou Freyr. — E qual é a má notícia?

— Envolve a candidata do presidente para a embaixada na Romênia. Mas é possível contornar a situação...

ERA DIFÍCIL PARA Mary Ashley concentrar os pensamentos na aula. Alguma coisa mudara. Aos olhos de seus alunos, ela se tornara uma celebridade. Era uma sensação inebriante. Podia sentir a turma absorvendo cada palavra sua.

— Como sabemos, o ano de 1956 foi uma vertente para muitos países do Leste europeu. Com a volta de Gomulka ao poder, o comunismo nacionalista emergiu na Polônia. Na Tchecoslováquia, Antonin Mavorony assumia a liderança do Partido Comunista. Não houve grandes mudanças políticas na Romênia nesse ano...

Romênia... Bucareste... Pelas fotografias que Mary vira, era uma das cidades mais lindas da Europa. Lembrava de como ficava aterrorizada quando era pequena com as histórias do terrível príncipe Vlad, da Transilvânia. *Ele era um vampiro, Mary, e vivia em seu enorme castelo no alto das montanhas de Brasov, sugando o sangue de vítimas inocentes.*

Mary percebeu subitamente o profundo silêncio na sala. A turma a observava. *Por quanto tempo terei ficado assim, a sonhar?*, especulou. Apressou-se em continuar com a aula:

— Na Romênia, Gheorghiu-Dej estava consolidando seu poder no Partido dos Trabalhadores...

A aula parecia interminável, mas felizmente estava quase acabando.

— O trabalho de vocês será escrever um ensaio sobre o planejamento e administração econômica da União Soviética, descrevendo a organização básica das agências do governo e o controle do Partido Comunista. Quero que analisem as dimensões internas e externas da política soviética, com ênfase em suas posições na Polônia, Tchecoslováquia e Romênia.

Romênia... Seja bem-vinda à Romênia, senhora embaixadora. A limusine está aqui para levá-la à embaixada. Sua embaixada. Ela fora convidada a viver numa das mais excitantes capitais do mundo, reportando-se ao presidente dos Estados Unidos, na base de seu programa povo-para-povo. *Eu poderia ser parte da história.*

Saiu de seu devaneio como o barulho da campainha. A aula terminara. Estava na hora de ir para casa e trocar de roupa. Edward voltaria mais cedo do hospital. Ia levá-la para jantar no clube.

Como convinha a uma quase embaixadora.

— Código Azul! Código Azul! — a voz crepitava pelos alto-falantes, em todos os corredores do hospital.

Mesmo enquanto a turma de emergência convergia para a entrada de ambulância, já se podia ouvir a sirene se aproximando. O Hospital Comunitário de Geary é um prédio escuro, de três andares, aparência austera, empoleirado numa colina na St. Mary's Road, na parte sudoeste de Junction City. Conta com leitos, duas modernas salas de operação e diversas salas de exame e administrativas.

Fora uma sexta-feira movimentada, e a enfermaria de emergência no último andar já estava repleta de soldados feridos, que vinham para a cidade do Forte Riley, ali perto, base da 1ª Divisão de Infantaria, conhecida como A Grande Vermelha, por causa das baixas nos fins de semana.

O doutor Edward Ashley estava costurando o couro cabeludo de um soldado que perdera numa briga de bar. Ele servira no Hospital Memorial de Geary por treze anos, e antes de se tornar médico particular fora cirurgião da Força Aérea, com o posto de capitão. Vários hospitais importantes em grandes cidades tentaram atraí-lo, mas ele preferia permanecer onde estava.

Terminou com o soldado em que estava trabalhando e olhou ao redor. Havia pelo menos uma dúzia de soldados esperando para serem remendados. Ouviu o barulho da sirene da ambulância se aproximando.

— Estão tocando a nossa música.

O doutor Douglas Schiffer, que estava cuidando de uma vítima de ferimento a bala, balançou a cabeça.

— Isto aqui até parece o *M*A*S*H*. Dá para pensar que estamos no meio de alguma guerra.

Edward Ashley comentou:

— É a única que eles têm, Doug. É por isso que vêm para a cidade todo fim de semana e ficam um pouco enlouquecidos. Sentem-se frustrados.

Deu o último ponto no soldado.

— Já acabei, soldado. Está pronto para outra. — Virando-se para Douglas Schiffer, Edward acrescentou: — É melhor descermos para a emergência.

O PACIENTE VESTIA um uniforme de soldado e parecia não ter mais que dezoito anos. Estava em estado de choque. Suava muito, e a respiração era difícil. O doutor Ashley sentiu o pulso. Estava fraco e irregular. Havia uma mancha de sangue na frente da túnica. Edward Ashley virou-se para um dos paramédicos que haviam trazido o paciente.

— Qual é o caso?

— Um ferimento a faca no peito, doutor.

— Vamos verificar se o pulmão foi atingido. — Virou-se para uma enfermeira. — Quero uma radiografia do tórax. Tem três minutos para providenciar.

O doutor Douglas Schiffer examinava a veia jugular do soldado. Estava intumescida. Ele olhou para Edward.

— Está distendida. Provavelmente o pericárdio foi atingido.

O que significava que a bolsa que protegia o coração estava cheia de sangue, comprimindo-o de tal forma que não permitia o funcionamento adequado. A enfermeira que conferia a pressão do paciente informou:

— A pressão está caindo muito depressa.

O monitor que media o eletrocardiograma do paciente tornou-se mais lento. Estavam perdendo o paciente. Outra enfermeira entrou apressada com a radiografia do tórax.

— Tamponamento pericárdico.

O coração tinha um buraco. O pulmão sucumbira.

— Temos de intubar e expandir o pulmão. — A voz de Edward Ashley era suave, mas não havia como se enganar com a urgência. — Chamem um anestesista. Vamos abri-lo. Podemos fazer a intubação.

Uma enfermeira entregou um tubo endotraqueal ao doutor Schiffer. Edward Ashley acenou com a cabeça para ele.

— Agora.

Com todo o cuidado, Douglas Schiffer começou a enfiar o tubo pela traqueia do soldado inconsciente. Havia uma bolsa na extremidade do tubo, e Schiffer começou a espremê-la, em ritmo firme, ventilando os pulmões. O monitor se tornou ainda mais lento, e a curva foi ficando reta. O cheiro da morte pairava na sala.

— Ele apagou.

Não havia tempo de levar o paciente para a sala de operações. O doutor Ashley precisava tomar uma decisão imediata.

— Vamos efetuar uma toracotomia. Bisturi.

No instante em que o bisturi foi posto em sua mão, Edward inclinou-se e fez uma incisão no peito do soldado. Quase não houve sangue, porque o coração estava encarcerado no pericárdio.

— Retrator!

O instrumento foi posto em sua mão e ele o inseriu no paciente, a fim de afastar as costelas.

— Tesoura! E recuem!

Ele chegou mais perto, a fim de poder alcançar o pericárdio. Ajeitou a tesoura e fez o corte. O sangue, liberado da bolsa, esguichou no mesmo instante, atingindo as enfermeiras e o doutor Ashley. Ele começou a massagear o coração. O monitor começou a bipar e a pulsação tornou-se palpável. Havia uma pequena laceração no ápice do ventrículo esquerdo.

— Levem-no para a sala de cirurgia.

Três minutos depois o paciente estava na mesa de operações.

— Transfusão... mil centímetros cúbicos.

Não havia tempo para verificar o tipo de sangue e por isso se usou o O negativo — doador universal. Enquanto a transfusão começava, o doutor Ashley disse:

— Um tubo de tórax 32.

Uma enfermeira entregou-lhe. O doutor Schiffer disse:

— Pode deixar que eu fecho, Ed. Por que não vai se lavar?

O avental cirúrgico de Edward Ashley estava encharcado de sangue. Ele olhou para o monitor. O coração estava forte e firme.

— Obrigado.

EDWARD ASHLEY TOMARA um banho de chuveiro e trocara de roupa, estava agora em sua sala, redigindo o relatório médico. Era uma sala agradável, com estantes ocupadas por livros de medicina e troféus esportivos. Tinha uma escrivaninha, uma poltrona e uma mesinha, com duas cadeiras de espaldar reto. Nas paredes estavam os seus diplomas, emoldurados de maneira impecável.

Ele sentia o corpo rígido e cansado da tensão por que acabara de passar. Ao mesmo tempo, sentia-se sexualmente excitado, como sempre acontecia depois de uma cirurgia importante. *O fato de se confrontar com a morte amplia os valores da força vital*, um psiquiatra explicara certa ocasião a Edward. *Fazer amor é a afirmação da continuidade da natureza. Qualquer que seja o motivo*, pensou Edward, *eu gostaria que Mary estivesse aqui.*

Escolheu um cachimbo na pequena estante sobre a escrivaninha e acendeu-o. Foi se instalar na poltrona e esticou as pernas. Pensar em Mary fazia com que se sentisse culpado. Fora o responsável por ela recusar o convite do presidente, e seus motivos eram válidos. *Porém há mais do que isso*, admitiu para si mesmo. *Fiquei com ciúme. Reagi como um pirralho mimado. O que teria acontecido se o presidente me fizesse uma oferta assim? Provavelmente eu aceitaria na mesma hora. Tudo o que pude pensar foi que queria que Mary ficasse em casa e cuidasse de mim e das crianças. Eis aí o autêntico porco chauvinista!*

Continuou sentado, fumando o cachimbo, irritado consigo mesmo. *Tarde demais*, pensou. *Mas darei um jeito de compensá-la. Vou surpreendê-la neste verão com uma viagem a Paris e Londres. Talvez até a leve à Romênia. Teremos uma verdadeira lua de mel.*

O JUNCTION CITY COUNTRY CLUB é um prédio de calcário com três andares, em meio a colinas viçosas. Tem um campo de golfe com dezoito buracos, duas quadras de tênis, uma piscina, um bar e um restaurante, com uma lareira grande numa extremidade, um salão de jogos em cima e vestiários embaixo.

O pai de Edward fora sócio do clube, assim como o pai de Mary, e os dois frequentavam-no desde crianças. A cidade era uma comunidade fechada, e o clube era seu símbolo.

Já era tarde quando Edward e Mary chegaram, e restavam apenas umas poucas pessoas no restaurante. Todas olharam e ficaram observando Mary sentar, sussurrando comentários umas para as outras. Mary já estava se acostumando a isso. Edward fitou-a e indagou:

— Algum arrependimento?

Claro que havia, mas eram castelos de areia, sonhos encantadores e impossíveis, como todo mundo tem. *Se eu tivesse nascido uma princesa; se eu fosse uma milionária; se eu recebesse o Prêmio Nobel pela cura do câncer; se... se... se...*

Mary sorriu.

— Absolutamente nenhum, querido. Já foi uma sorte que tivessem me convidado. De qualquer forma, eu nunca poderia deixar você e as crianças. — Aninhou a mão do marido entre as suas. — Não há nenhum arrependimento. Estou contente de ter recusado.

Ele se inclinou sobre a mesa e sussurrou:

— Vou fazer uma oferta que você não poderá recusar.

— Veremos — murmurou Mary, sorrindo.

NO COMEÇO, LOGO que casaram, o ato de amor fora intenso e exigente. Possuíam uma consciente necessidade física um do outro, que só era satisfeita quando ambos ficavam completamente esgotados. A urgência abrandara com o tempo, mas as emoções ainda persistiam, constantes, ternas e satisfatórias.

Quando voltaram para casa agora, despiram-se sem pressa e foram para a cama. Edward abraçou-a e depois começou a acariciar seu corpo gentilmente, brincando com os seios, apertando os mamilos com os dedos, descendo a mão para a maciez aveludada. Mary gemeu de prazer.

— É maravilhoso...

Ela ficou por cima e começou a lamber-lhe o corpo, sentindo-o ficar duro. Quando ambos estavam prontos, fizeram amor até se sentirem exaustos. Edward abraçou a esposa, sussurrando:

— Eu a amo tanto, Mary...

— E eu amo você duas vezes mais. Boa-noite, querido.

ÀS TRÊS HORAS da madrugada o telefone tocou. Edward, sonolento, tirou o fone do gancho e aproximou-o do ouvido.

— Alô?

Uma voz de mulher disse, em tom de urgência:

— Doutor Ashley?

— Sou eu mesmo.

— Pete Grimes está tendo um ataque do coração. Sente dores horríveis. Acho que está morrendo. Não sei o que fazer.

Edward sentou na cama, tentando dissipar o sono.

— Não faça nada. Procure mantê-lo quieto. Estarei aí dentro de meia hora.

Desligou, saiu da cama e começou a se vestir.

— Edward...

Ele olhou para Mary, que estava com os olhos entreabertos.

— O que aconteceu?

— Está tudo bem. Volte a dormir.

— Acorde-me quando você voltar — murmurou Mary. — Acho que vou me sentir sensual de novo.

Edward sorriu.

— Voltarei o mais depressa possível.

Cinco minutos depois ele estava a caminho da fazenda dos Grimes.

Desceu a colina pela Old Milford Road, na direção da J Hill Road. Era uma madrugada gelada, o vento de noroeste baixando a temperatura para o negativo. Edward ligou o aquecedor do carro. Enquanto dirigia, pensou se não deveria ter pedido uma ambulância antes de sair de casa. Os dois últimos "ataques de coração" de Pete Grimes haviam se revelado úlceras perfuradas. Não. Era melhor verificar primeiro.

Entrou com o carro na rota 18, a estrada de duas pistas que passava por Junction City. A cidade estava adormecida, as casas abrigadas contra o vento frio e penetrante.

Ao chegar ao final da rua 6, Edward fez a volta para pegar a rota 57 e seguiu para a Grandview Plaza. Quantas vezes já passara por aquelas estradas nos dias quentes de verão, sentindo no ar o cheiro do milho e do feno da pradaria, passando por miniaturas de florestas com choupos, cedros e oliveiras russas, as pilhas do feno de agosto empilhadas à beira? Os campos estavam impregnados com o odor dos cedros queimados, que precisavam ser destruídos periodicamente, porque invadiam as plantações. E quantos invernos passara por aquela estrada, através de uma paisagem congelada, os cabos de transmissão de energia delicadamente rendados de gelo, a fumaça solitária de chaminés distantes? Havia uma sensação inebriante de isolamento, no casulo da escuridão da madrugada, observando os campos e árvores passarem em silêncio.

Edward dirigia o mais depressa possível, tomando cuidado com a estrada traiçoeira sob as rodas. Pensou em Mary deitada na cama quente, à sua espera. *Acorde-me quando eu voltar. Acho que vou me sentir sensual outra vez.*

Ele tinha muita sorte. *Farei tudo para compensá-la*, prometeu a si mesmo. *Eu lhe darei a melhor lua de mel que uma mulher já teve.*

À frente, no cruzamento das rodovias 57 e 77, havia um sinal vermelho. No instante em que Edward se aproximou do cruzamento, um caminhão surgiu do nada. Ele ouviu um rugido súbito e o carro ficou imprensado entre dois faróis brilhantes que corriam em sua direção. Teve um vislumbre do gigantesco caminhão de cinco toneladas do exército e o último som que ouviu foi o grito de sua própria voz.

Os SINOS DA IGREJA de Neuilly repicaram pelo ar tranquilo do meio-dia. Os gendarmes que guardavam a *villa* de Marin Groza não tinham motivos para prestar qualquer atenção ao empoeirado sedã Renault que passava. Angel dirigia devagar, mas não o suficiente para despertar suspeitas, observando tudo. Dois guardas na frente, um muro alto, provavelmente eletrificado, e lá dentro, com toda certeza, a habitual parafernália de fachos, sensores e alarmes. Seria preciso um exército para tomar a *villa*. *Mas eu não preciso de um exército*, pensou Angel. *Só do meu gênio. Marin Groza já é um homem morto. Ah, seria ótimo se minha mãe estivesse viva para ver como enriqueci. Isso a deixaria muito feliz.*

Na Argentina, as famílias pobres eram realmente pobres, e a mãe de Angel fora uma dos infelizes *descamisados*. Ninguém sabia ou se importava com quem fora o pai. Ao longo dos anos, Angel observara amigos e parentes morrerem de fome e doença. A morte era um modo de vida, e Angel pensou, filosófico: *Já que vai acontecer de qualquer maneira, por que não aproveitar para lucrar alguma coisa?* No começo, houvera os que duvidavam dos talentos letais de Angel, mas os que tentavam se opor a ele tinham o hábito de desaparecer. A reputação de Angel como assassino profissional fora aumentando. *Nunca fracassei*, pensou Angel. *Sou Angel. O Anjo da Morte.*

Capítulo 9

A ESTRADA COBERTA de NEVE do Kansas estava cheia de veículos, com luzes vermelhas faiscantes imprimindo uma cor de sangue ao ar gelado. Um caminhão de bombeiros, ambulância, reboque, quatro carros da patrulha rodoviária, o carro do xerife e, no centro, iluminado pelos faróis, o caminhão militar M871, de cinco toneladas, e parcialmente por baixo o carro esmagado de Edward Ashley. Uma dúzia de policiais e bombeiros se concentravam ao redor, balançando os braços e batendo com os pés, tentando se esquentar no frio do alvorecer. No meio da estrada, coberto por uma lona, estava um corpo. Outro carro da polícia se aproximou e parou derrapando. Mary Ashley saltou correndo. Tremia tanto que mal conseguia ficar de pé. Viu a lona e avançou em sua direção. O xerife Munster agarrou-a pelo braço.

— Acho melhor não o ver, senhora Ashley.

— Largue-me!

Ela estava gritando. Desvencilhou-se da mão do xerife e correu para a lona.

— Por favor, senhora Ashley, é melhor não ver como ele ficou.

O xerife amparou-a no instante em que ela caía, desfalecida.

MARY DESPERTOU NO banco traseiro do carro do xerife. Munster estava sentado no banco da frente, observando-a. O aquecedor estava ligado, e o interior do carro era quente.

— O que aconteceu? — perguntou Mary, apaticamente.

— Você desmaiou.

Ela se lembrou de repente. *É melhor não ver como ele ficou.*

Mary olhou pela janela para todos os veículos de emergência e as luzes vermelhas brilhando e pensou: *É uma cena do inferno.* Apesar do calor do carro, seus dentes batiam.

— Como... — Ela estava com dificuldade para pronunciar as palavras. — Como aconteceu?

— Ele avançou o sinal vermelho. Um caminhão militar vinha pela 77 e tentou evitá-lo, mas seu marido se lançou direto para cima.

Mary fechou os olhos e observou o acidente acontecer em sua mente. Viu o caminhão avançar para cima de Edward e sentiu seu pânico no último instante. Só pôde pensar em uma coisa para dizer:

— Edward era um mo-motorista muito cuidadoso. Nunca passaria assim por um si-sinal sem parar.

O xerife disse, compreensivo:

— Temos testemunhas, senhora Ashley. Um padre e duas freiras viram o acidente, assim como o coronel Jenkins, do Forte Riley. Todos disseram a mesma coisa. Seu marido avançou o sinal.

DEPOIS DISSO, TUDO pareceu acontecer em câmera lenta. Ela observou o corpo de Edward ser levado na ambulância. A polícia interrogava um padre e duas freiras, e Mary pensou: *Vão pegar um resfriado se continuarem parados assim nesse frio.* O xerife Munster disse:

— Estão levando o corpo para o necrotério.

O corpo.

— Obrigada — murmurou Mary, polidamente.

Ele a fitava com expressão estranha.

— É melhor eu levá-la de volta para casa. Como se chama o médico da família?

— Edward Ashley — respondeu Mary. — Edward Ashley é o médico da família.

Mais tarde, ela se lembrou de ter chegado em casa e ser acompanhada pelo xerife Munster. Florence e Douglas Schiffer estavam à sua espera na sala de estar. As crianças ainda dormiam. Florence abraçou-a.

— Oh, querida, lamento tanto, tão profundamente...

— Está tudo bem — disse Mary, calmamente. — Edward sofreu um acidente.

Ela soltou uma risadinha. Douglas observava-a, atentamente.

— Deixe-me levá-la para o seu quarto.

— Estou bem, obrigada. Gostariam de tomar um chá?

— Vou levá-la para a cama — insistiu Douglas.

— Não estou com sono. Vocês têm certeza de que não querem nada?

Enquanto Douglas a conduzia para o quarto, Mary murmurou:

— Foi um acidente. Edward sofreu um acidente.

Douglas Schiffer fitou-a nos olhos. Estavam arregalados e vazios. Ele sentiu um calafrio percorrer-lhe o corpo. Desceu para buscar a valise médica. Ao voltar, constatou que Mary não se mexera.

— Vou lhe dar uma coisa para dormir.

Deu-lhe um sedativo, ajudou-a a deitar-se e sentou ao seu lado. Uma hora depois Mary ainda estava acordada. Douglas deu-lhe outro sedativo. E depois um terceiro. Ela então acabou dormindo.

Em Junction City há investigações rigorosas sempre que acontece um 1048 — acidente de trânsito com vítima. Uma ambulância é enviada do Serviço de Ambulâncias do Condado e um homem do xerife comparece ao local. Se o pessoal do exército está envolvido no acidente, a Divisão de Investigações Criminais militar realiza um inquérito, paralelo à investigação do xerife.

Shel Planchard, um oficial à paisana do setor do DIC em Forte Riley, o xerife e um assistente estavam examinando o relatório sobre o acidente, no gabinete do xerife, na rua 9.

— Tem uma coisa que não consigo entender — comentou Munster.

— Qual é o problema, xerife? — perguntou Planchard.

— Houve cinco testemunhas do acidente, não é? Um padre e duas freiras, o coronel Jenkins e o motorista do caminhão, sargento Wallis. Todos disseram que o carro de Ashley entrou na estrada, avançou o sinal e foi atingido pelo caminhão militar.

— Isso mesmo — disse o homem do DIC. — E onde está o problema?

O xerife Munster coçou a cabeça.

— Já viu algum relatório de acidente em que *duas* testemunhas dissessem a mesma coisa? — Ele bateu com o punho nos papéis. — O que me deixa perturbado é que cada uma das cinco testemunhas neste caso disse *exatamente* a mesma coisa.

O homem do DIC deu de ombros.

— Isso apenas comprova que o acidente foi bastante óbvio.

— E tem outra coisa me incomodando — acrescentou o xerife.

— O que é?

— O que um padre, duas freiras e um coronel estavam fazendo na estrada às quatro horas da madrugada?

— Não há nada de misterioso nisso. O padre e as freiras estavam a caminho de Leonardville, e o coronel voltava para o Forte Riley.

— Verifiquei com o pessoal do trânsito. A última multa que Ashley recebeu foi há seis anos, por estacionamento ilegal. Nunca teve qualquer registro de acidente.

O homem do DIC fitou-o atentamente.

— O que está querendo sugerir, xerife?

Munster deu de ombros.

— Não estou sugerindo nada, mas apenas dizendo que o caso parece esquisito.

— Estamos falando de um acidente visto por cinco testemunhas. Se acha que existe alguma conspiração envolvida, há uma grande falha em sua teoria. Se...

O xerife suspirou.

— Sei disso. Se não fosse um acidente, o caminhão do exército só precisava seguir adiante. Não haveria necessidade de todas as testemunhas e o resto.

— Exatamente. — O homem do DIC levantou-se e espreguiçou-se. — Tenho de voltar ao quartel. Pelo que me diz respeito, o motorista do caminhão, sargento Wallis, é inocente. — Ele olhou para o xerife. — Estamos de acordo?

O xerife Munster respondeu com evidente relutância:

— Estamos. Deve ter sido um acidente.

MARY FOI ACORDADA pelo barulho das crianças chorando. Permaneceu imóvel, os olhos fechados, pensando: *Isto é parte do meu pesadelo. Estou dormindo e quando acordar descobrirei que Edward continua vivo.*

Mas o choro persistia. Quando não pôde mais suportar, abriu os olhos e continuou imóvel, olhando para o teto. Por fim, com muita relutância, forçou-se a sair da cama. Sentia-se drogada. Entrou no quarto de Tim. Florence e Beth estavam com ele. Os três choravam. *Eu gostaria de poder chorar*, pensou Mary. *Ah, como eu gostaria de poder chorar.* Beth olhou para a mãe.

— Papai... está mesmo morto?

Mary acenou com a cabeça, incapaz de pronunciar as palavras. Sentou-se na beira da cama.

— Tive de contar a eles — desculpou-se Florence. — Iam sair para brincar com os amigos.

— Está tudo bem — murmurou Mary, afagando os cabelos de Tim. — Não chore, querido. Tudo vai acabar bem.

Nada jamais estaria bem outra vez.

Nunca mais.

O COMANDO DO Departamento de Investigações Criminais do Exército dos Estados Unidos no Forte Riley fica no Prédio 169, uma antiga estrutura de pedra cercada por árvores, com degraus que levam a uma varanda. Numa sala do primeiro andar, Shel Planchard, o oficial do DIC, estava conversando com o coronel Jenkins.

— Lamento, senhor, mas tenho más notícias. O sargento Wallis, o motorista daquele caminhão que matou aquele médico civil...

— O que tem ele?

— Sofreu um ataque cardíaco fatal esta manhã.

— É uma pena.

O homem do DIC acrescentou, em tom impassível:

— Tem razão, senhor. O corpo está sendo cremado esta manhã. Foi um ataque fulminante.

— Lamentável. — O coronel levantou-se. — Estou sendo transferido para o exterior. — Ele se permitiu um pequeno sorriso. — Uma promoção um tanto importante.

— Parabéns, senhor. Fez por onde.

MARY ASHLEY concluiu mais tarde que só não perdera a sanidade porque ficara em estado de choque. Tudo parecia estar acontecendo com outra pessoa. Ela se encontrava debaixo d'água, deslocando-se devagar, ouvindo vozes distantes, filtradas por algodão.

O serviço fúnebre foi realizado na Agência Funerária Mass-Hinitt-Alexander, na Jefferson Street. Era um prédio azul, com um pórtico branco e um enorme relógio branco suspenso por cima da entrada. A funerária estava repleta de amigos e colegas de Edward. Havia dezenas de coroas e buquês. Uma das coroas maiores tinha um cartão que dizia simplesmente: "Meus pêsames mais profundos, Paul Ellison."

Mary, Beth e Tim sentaram-se sozinhos na pequena sala reservada para a família. As crianças estavam imóveis, com os olhos vermelhos.

O caixão com o corpo de Edward estava fechado. Mary não suportava pensar no motivo para isso. O ministro estava falando:

— Senhor, tens sido a nossa morada. Em todas as gerações, antes de as montanhas serem formadas ou quando criastes a terra e o mundo, de eternidade para eternidade. Tu és Deus. Por isso, não teremos medo, mesmo que a terra mude e as montanhas sejam arremessadas para as profundezas dos mares...

Ela e Edward estavam no pequeno barco a vela no Lago Milford.

— Gosta de velejar? — perguntara ele, na primeira noite em que saíram juntos.

— Nunca velejei.

— Então vamos velejar no sábado. Está marcado.

Casaram uma semana depois.

— Sabe por que casei com você? — indagava Edward, zombeteiro. — Passou no teste. Riu muito e não caiu na água.

Quando o serviço fúnebre acabou, Mary e as crianças foram para a limusine preta e comprida que encabeçara o cortejo fúnebre até o cemitério.

O Cemitério Highland, na Ash Street, é um vasto parque, contornado por um caminho de cascalho. É o mais antigo cemitério de Junction City, e muitas das lápides que ali estão já foram erodidas pelo tempo. Por causa do frio intenso, a cerimônia à beira do túmulo foi breve.

— Eu sou a ressurreição e a vida; aquele que acreditar em mim, embora esteja morto, haverá de viver; e quem viver e acreditar em mim jamais morrerá. Eu sou aquele que vive e estava morto; estou vivo por toda a eternidade.

Misericordiosamente, tudo acabou. Mary e as crianças ficaram paradas ao vento uivante, observando o caixão ser baixado para a terra congelada e indiferente.

Adeus, meu querido.

A MORTE É supostamente o fim, mas para Mary Ashley foi o começo de um inferno insuportável. Ela e Edward haviam conversado sobre a morte, e Mary se dispusera a aceitar o inevitável; só que agora a morte assumia uma realidade imediata e aterradora. Não era mais um evento vago que só ocorreria em algum dia distante e remoto. E não havia meio de enfrentar. Tudo em Mary clamava para negar o que acontecera a Edward. Quando ele morrera, tudo o que era maravilhoso morrera junto. A realidade insistia em atingi-la em renovadas ondas de choque. Ela se descobriu furiosa com Deus. *Por que não me levou primeiro?*, indagou. Estava furiosa com Edward por abandoná-la, furiosa com os filhos, furiosa consigo mesma.

Sou uma mulher de 35 anos com dois filhos e não sei quem eu sou. Quando eu era a senhora Mary Ashley, tinha uma identidade, pertencia a alguém que também me pertencia.

O TEMPO ESTAVA passando, escarnecendo de seu vazio. Sua vida era como um trem em disparada, sobre o qual não tinha o menor controle.

Florence, Douglas e outros amigos lhe faziam companhia, tentando atenuar seu sofrimento, mas Mary desejava que todos sumissem, que a deixassem em paz. Florence apareceu uma tarde e encontrou Mary diante da televisão, assistindo a uma partida de futebol americano do time da Universidade Estadual do Kansas.

— Ela nem percebeu que eu estava lá — contou Florence ao marido naquela noite. — Concentrava-se desesperadamente no jogo. — Ela estremeceu. — Foi assustador.

— Por quê?

— Mary detesta o futebol americano. Era Edward que não perdia um jogo.

Mary precisou recorrer às últimas reservas de força de vontade para cuidar dos destroços deixados pela morte de Edward. Havia o testamento e o seguro, as contas bancárias, as taxas e contas a pagar, e hipotecas e bens sujeitos a penhora e déficits, e ela queria gritar para os advogados, banqueiros e contadores que a deixassem em paz.

Não quero pensar em nada, disse a si mesma. Edward estava morto e as pessoas só queriam falar em dinheiro.

Mas ela foi obrigada a enfrentar os problemas.

Frank Dunphy, o contador de Edward, disse:

— Infelizmente, senhora Ashley, as contas e as despesas com o funeral vão consumir uma boa parte do dinheiro do seguro de vida. Seu marido não costumava pressionar os pacientes para lhe pagarem. Devia muito dinheiro. Falarei com uma agência de cobrança para procurar as pessoas que estão devendo...

— Não faça isso — protestou Mary com veemência. — Edward não gostaria.

Dunphy ficou desorientado.

— Neste caso, sobram-lhe trinta mil dólares em dinheiro e esta casa, que está hipotecada. Se vendesse a casa...

— Edward não gostaria que eu vendesse.

Ela se mantinha rígida, controlando seu desespero. Dunphy pensou: *Eu gostaria que minha mulher se preocupasse tanto assim comigo.*

O PIOR AINDA estava para acontecer. Chegou o momento de cuidar das coisas pessoais de Edward. Florence ofereceu-se para ajudar, mas Mary disse:

— Não. Edward gostaria que eu cuidasse de tudo sozinha.

Havia tantas coisas pequenas e íntimas. Uma dúzia de cachimbos, uma lata nova de fumo, dois óculos de leitura, anotações para uma conferência médica que ele nunca faria. Mary entrou no *closet* de Edward e passou as mãos pelos ternos que ele nunca mais tornaria a usar. A gravata azul que ele pusera na última noite que passaram juntos. As luvas e o cachecol que o mantinham aquecido contra os ventos frios do inverno. Ele não precisaria mais em sua sepultura gelada. Separou o aparelho de barba e a escova de dentes, movimentando-se como um autômato.

Encontrou bilhetes amorosos que haviam escrito um para o outro, trazendo recordações de dias difíceis, quando Edward se iniciara na clínica particular, um jantar do Dia de Ação de Graças sem peru, piqueniques no verão e passeios de trem no inverno, a primeira gravidez, ambos lendo e tocando música clássica para Beth ainda no útero, a carta de amor que Edward escrevera por ocasião do nascimento de Tim, a maçã dourada que ele lhe dera quando começara a dar aulas, uma centena de outras coisas que fizeram lágrimas aflorarem a seus olhos. A morte de Edward era como um cruel truque de mágica. Num momento Edward estava ali, vivo, falando, sorrindo, amando, e no instante seguinte desaparecera na terra fria.

Sou uma pessoa amadurecida. Tenho de aceitar a realidade. Não, não sou amadurecida. Não posso aceitar. Não quero viver.

Ela permaneceu acordada durante a longa noite, pensando como seria simples ir ao encontro de Edward, acabar com a agonia insuportável, ficar em paz. *Somos criados para esperar um final feliz*, pensou Mary. *Mas não existe nenhum final feliz. Há apenas a morte à nossa espera. Encontramos o amor e a felicidade que de repente nos são arrebatados sem qualquer motivo. Estamos numa espaçonave abandonada, deslizando a esmo entre as estrelas. O mundo é Dachau e somos todos judeus.*

Acabou cochilando, e durante a madrugada seus gritos desesperados acordaram os filhos, que correram para o seu quarto e se meteram na cama, abraçando-a.

— Você não vai morrer, não é? — murmurou Tim.

Mary pensou: *Não posso me matar. Eles precisam de mim. Edward nunca me perdoaria.*

TINHA DE CONTINUAR a viver. Pelos filhos. Tinha de lhes dar o amor que Edward não seria mais capaz de proporcionar. *Todos somos tão carentes sem Edward. Precisamos demais um do outro. É irônico que a morte de Edward seja mais difícil de aceitar porque tivemos uma vida comum maravilhosa. Há muitas razões para sentir saudade dele, muitas lembranças de coisas que nunca mais tornarão a acontecer. Onde está você, Deus? Está me ouvindo? Ajude-me. Por favor, ajude-me.*

Ring Lardner disse: "Três em cada três vão morrer, portanto cale a boca e dê as cartas." Tenho de dar as cartas. Estou sendo egoísta demais. Estou me comportando da pior forma possível, como se fosse a única pessoa do mundo que sofre. Deus não está tentando me punir. A vida é uma caixa de saldos cósmica. Neste momento, em algum lugar do mundo, alguém está perdendo um filho, esquiando por uma montanha abaixo, tendo um orgasmo, cortando os cabelos, deitado num leito de hospital, cantando num palco, se afogando, casando, passando fome numa sarjeta. No final das contas, não somos todos essa mesma pessoa? Uma eternidade é um bilhão de anos, e há uma eternidade, cada átomo de nossos corpos era parte de uma estrela. Preste atenção a mim, Deus. Somos todos uma parte de Seu universo, e se morremos, parte do Seu universo morrerá conosco.

EDWARD ESTAVA POR toda parte.

Nas canções que Mary ouvia no rádio, nas colinas onde haviam passado juntos. Na cama ao seu lado quando ela despertava ao nascer do sol.

Tenho que levantar cedo esta manhã, querida. Preciso fazer uma histerectomia e uma operação de quadris.

A voz de Edward soava nitidamente. Ela começou a lhe falar: *Estou preocupada com as crianças, Edward. Não querem ir à escola. Beth diz que é porque têm medo de não me encontrar aqui quando voltarem.*

Mary visitava o cemitério todos os dias, parada no ar gelado, lamentando o que perdera para sempre. Mas isso não lhe proporcionava qualquer conforto. *Você não está aqui*, pensou ela. *Diga-me onde você está. Por favor.*

Lembrou-se de um conto de Marguerite Yourcenar, 'Como Wang-Fô foi salvo'. Um artista chinês fora condenado à morte pelo imperador por mentir, por criar imagens de um mundo cuja beleza era contestada pela realidade. Mas o artista enganou o imperador, pintando um barco e usando-o para escapar. *Quero escapar também*, pensou Mary. *Não suporto mais continuar aqui sem você, querido.*

Florence e Douglas tentavam confortá-la.

— Ele está em paz — diziam a Mary.

E uma centena de outros clichês. As palavras fáceis de consolo, só que não havia nenhum consolo. *Não agora. Nem nunca.*

Ela acordava no meio da noite e corria para os quartos dos filhos, a fim de se certificar de que eles estavam seguros. *Meus filhos vão morrer*, pensou Mary. *Todos vamos morrer*. Pessoas andavam calmamente pelas ruas. *Idiotas, rindo e felizes — e todos vão morrer*. Suas horas estavam contadas, e as desperdiçavam em estúpidos jogos de cartas, assistindo a filmes tolos e a partidas de futebol americano sem o menor sentido. *Acordem!*, ela tinha vontade de gritar. *A terra é o matadouro de Deus, e somos o Seu gado. Será que não sabem o que vai lhes acontecer e com todas as pessoas a quem amam?*

A resposta lhe veio lentamente, dolorosamente, através dos véus negros do desespero. Claro que sabiam. Os jogos constituíam uma forma de desafio, o riso era um ato de bravata — uma bravata nascida do conhecimento de que a vida era finita, de que todos enfrentavam o mesmo destino; e pouco a pouco o medo e a ira de Mary foram se desvanecendo, transformando-se em espanto pela coragem de seus semelhantes. *Estou envergonhada de mim mesma. Tenho de encontrar meu caminho pelo labirinto do tempo. Ao final, cada um de nós está sozinho, mas enquanto isso devemos nos manter unidos, proporcionando uns aos outros conforto e afeição.*

A Bíblia diz que a morte não é o fim, mas apenas uma transição. Edward nunca a deixaria e aos filhos. Ele estava por ali, em algum lugar.

Ela mantinha conversas com o marido. *Falei com a professora de Tim hoje. As notas dele estão melhorando. Beth está de cama, resfriada. Lembra de como ela está sempre resfriada nesta época do ano? Vamos jantar na casa de Florence e Douglas esta noite. Eles têm sido maravilhosos, querido.*

E no meio da noite escura: *O reitor esteve aqui em casa. Queria saber se eu planejava voltar a dar aulas na universidade. Respondi que agora não. Não quero deixar as crianças sozinhas, mesmo que por pouco tempo. Elas precisam muito de mim. Você acha que eu deveria voltar um dia?*

Poucos dias depois: *Douglas foi promovido, Edward. Tornou-se o chefe de equipe no hospital.*

Poderia Edward ouvi-la? Ela não sabia. Haveria um Deus e uma vida posterior? Ou tudo não passava de uma fábula? T.S. Eliot disse: "Sem alguma espécie de Deus, o homem nem sequer é muito interessante."

O PRESIDENTE PAUL Ellison, Stanton Rogers e Floyd Baker estavam reunidos no Gabinete Oval. O secretário de Estado disse:

— Senhor presidente, estamos sofrendo muita pressão. Não creio que possamos protelar por mais tempo a indicação de um embaixador para a Romênia. Eu gostaria que examinasse a lista que lhe entreguei e escolhesse...

— Obrigado, Floyd. Agradeço seu esforço, mas ainda acho que Mary Ashley seria ideal. Sua situação doméstica mudou. O que foi uma tragédia do azar para ela pode ser uma sorte para nós. Quero tentar de novo. — Ele se virou para Stanton Rogers. — Stan, gostaria que você voasse até o Kansas e a persuadisse a aceitar o posto.

— Se é assim que deseja, senhor presidente, partirei o mais depressa possível.

MARY ESTAVA FAZENDO o jantar quando o telefone tocou. Ela atendeu, e uma telefonista disse:

— Aqui é da Casa Branca. O presidente deseja falar com a senhora Mary Ashley.

Agora não pensou Mary. *Não quero falar com ele nem com ninguém.*

Lembrou-se de como o primeiro telefonema do presidente a deixara excitada. Agora não tinha o menor sentido. Ela disse:

— Aqui é a senhora Ashley, mas...

— Quer aguardar um momento, por favor?

A voz familiar soou pela linha momentos depois:

— Aqui é Paul Ellison, senhora Ashley. Quero que saiba como lamentamos profundamente o que aconteceu com seu marido. Fui informado de que ele era um homem extraordinário.

— Obrigada, senhor presidente. Foi muita gentileza sua me mandar as flores.

— Não quero me intrometer em sua privacidade, senhora Ashley, e sei que tudo ainda está muito recente. Mas agora que sua situação doméstica mudou, estou lhe pedindo para reconsiderar a oferta do posto de embaixadora.

— Obrigada, mas eu não poderia...

— Peço que me escute, por favor. Estou mandando alguém até aí de avião para uma conversa. Seu nome é Stanton Rogers. Eu agradeceria se pelo menos o recebesse.

Mary não sabia o que dizer. Como explicar que seu mundo fora virado pelo avesso, que sua vida fora destruída? Só Beth e Tim tinham importância agora. Resolveu que, por uma questão de cortesia, receberia o homem e recusaria da forma mais graciosa possível.

— Eu o receberei, senhor presidente, mas não vou mudar de ideia.

HAVIA UM BAR popular no boulevard Bineau que os guardas de Marin Groza frequentavam quando não estavam de serviço na *villa* em Neuilly. Até mesmo Lev Pasternak aparecia no bar de vez em quando. Angel escolheu uma mesa num ponto em que podia ouvir as conversas. Os guardas, longe das rotinas rígidas na *villa*, gostavam de beber e sempre falavam quando bebiam.

Angel ficava escutando, procurando o ponto vulnerável da *villa*. Sempre havia um ponto vulnerável. Era preciso apenas ser bastante esperto para descobri-lo.

TRÊS DIAS PASSARAM antes que Angel ouvisse uma conversa que deu a pista para a solução do problema. Um guarda estava dizendo:

— Não sei o que Groza faz com as putas que leva para lá, mas elas certamente fazem o diabo com ele. Deviam ouvir os gritos. Na semana passada dei uma olhada nos chicotes que ele guarda em seu armário...

E na noite seguinte:

— As vigaristas que nosso destemido líder traz para a *villa* são lindas. Elas vêm de todas as partes do mundo. Lev cuida de tudo pessoalmente. Ele é esperto. Nunca usa a mesma mulher duas vezes. Com isso, ninguém pode usar as mulheres para atingir Marin Groza.

Era tudo o que Angel precisava saber.

NA MANHÃ SEGUINTE, bem cedo, Angel trocou de carro de aluguel e foi para Paris num Fiat. A loja de sexo ficava em Montmartre, na Place Pigalle, no meio de uma área povoada por prostitutas e cafetões. Angel entrou, andando devagar pelos corredores, estudando com atenção as mercadorias à venda. Havia algemas e correntes, capacetes com pontas de ferro, calças de couro com aberturas na frente, vibradores no formato de pênis, lubrificantes, bonecas infláveis e videoteipes pornográficos. Havia creme anal e chicotes de couro com dois metros de comprimento e tiras soltas na extremidade.

Angel escolheu um chicote, pagou em dinheiro e foi embora.

Na manhã seguinte, Angel levou o chicote de volta à loja. O gerente protestou:

— Não aceitamos devoluções.

— Não é isso que estou querendo — explicou Angel. — Eu me sinto constrangido de andar com isto. Agradeceria se pudesse me enviar pelo correio. Pagarei um extra, é claro.

Ao final da tarde, Angel estava num avião, a caminho de Buenos Aires.

O CHICOTE, EMBRULHADO com todo cuidado, chegou à *villa* em Neuilly no dia seguinte. Foi interceptado pelo guarda no portão. Ele leu a etiqueta da loja no embrulho, abriu-o e examinou o chicote com a maior atenção. *Era de se pensar que o velho já tinha chicotes suficientes.*

Ele passou adiante e outro guarda levou-o para o quarto de Marin Groza, guardando-o com os outros.

Capítulo 10

O FORTE RILEY, um DOS mais antigos quartéis ainda ativos dos Estados Unidos, foi construído em 1853, quando o Kansas ainda era considerado um território índio. Sua função era proteger as caravanas de carroças dos ataques dos índios. Hoje é usado basicamente como uma base de helicópteros e campo de pouso para pequenos aviões.

Quando Stanton Rogers ali pousou, a bordo de um DC-7, foi recebido pelo comandante da base e seu estado-maior. Uma limusine esperava para conduzi-lo à casa dos Ashley. Ele telefonara para Mary depois do contato do presidente.

— Prometo que minha visita será a mais breve possível, senhora Ashley. Planejo procurá-la na tarde de segunda-feira, se não for inconveniente.

Ele está sendo muito polido e é um homem importante. Por que o presidente o está mandando conversar comigo?

— Não há problema. — Num reflexo inconsciente, Mary acrescentara: — Gostaria de jantar conosco?

Ele hesitara.

— Obrigado.

Será uma noite comprida e tediosa, pensou Stanton. Florence Schiffer ficara emocionada ao saber da notícia.

— O assessor de política externa do presidente vem jantar *aqui*? Isso significa que você vai aceitar o convite!

— Não significa nada disso, Florence. Prometi ao presidente que conversaria com ele. E é só.

Florence abraçara Mary.

— Quero apenas que você faça o que puder torná-la feliz.

— Sei disso.

STANTON ROGERS ERA um homem formidável, concluiu Mary. Ela já o vira no Encontro com a Imprensa e em fotografias na revista *Time*, mas pensou agora: *Ele parece mais alto pessoalmente.* Rogers mostrava-se polido, mas um tanto distante.

— Permita-me transmitir novamente os sinceros pêsames do presidente por sua tragédia, senhora Ashley.

— Obrigada.

Mary apresentou-o a Beth e a Tim. Ficaram conversando, enquanto Mary ia à cozinha para verificar como Lucinda estava se saindo com o jantar.

— Posso servir quando quiser — comunicou Lucinda. — Mas ele vai detestar.

Quando Mary a informara de que Stanton Rogers jantaria em casa e queria que ela preparasse uma carne assada, Lucinda dissera:

— Pessoas como o senhor Rogers não comem carne assada.

— É mesmo? E comem o quê?

— Chateaubriand e crepes Suzette.

— Mas vamos ter carne assada.

— Está bem — murmurara Lucinda, obstinada. — Mas é o jantar errado.

Além da carne assada, ela preparara purê de batatas, legumes frescos e uma salada. E fizera uma torta de abóbora para sobremesa. Stanton Rogers comeu tudo o que foi posto em seu prato.

Durante o jantar, Mary e ele discutiram os problemas dos fazendeiros.

— Os fazendeiros do Meio-Oeste estão numa situação crítica, espremidos entre os preços baixos e o excesso de produção — comentou Mary. — São pobres demais para pintar e orgulhosos demais para caiar.

Falaram sobre a pitoresca história de Junction City, e Stanton Rogers finalmente levantou o problema da Romênia.

— Qual é a sua opinião sobre o governo do presidente Ionescu? — perguntou a Mary.

— Não há governo na Romênia, no verdadeiro sentido da palavra — respondeu Mary. — Ionescu é o governo. Ele mantém o controle total.

— Acha que haverá uma revolução no país?

— Não nas atuais circunstâncias. O único homem suficientemente poderoso para depor Ionescu é Marin Groza, que está exilado na França.

O interrogatório continuou. Ela era perita nos países da Cortina de Ferro e Stanton Rogers ficou visivelmente impressionado. Mary tinha a sensação desagradável de que ele passara a noite inteira a examiná-la sob um microscópio. Estava mais próxima da verdade do que imaginava.

Paul estava certo, pensou Stanton Rogers. *Ela é de fato uma autoridade sobre a Romênia.* E havia algo mais. *Precisamos do oposto do americano feio. Ela é muito bonita. E com as crianças, será um pacote tipicamente americano que todos comprarão.* Stanton descobriu-se cada vez mais animado com a perspectiva. *Ela pode ser mais útil do que imagina.*

Ao FINAL DA noite, Stanton Rogers disse:

— Vou ser franco, senhora Ashley. Inicialmente, fui contra a sua indicação para um posto tão delicado quanto a Romênia. E disse isso ao presidente. Conto-lhe agora por que mudei de ideia. Acho que pode ser uma excelente embaixadora.

Mary sacudiu a cabeça.

— Sinto muito, senhor Rogers. Não sou política. Sou apenas uma amadora.

— Como o presidente Ellison ressaltou, alguns dos nossos melhores embaixadores não eram profissionais. Isto é, a experiência deles não era no serviço diplomático. Walter Annenberg, nosso ex-embaixador no Reino Unido da Grã-Bretanha e Irlanda do Norte, era um editor.

— Eu não sou...

— John Kenneth Galbraith, nosso embaixador na Índia, era professor. Mike Mansfield começou como repórter, foi eleito senador e depois designado para a embaixada no Japão. Eu poderia dar mais uma dúzia de exemplos. Essas pessoas eram todas o que se chamaria de amadores. O que tinham, senhora Ashley, era inteligência, amor por seu país e boa vontade para com o povo do país em que foram servir.

— Fala como se fosse muito simples.

— Como provavelmente sabe, já a investigamos de maneira meticulosa. Foi aprovada em termos de segurança, não tem problemas com a Receita Federal, e não há conflito de interesses. Segundo o reitor Hunter, é uma excelente professora, além de profunda conhecedora dos problemas da Romênia. Tem uma boa base. E, por fim, mas nem por isso menos importante, apresenta a imagem que o presidente quer projetar nos países da Cortina de Ferro, onde sofremos muita propaganda adversa.

Mary escutava agora com expressão pensativa.

— Eu gostaria que o senhor e o presidente soubessem que agradeço tudo o que disseram a meu respeito. Mas eu não poderia aceitar. Tenho de pensar em Beth e Tim. Não posso desarraigá-los assim...

— Há uma excelente escola para filhos de diplomatas em Bucareste. Seria uma educação maravilhosa para Tim e Beth passar algum tempo em outro país. Aprenderiam coisas que nunca poderiam conhecer na escola aqui.

A conversa não estava transcorrendo como Mary planejara.

— Eu não... Pensarei sobre o assunto.

— Passarei a noite na cidade — informou Stanton Rogers. — Poderá me encontrar no All Seasons Motel. Pode estar certa, senhora Ashley, de que compreendo como a decisão lhe é importante pessoalmente. Mas este programa não é importante apenas para o presidente, mas também para o nosso país. Pense nisso.

Depois que Stanton Rogers se retirou, Mary subiu. As crianças estavam à sua espera, olhos arregalados, excitadas.

— Vai aceitar a embaixada, mamãe? — perguntou Beth.

— Precisamos conversar. Se eu resolver aceitar, vocês teriam que deixar a escola e todos os seus amigos. Viveriam em outro país cuja língua não falam, cursariam uma escola estranha.

— Tim e eu já conversamos sobre tudo isso — anunciou Beth. — E quer saber o que achamos?

— O quê?

— Que qualquer país teria muita sorte em ter você como embaixadora, mamãe.

ELA CONVERSOU COM Edward naquela noite: *Deveria ter ouvido como ele falou, querido. Deu a impressão de que o presidente precisava muito de mim. Provavelmente há um milhão de pessoas que poderiam fazer um trabalho melhor do que eu, mas ele foi muito lisonjeiro. Lembra que nós dois conversamos como seria emocionante? Pois tenho outra vez a chance e não sei o que fazer. Para dizer a verdade, estou apavorada. Este é o nosso lar. Como eu suportaria sair daqui? Há muita coisa de você aqui.* Ela descobriu que estava chorando. *Isto é tudo o que me restou de você. Ajude-me a decidir. Por favor, ajude-me...*

Mary ficou sentada junto à janela, de penhoar, olhando para as árvores, prateadas ao vento uivante e irrequieto.

Ao amanhecer, já tomara uma decisão.

ÀS NOVE HORAS da manhã Mary telefonou para o All Seasons Motel e pediu para falar com Stanton Rogers. Quando ele entrou na linha, Mary disse:

— Senhor Rogers, poderia fazer o favor de dizer ao presidente que eu me sentiria honrada em aceitar o posto de embaixadora?

Capítulo 11

*E*STA É AINDA *mais* BONITA *do que as outras*, pensou o guarda. Ela não parecia uma prostituta. Poderia ser uma atriz de cinema ou modelo. Tinha vinte e poucos anos, cabelos louros compridos e uma pele leitosa. Usava um vestido da maior elegância.

Lev Pasternak veio pessoalmente ao portão para conduzi-la à casa. A mulher, Bisera, era iugoslava, e aquela era sua primeira viagem à França. A visão de todos aqueles agentes de segurança armados deixava-a nervosa. *Em que será que me meti?* Tudo o que Bisera sabia era que seu cafetão lhe dera uma passagem de avião de ida e volta e dissera que ela receberia dois mil dólares por uma hora de trabalho.

Lev Pasternak bateu na porta do quarto, e a voz de Groza respondeu do interior:

— Entre.

Pasternak abriu a porta e introduziu a garota. Marin Groza estava parado ao pé da cama. Usava um robe, e Bisera percebeu que estava nu por baixo. Lev Pasternak apresentou:

— Esta é Bisera.

Ele não mencionou o nome de Marin Groza.

— Boa-noite, minha cara. Entre.

Pasternak retirou-se, fechando a porta. Marin Groza ficou a sós com a mulher. Ela se adiantou, com um sorriso sedutor.

— Você parece muito à vontade. Posso me despir logo e ficamos os dois à vontade.

Ela começou a tirar o vestido.

— Não. Fique vestida, por favor.

Ela fitou-o, surpresa.

— Não quer que eu...

Groza foi até o armário e escolheu um chicote.

— Quero que você use isto.

Um fetiche de escravo. Estranho. Ele não parecia o tipo. *Nunca se sabe,* pensou Bisera.

— Claro, meu bem. Qualquer coisa que o deixar com tesão.

Marin Groza tirou o robe e virou-se. Bisera ficou chocada com a visão de seu corpo coberto de cicatrizes. Eram vergões brutais. E havia alguma coisa na expressão do homem que a desconcertava; quando compreendeu o que era, ficou ainda mais perplexa. Era angústia. Ele estava sentindo um tremendo sofrimento. Por que queria ser açoitado? Ela o observou se encaminhar para um banco e sentar.

— Com força — ordenou ele. — Açoite-me com toda a força.

— Está bem.

Bisera pegou o comprido chicote de couro. Sadomasoquismo não era novidade para ela, mas desta vez havia alguma coisa diferente que ela não conseguia compreender. *Mas não é da minha conta*, pensou Bisera. *Faça o que ele está pedindo, depois pegue o dinheiro e se mande.*

Levantou o chicote e depois açoitou as costas nuas.

— Com mais força — insistiu o homem. — Com mais força.

Ele se encolhia de dor quando o couro atingia sua pele. Uma vez... duas... e outra... e outra... com mais força... com mais força... A visão que Marin Groza esperava surgiu diante de seus olhos.

Cenas da esposa e da filha sendo estupradas deixaram seu cérebro em fogo. Era um estupro coletivo, e os soldados, rindo, passavam da mulher para a criança, as calças arriadas, esperando a vez na fila. Marin Groza comprimiu-se contra o banco, como se estivesse amarrado. Enquanto o chicote baixava e baixava, ele podia ouvir os gritos da esposa e da filha, suplicando por misericórdia, sufocando com os pênis de homens em suas bocas, sendo estupradas e sodomizadas ao mesmo tempo, até que o sangue começou a escorrer e seus gritos se extinguiram. E Marin Groza gemeu:

— Com mais força!

E a cada golpe do chicote ele sentia a lâmina afiada da faca cortando seus órgãos genitais, castrando-o. Ele estava tendo dificuldade para respirar.

— Pegue... pegue...

Sua voz era um rangido rouco. Sentia os pulmões paralisados. A mulher parou, o chicote suspenso no ar.

— Ei, está se sentindo bem? Eu...

Ela observou enquanto Marin Groza caía no chão, os olhos abertos, mas vidrados. Bisera desatou a gritar:

— *Socorro! Socorro!*

Lev Pasternak veio correndo, empunhando o revólver. Viu o corpo no chão.

— O que aconteceu?

Bisera estava histérica.

— Ele está morto! Está morto! Eu não fiz nada! Apenas o açoitei como ele mandou! Juro!

O médico que vivia na *villa* estava no quarto poucos segundos depois. Olhou para o corpo de Marin Groza e abaixou-se para examiná-lo. A pele se tornara azulada, e os músculos estavam rígidos.

Ele pegou o chicote e cheirou-o.

— O que foi?

— Curare. É um extrato de uma planta sul-americana. Os incas o usavam em dardos para matar os inimigos. Todo o sistema nervoso fica paralisado em três minutos.

Os dois homens ficaram ali parados, olhando fixamente, impotentes, o seu líder morto.

A NOTÍCIA DA morte de Marin Groza foi transmitida para o mundo inteiro via satélite. Lev Pasternak conseguiu ocultar da imprensa os detalhes sórdidos. Em Washington, o presidente teve uma reunião com Stanton Rogers.

— Quem você acha que está por trás disso, Stan?

— Podem ser os russos ou Ionescu. Ao final, dá no mesmo. Eles não queriam que a situação atual fosse alterada.

— Portanto, teremos de lidar com Ionescu. Muito bem. Vamos providenciar a confirmação de Mary Ashley o mais depressa possível.

— Ela está vindo para cá, Paul. Não há problema.

— Ótimo.

AO TOMAR CONHECIMENTO da notícia, Angel sorriu. *Aconteceu mais cedo do que eu esperava.*

Às dez horas da noite o telefone particular tocou e o Controlador atendeu.

— Alô?

Ele ouviu a voz gutural de Neusa Muñez:

— Angel viu o jornal esta manhã. Ele diz para depositar o dinheiro em sua conta no banco.

— Informe a ele de que tudo será providenciado imediatamente. E por favor, miss Muñez, comunique a ele que estou muito satisfeito. E também lhe diga que talvez eu torne a precisar de seus serviços muito em breve. Tem um telefone pelo qual eu possa fazer contato?

Houve uma pausa prolongada.

— Acho que sim...

Ela deu o número.

— Obrigado. Se Angel...

A linha ficou muda.

Mas que vaca estúpida!

O DINHEIRO FOI depositado na conta em Zurique naquela manhã, e uma hora depois de recebido, foi transferido para um banco saudita em Genebra. *Uma pessoa não pode deixar de ser muito cuidadosa hoje em dia*, pensou Angel. *Os miseráveis banqueiros estão sempre procurando uma maneira de enganar a gente.*

Capítulo 12

ERA MAIS DO que EMPACOTAR as coisas de uma família. Era empacotar toda uma vida. Era dar adeus a treze anos de sonhos, lembranças e amor. Era a despedida final a Edward. Aquele fora o lar que haviam partilhado e agora se tornaria outra vez apenas uma casa, ocupada por estranhos sem noção das alegrias e pesares, lágrimas e risos que haviam acontecido dentro daquelas paredes.

Douglas e Florence Schiffer estavam na maior satisfação porque Mary decidira aceitar o posto.

— Você vai ser fantástica — Florence garantiu a Mary. — Doug e eu sentiremos sua falta e das crianças.

— Prometa que irão à Romênia nos visitar.

— Prometo.

Mary estava sufocada pelos detalhes práticos que tinha de enfrentar, as incontáveis responsabilidades desconhecidas. Ela fez uma lista:

LIGAR PARA O guarda-móveis e pedir que venham buscar as coisas pessoais que estamos deixando.

Cancelar o leiteiro.

Cancelar o jornal.
Fornecer ao carteiro o novo endereço para a correspondência.
Assinar o contrato de aluguel da casa.
Providenciar o seguro.
Providenciar a transferência das contas de luz e gás.
Pagar todas as contas.
Não entrar em pânico!

UMA LICENÇA POR tempo indefinido fora acertada com o reitor Hunter.

— Arrumarei alguém para o seu lugar nos cursos normais. Não é problema. Mas os alunos dos seus seminários vão sentir sua falta. — Ele sorriu. — Tenho certeza de que nos deixará a todos muito orgulhosos, senhora Ashley. Boa sorte.

— Obrigada.

MARY TIROU AS crianças da escola. Havia providências para a viagem, era preciso comprar as passagens de avião. No passado Mary nunca se preocupara com as transações financeiras, porque Edward estava presente para cuidar de tudo. Agora não havia Edward, exceto em sua mente e coração, onde ele sempre estaria.

MARY ESTAVA PREOCUPADA com Beth e Tim. No início eles se mostraram entusiasmados com a ideia de viver em outro país, mas agora se confrontavam com a realidade e sentiam uma profunda apreensão. Foram procurar Mary, em separado.

— Não posso deixar todos os meus amigos, mamãe — disse Beth. — Talvez eu nunca mais torne a ver Virgil. Estou pensando se não seria o caso de ficar aqui até o fim do semestre.

Tim disse:

— Acabo de entrar no time. Se eu sair agora, eles arrumarão outro para o meu lugar como terceira base. Talvez possamos deixar para viajar depois do próximo verão, quando a temporada acabar. Por favor, mamãe!

Eles estão assustados. Como a mãe. Stanton Rogers fora muito convincente. Mas sozinha com seus medos, à noite, Mary pensou: *Não sei nada sobre as funções de uma embaixadora. Sou apenas uma dona de casa do Kansas fingindo que é alguma espécie de estadista. Todos vão descobrir que não passo de uma fraude. Foi loucura concordar com isso.*

FINALMENTE, milagrosamente, tudo estava pronto. A casa fora alugada para uma família que acabara de se mudar para Junction City.

ESTAVA NA HORA de partir.

— Doug e eu levaremos vocês de carro até o aeroporto — insistiu Florence.

O aeroporto em que pegariam o avião de seis lugares para Kansas City, Missouri, ficava localizado em Manhattan, Kansas. Em Kansas City embarcariam num avião maior, que os levaria a Washington.

— Peço que me deem só um minuto — disse Mary.

Subiu até o quarto que partilhara com Edward por tantos anos maravilhosos. Ficou parada no meio, dando uma última e longa olhada.

Estou partindo agora, meu querido. Queria apenas me despedir. Creio que estou fazendo o que você gostaria. Pelo menos espero que sim. A única coisa que realmente me incomoda é que tenho o pressentimento de que talvez nunca mais voltemos para cá. Sinto como se o estivesse abandonando. Mas você estará comigo aonde quer que eu vá. Preciso de você agora mais do que já precisei em qualquer outra ocasião. Fique comigo. Ajude-me. Eu o amo muito. Penso às vezes que não poderei aguentar sem você. Pode me ouvir, querido? Está aí...?

DOUGLAS SCHIFFER PROVIDENCIOU o despacho da bagagem no pequeno avião. Quando viu o avião pousado na pista, Mary estacou abruptamente.

— Deus do céu!

— Qual é o problema? — perguntou Florence.

— Eu... eu estava tão ocupada que esqueci por completo.

— Esqueceu o quê?

— De voar! Nunca entrei antes num avião, em toda a minha vida, Florence! Não posso conceber subir nessa coisinha!

— Mary, as chances são de uma em um milhão de que aconteça alguma coisa.

— Não gosto de chances — disse Mary firmemente. — Viajaremos de trem.

— Não pode fazer isso. Estão esperando você em Washington esta tarde.

— *Viva*. Não vou servir a ninguém *morta*.

Os Schiffer levaram quinze minutos para persuadir Mary a embarcar no pequeno avião. Meia hora depois, ela e os filhos estavam acomodados para o voo 826 da Air Midwest. Enquanto os motores aceleravam e o aparelho começava a correr pela pista, Mary fechou os olhos e apertou com toda força os braços da poltrona. Segundos depois estavam no ar.

— Mamãe...

— Psiu! Não fale!

Ela ficou rígida, recusando-se a olhar pela janela, concentrando-se em manter o avião no ar. As crianças apontavam as paisagens lá embaixo, divertindo-se imensamente.

Crianças, pensou Mary, amargurada. *O que podem saber?*

NO AEROPORTO DE Kansas City, eles passaram para um DC-10 e seguiram para Washington. Beth e Tim sentaram juntos, e Mary ficou no outro lado do corredor. Uma mulher idosa sentou ao lado de Mary.

— Para ser franca, estou um pouco nervosa — confessou a companheira de viagem de Mary. — Nunca voei antes.

Mary afagou-lhe a mão e sorriu.

— Não há motivo para ficar nervosa. Só há uma chance em um milhão de acontecer alguma coisa.

LIVRO SEGUNDO

Capítulo 13

QUANDO O AVIÃO chegou ao Aeroporto Dulles, em Washington, Mary e as crianças foram recebidas por um rapaz do Departamento de Estado.

— Seja bem-vinda a Washington, senhora Ashley. Meu nome é John Burns. O senhor Rogers pediu-me que viesse recebê-la e a levasse para o hotel. Já fiz reservas no Riverside Towers. Creio que todos ficarão muito bem lá.

— Obrigada.

Mary apresentou Beth e Tim.

— Se me der os tíquetes de bagagem, senhora Ashley, cuidarei de tudo.

Vinte minutos depois eles estavam sentados numa limusine com motorista, seguindo para o centro de Washington. Tim olhava pela janela, aturdido.

— Ei, lá está o Memorial Lincoln!

Beth estava olhando pela outra janela.

— Lá está o Monumento a Washington!

Mary olhou para John Burns, embaraçada.

— Infelizmente, meus filhos não são muito sofisticados. É que nunca saíram de... — Mary olhou pela janela e seus olhos se arregalaram. — Puxa, olhem só! Lá está a Casa Branca!

A limusine subiu pela Pennsylvania Avenue, cercada por alguns dos pontos de referência mais emocionantes do mundo. Mary pensou, muito excitada: *Esta é a cidade que domina o mundo. É aqui que está o poder. E, de uma forma mínima, também serei parte de tudo.*

Enquanto a limusine se aproximava do hotel, Mary perguntou:

— Quando verei o senhor Rogers?

— Ele a procurará pela manhã.

PETE CONNORS, chefe da KUDESK, a seção de contraespionagem da CIA, ficara trabalhando até tarde, e seu dia estava longe de terminar. Todas as madrugadas, às três horas, uma equipe se apresentava ao serviço para preparar o resumo diário de informações encaminhado ao presidente, compilado das mensagens recebidas durante a noite. O relatório, cujo nome em código era "Picles", tinha de estar pronto às seis horas da manhã, a fim de estar na mesa do presidente no início de seu dia de trabalho. Um mensageiro armado levava o relatório para a Casa Branca, entrando pelo portão oeste. Pete Connors tinha um renovado interesse nas mensagens que vinham do outro lado da Cortina de Ferro, porque muita coisa se referia à nomeação de Mary Ashley para embaixadora americana na Romênia.

A União Soviética estava preocupada com a possibilidade de o plano do presidente Ellison ser uma trama para se infiltrar em seus satélites, a fim de espioná-los ou seduzi-los.

Os comunas estão tão preocupados quanto eu, pensou Pete Connors, sombriamente. *Se a ideia do presidente der certo, todo este país vai se tornar uma casa aberta para os seus malditos espiões.*

Pete Connors fora informado do momento em que Mary Ashley chegara a Washington. Vira fotografias da mulher e dos filhos. *Ela será perfeita*, pensou Connors, feliz.

O RIVERSIDE TOWERS, a um quarteirão do complexo Watergate, é um pequeno hotel familiar, com suítes confortáveis e bem decoradas.

Um empregado levou a bagagem para a suíte. Quando Mary começava a arrumar suas coisas, o telefone tocou. Ela atendeu.

— Alô?

Uma voz masculina perguntou:

— Senhora Ashley?

— Sou eu.

— Meu nome é Ben Cohn. Sou repórter de *The Washington Post*. Gostaria de saber se podemos conversar por alguns minutos.

Mary hesitou.

— Acabei de chegar e...

— Não levará mais de cinco minutos. Eu só queria cumprimentá-la.

— Ahn... acho que...

— Já estou subindo.

BEN COHN ERA baixo e atarracado, um corpo musculoso e o rosto machucado de um pugilista. *Parece um repórter esportivo*, pensou Mary.

Ele sentou numa cadeira à sua frente e perguntou:

— É a primeira vez que vem a Washington, senhora Ashley?

— É, sim.

Mary notou que ele não estava com um bloco de anotações nem com um gravador.

— Não vou lhe fazer a pergunta estúpida.

Ela franziu o rosto.

— Qual é a pergunta estúpida?

— Está gostando de Washington? Sempre que uma celebridade desembarca de um avião em qualquer lugar, a primeira coisa que lhe perguntam é: "O que acha da cidade?"

Mary riu.

— Não sou uma celebridade, mas acho que vou gostar muito de Washington.

— Era professora na Universidade Estadual do Kansas?

— Isso mesmo. Tinha um curso que se chamava Leste europeu. Hoje tem o nome de Política.

— Soube que o presidente conheceu-a através de um livro seu sobre a Europa Central e diversos artigos em revistas.

— É verdade.

— E o resto, como se costuma dizer, é história.

— Imagino que se trata de uma maneira excepcional de...

— Não é tão excepcional assim. Jeanne Kirkpatrick atraiu a atenção do presidente Reagan da mesma maneira, e ele a nomeou embaixadora na ONU. — Cohn sorriu. — Portanto, há um precedente. Essa é uma das palavras mais importantes em Washington. *Precedente.* Seus avós eram romenos?

— Meu avô. Isso mesmo.

Ben Cohn ficou na suíte por mais quinze minutos, obtendo informações sobre os antecedentes de Mary. Ela perguntou:

— Quando a entrevista vai sair no jornal?

Queria saber para enviar exemplares a Douglas e Florence e outros amigos em Junction City. Ben Cohn levantou-se e respondeu, evasivo:

— Vou guardá-la para mais tarde. — Havia alguma coisa na situação que o deixava perplexo, mas não tinha certeza do quê. — Tornaremos a conversar em outra ocasião.

Depois que ele se retirou, Beth e Tim vieram à sala de estar da suíte.

— Ele foi simpático, mamãe?

— Foi, sim. — Mary hesitou, indecisa. — Acho que sim.

STANTON ROGERS telefonou na manhã seguinte.

— Bom-dia, senhora Ashley. Aqui é Stanton Rogers.

Era como ouvir a voz de um velho amigo. *Talvez seja porque ele é a única pessoa que conheço na cidade*, pensou Mary.

— Bom-dia, senhor Rogers. Obrigada por ter mandado o senhor Burns nos esperar no aeroporto e providenciar o hotel.

— Está tudo a seu gosto?

— Está maravilhoso.

— Creio que seria uma boa ideia nos encontrarmos para discutir os procedimentos que terá de enfrentar.

— Tem razão.

— Por que não almoçamos hoje no Grand? Não fica longe de seu hotel. Uma hora está bom?

— Está sim.

— Estarei à sua espera no restaurante.

Estava começando.

MARY PROVIDENCIOU para que servissem o almoço das crianças na suíte, e à uma hora da tarde um táxi deixou-a no Grand Hotel. Ela sentiu-se intimidada. O Grand Hotel é um centro de poder. Chefes de Estado e diplomatas do mundo inteiro se hospedavam ali, e é fácil compreender o motivo. É um prédio elegante, com um saguão imponente, o chão de mármore italiano e colunas graciosas, sob um teto circular. Há um pátio ajardinado, com um chafariz e uma piscina ao ar livre. Uma escada de mármore leva ao restaurante, onde Stanton Rogers estava à sua espera.

— Boa-tarde, senhora Ashley.

— Boa-tarde, senhor Rogers.

Ele soltou uma risada.

— Estamos formais demais. Não seria melhor se nos tratássemos por Stan e Mary?

Ela ficou satisfeita.

— Seria ótimo.

Stanton Rogers parecia de certa forma diferente, e Mary tinha dificuldade para definir o que mudara. Em Junction City ele demonstrara indiferença, quase ressentimento contra ela. Agora, isso parecia ter desaparecido por completo. Ele se mostrava cordial e efusivo. *A diferença é que ele me aceitou*, pensou Mary, feliz.

— Gostaria de tomar um drinque?

— Não, obrigada.

Pediram o almoço. As entradas pareciam-lhe muito caras. *Não é como os preços em Junction City.* A suíte do hotel custava 250 dólares por dia. *Nesse ritmo, meu dinheiro não vai durar muito*, pensou Mary.

— Não quero parecer grosseira, Stan, mas pode me dizer quanto ganha um embaixador?

Ele riu.

— É uma pergunta justa. Seu salário será de 65 mil dólares por ano, mais uma verba de representação.

— Quando isso começa?

— Na hora em que prestar juramento.

— E até lá?

— Receberá 75 dólares por dia.

Mary sentiu um aperto no coração. Não daria sequer para pagar as contas do hotel, muito menos para as outras despesas.

— Ficarei em Washington por muito tempo? — perguntou ela.

— Cerca de um mês. Faremos todo o possível para acelerar a transferência. O secretário de Estado já telegrafou para o governo romeno, solicitando a aprovação de seu nome. Aqui entre nós, já houve discussões particulares entre os dois governos. Não haverá problemas com os romenos, mas ainda ficará na dependência da aprovação do Senado.

Então o governo romeno vai me aceitar, pensou Mary, espantada. *Talvez eu seja mais bem qualificada do que imaginava.*

— Fiz uma consulta informal ao presidente da Comissão de Relações Exteriores do Senado. O próximo passo será uma audiência pública com todo o comitê. Farão perguntas sobre seus antecedentes, sua lealdade ao país, opiniões sobre o posto e o que espera realizar.

— E o que acontece depois disso?

— A comissão vota. Apresenta suas conclusões, e todo o Senado vota.

Mary disse, bem devagar:

— Já houve indicações rejeitadas no passado, não é?

— O prestígio do presidente está em jogo neste caso. Você terá todo o apoio da Casa Branca. O presidente está ansioso para ter sua confirmação o mais depressa possível. Por falar nisso, achei que você e as crianças gostariam de conhecer a cidade durante os próximos dias. Por isso, providenciei um carro com motorista, assim como uma excursão particular pela Casa Branca.

— Muito obrigada!

Stanton Rogers sorriu.

— O prazer é todo meu.

A EXCURSÃO PARTICULAR pela Casa Branca foi na manhã seguinte. Um guia acompanhou-os. Passaram pelo Jardim Jacqueline Kennedy e o jardim em estilo do século XVIII em que havia um laguinho, árvores e uma plantação de ervas para uso na cozinha da Casa Branca.

— Bem à frente fica a Ala Leste — anunciou o guia. — Aloja os gabinetes militares, as ligações presidenciais com o Congresso, um escritório para visitantes e as salas da equipe da primeira-dama.

Passaram pela Ala Oeste e deram uma olhada no Gabinete Oval do presidente.

— Quantos cômodos têm aqui? — indagou Tim.

— Há 132 cômodos, 69 *closets*, 28 lareiras e 32 banheiros.

— O pessoal deve ir muito ao banheiro.

— O presidente Washington ajudou a supervisionar uma boa parte da construção. Foi o único presidente que nunca residiu aqui.

— Não o culpo por isso — murmurou Tim. — A casa é grande demais.

Mary cutucou-o, o rosto vermelho.

A excursão demorou quase duas horas, e ao final a família Ashley estava impressionada e exausta.

Este é o lugar em que tudo começou, pensou Mary. *E agora serei parte disso.*

— Mamãe...

— O que é, Beth?

— Você está com uma cara engraçada.

O TELEFONEMA DO gabinete do presidente ocorreu na manhã seguinte.

— Bom-dia, senhora Ashley. O presidente Ellison gostaria de saber se estará disponível esta tarde para encontrá-lo.

Mary engoliu em seco.

— Ahn... claro, claro.

— Três horas seria conveniente?

— Está ótimo.

— Uma limusine irá buscá-la às quinze para as três.

PAUL ELLISON LEVANTOU-SE quando Mary foi introduzida no Gabinete Oval. Ele se adiantou para apertar-lhe a mão, sorriu e disse:

— Peguei-a!

Mary riu.

— Fico contente que isso tenha acontecido, senhor presidente. É uma grande honra para mim.

— Vamos sentar, senhora Ashley. Posso chamá-la de Mary?

— Por favor.

Sentaram no sofá. O presidente Ellison disse:

— Você vai ser meu *doppelgänger*. Sabe o que é isso?

— É uma espécie de um espírito idêntico ao de uma pessoa viva.

— Exatamente. É o nosso caso. Não dá para descrever como fiquei excitado ao ler seu último artigo, Mary. Era como se estivesse lendo alguma coisa que eu mesmo escrevera. Há muitas pessoas que não acreditam que o nosso programa de povo-para-povo possa dar certo, mas você e eu vamos demonstrar que estão enganadas.

Nosso plano povo-para-povo. *Nós* vamos mostrar que os outros se enganam. *Ele é um homem encantador*, pensou Mary. Em voz alta, ela disse:

— Quero fazer tudo o que puder para ajudar, senhor presidente.

— Estou contando com você. E muito. A Romênia é uma espécie de campo de prova. Como Groza foi assassinado, seu trabalho será mais difícil. Se tivermos sucesso lá, podemos fazer com que dê certo nos outros países comunistas.

Os dois passaram os trinta minutos seguintes discutindo alguns dos problemas e depois Paul Ellison disse:

— Stan Rogers vai se manter em contato permanente com você. Ele se tornou um dos seus maiores fãs. — O presidente estendeu a mão. — Boa sorte, *doppelgänger*.

STANTON ROGERS telefonou para Mary na tarde seguinte e avisou:

— Você tem um encontro amanhã de manhã, às nove horas, com o presidente da Comissão de Relações Exteriores do Senado.

O GABINETE DA Comissão de Relações Exteriores fica no Edifício Dirksen. Uma placa no saguão, no lado direito da porta, informa: COMISSÃO DE RELAÇÕES EXTERIORES, SD-419.

O PRESIDENTE DA comissão era um homem rotundo, cabelos grisalhos, olhos verdes penetrantes, o comportamento descontraído de um político profissional. Cumprimentou Mary na porta.

— Charlie Campbell. É um prazer conhecê-la, senhora Ashley. Já ouvi falar muito a seu respeito.

Bem ou mal?, pensou Mary.

Ele conduziu-a a uma cadeira.

— Aceita um café?

— Não, obrigada, senador.

Ela estava nervosa demais para conseguir segurar uma xícara.

— Sendo assim, vamos direto aos negócios. O presidente está ansioso por tê-la como nossa representante na Romênia. Claro que queremos lhe proporcionar um apoio total, por todos os meios possíveis. O problema é o seguinte: acha que está qualificada para ocupar o posto, senhora Ashley?

— Não, senhor.

A resposta pegou-o de surpresa.

— Como?

— Se está querendo saber se já tive alguma experiência diplomática no trato com outros países, então não estou qualificada. Contudo, fui informada de que um terço dos embaixadores americanos é constituído por pessoas que também não tinham experiência anterior. O que eu levaria para o meu posto é o conhecimento da Romênia. Estou a par de seus problemas econômicos e sociológicos, conheço-lhe os antecedentes políticos. Creio que poderia projetar uma imagem positiva de nosso país para os romenos.

Ora essa, pensou Charlie Campbell, surpreso. *E eu estava esperando uma mulher de cabeça vazia.* A verdade era que Campbell tinha algum ressentimento contra Mary Ashley antes mesmo de conhecê-la. Recebera ordens superiores para obter a aprovação de sua comissão para Mary Ashley, não importava o que pensassem dela. Havia muitos comentários desdenhosos nos corredores do poder sobre a gafe que o presidente cometera ao escolher uma caipira desconhecida de um lugar chamado Junction City, Kansas. *Mas tenho a impressão de que a turma terá uma pequena surpresa*, pensou Campbell. Em voz alta, disse:

— A audiência da comissão será realizada às nove horas da manhã de quarta-feira.

MARY ENTROU EM pânico na noite anterior à audiência. *Edward, quando me interrogarem sobre a minha experiência, o que direi a eles? Que em Junction City fui a rainha da escola e ganhei o concurso de patinação no gelo por três anos consecutivos? Estou em pânico, querido. Ah, como eu gostaria que você estivesse aqui comigo!*

Mais uma vez, a ironia aflorou. Se Edward continuasse vivo, *ela* não estaria ali. *Estaria segura e confortável em casa, com meu marido e meus filhos, o lugar a que pertenço.*

Mary passou a noite inteira acordada.

A AUDIÊNCIA FOI realizada na sala da Comissão de Relações Exteriores do Senado, com todos os quinze membros presentes, sentados numa plataforma, na frente de uma parede em que havia quatro enormes mapas do mundo. No lado esquerdo da sala ficava a bancada da imprensa, repleta de repórteres; no meio havia cadeiras para duzentos espectadores. A sala estava lotada. Pete Connors sentava numa das últimas filas. Houve um súbito silêncio quando Mary entrou, acompanhada por Beth e Tim.

Ela usava um costume escuro e uma blusa branca. As crianças haviam sido obrigadas a abandonar os *jeans* e vestiam as melhores roupas dominicais.

Ben Cohn, sentado na bancada da imprensa, observou-os atentamente. *Eles parecem uma gravura de Norman Rockwell*, pensou.

Um atendente sentou as crianças na frente e conduziu Mary à cadeira das testemunhas, de frente para a comissão. Ela sentou sob o clarão de luzes ofuscantes, tentando disfarçar seu nervosismo. A audiência começou. Charlie Campbell sorriu para Mary.

— Bom-dia, senhora Ashley. Agradecemos a sua presença nesta comissão. Vamos iniciar as perguntas.

E começaram de forma bastante inocente.

— Nome...?

— Viúva...?

— Filhos...?

As perguntas eram gentis e encorajadoras.

— Segundo a biografia que nos foi fornecida, senhora Ashley, durante os últimos anos a senhora foi professora de ciência política na Universidade Estadual do Kansas. Isso é correto?

— É, sim, senhor.

— É natural do Kansas?

— Sou, sim, senador.

— Seus avós eram romenos?

— Meu avô era, senhor.

— Escreveu um livro e artigos sobre a reaproximação entre os Estados Unidos e países do bloco soviético?

— Escrevi, sim, senhor.

— O último artigo foi publicado em parte na revista *Foreign Affairs* e atraiu a atenção do presidente?

— É o que presumo.

— Senhora Ashley, poderia fazer a gentileza de informar a esta comissão qual é a premissa básica de seu artigo?

O nervosismo estava desaparecendo depressa. Ela se encontrava em terreno seguro agora, discutindo um assunto sobre o qual tinha toda autoridade. Tinha a sensação de que estava conduzindo um seminário na escola.

— Existem no momento vários pactos econômicos no mundo. Como são mutuamente exclusivos, servem para dividir o mundo em blocos antagônicos e competitivos, em vez de o unirem. A Europa tem o Mercado Comum, o Bloco do Leste tem o COMECON, há ainda a OCDE, integrada pelos países de mercado livre, e o movimento não alinhado dos países do Terceiro Mundo.

"Minha premissa é muito simples: eu gostaria que todas as diversas organizações fossem ligadas por vínculos econômicos. Indivíduos que estão empenhados numa sociedade proveitosa não se matam uns aos outros. Creio que o mesmo princípio se aplica a países. Gostaria que nosso país assumisse a vanguarda de um movimento para a criação de um mercado comum que incluísse tanto aliados quanto adversários. Hoje, para citar um exemplo, estamos gastando bilhões de dólares para armazenar excedentes de cereais, enquanto pessoas em dezenas de países passam fome. O mercado comum mundial poderia resolver esse problema. Poderia curar as desigualdades na distribuição, a um preço justo para todos. E eu gostaria de tentar ajudar para que isso se torne uma realidade."

O senador Harold Turkel, antigo membro da Comissão de Relações Exteriores e representante do partido de oposição, manifestou-se:

— Eu gostaria de fazer algumas perguntas à indicada.

Ben Cohn inclinou-se para a frente. *Lá vamos nós.* O senador Turkel era um homem na casa dos setenta anos, duro e impertinente, um notório rabugento.

— É a primeira vez que vem a Washington, senhora Ashley?

— É, sim, senhor. Acho que é uma das mais...

— Já viajou muito?

— Não. Meu marido e eu sempre planejamos viajar, mas...

— Já esteve em Nova York?

— Não, senhor.

— Califórnia?

— Não, senhor.

— Foi à Europa?

— Não. Como eu disse, planejávamos...

— Já tinha saído antes do Estado do Kansas, senhora Ashley?

— Já, sim. Fiz uma conferência na Universidade de Chicago e uma série de palestras em Denver e Atlanta.

Turkel disse, secamente:

— Deve ter sido muito emocionante no seu caso, senhora Ashley. Não posso me recordar de qualquer ocasião em que esta comissão tenha aprovado uma candidata menos qualificada para uma embaixada. Espera representar os Estados Unidos da América num sensível país da Cortina de Ferro e nos diz que todo o seu conhecimento do mundo provém de Junction City, Kansas, e de passar alguns dias em Chicago, Atlanta e Denver. É isso mesmo?

Mary estava consciente das câmeras de televisão focalizadas nela e fez um esforço para se controlar.

— Não, senhor. Meu conhecimento do mundo provém do muito que o estudei. Tenho um Ph.D. em ciência política e ensino na Universidade Estadual do Kansas há cinco anos, com ênfase nos países da Cortina de Ferro. Estou a par dos problemas atuais do povo romeno e do que seu governo pensa dos Estados Unidos e por quê. — A voz soava mais firme agora. — Tudo o que eles sabem deste país é o que lhes diz sua máquina de propaganda. Eu gostaria de ir até lá e tentar convencê-los de que os Estados Unidos não são um país ganancioso e propenso à guerra. Gostaria de mostrar-lhes como é uma típica família americana. Gostaria...

Ela parou de falar, temendo ter ido longe demais em sua raiva. E nesse instante, para sua surpresa, os membros da comissão começaram a aplaudir. Menos Turkel.

O interrogatório continuou. Uma hora depois, Charlie Campbell perguntou:

— Alguém tem mais alguma pergunta?

— Creio que a indicada se expressou de maneira bastante objetiva — comentou um senador.

— Concordo. Obrigado, senhora Ashley. A sessão está suspensa.

Pete Connors estudou Mary por um momento, pensativo, depois se afastou discretamente, enquanto os repórteres a cercavam.

— A indicação do presidente foi surpresa para a senhora?

— Acha que vão aprovar sua indicação, senhora Ashley?

— Acredita mesmo que dar aulas sobre um país qualifica alguém a...?

— Vire para este lado, senhora Ashley. Sorria, por favor. Mais uma vez.

— Senhora Ashley...

Ben Cohn se manteve a distância dos outros, observando e escutando. *Ela é mesmo boa*, pensou ele. *Tem todas as respostas certas. Ah, como eu gostaria de também conhecer as respostas certas!*

QUANDO MARY chegou ao hotel, emocionalmente esgotada, Stanton Rogers estava ao telefone.

— Olá, senhora embaixadora.

Mary sentiu-se tonta de alívio.

— Quer dizer que consegui? Oh, Stan, muito obrigada! Não tenho palavras para dizer como estou emocionada.

— Eu também estou, Mary. — A voz de Rogers estava impregnada de orgulho. — Eu também estou.

As crianças abraçaram-na quando Mary lhes contou.

— Eu sabia que você conseguiria! — gritou Tim.

Beth perguntou, suavemente:

— Acha que papai sabe?

— Tenho certeza que sabe, querida. — Mary sorriu. — Eu não ficaria surpresa se soubesse que ele deu um pequeno empurrão na comissão...

Mary telefonou para Florence. Ao ser informada, a amiga começou a chorar.

— Fantástico! Espere só até eu espalhar a notícia pela cidade!

Mary riu.

— Terei um quarto na embaixada pronto para você e Doug.

— Quando você viaja para a Romênia?

— Primeiro, o Senado tem de aprovar minha designação. Mas Stan diz que é apenas uma formalidade.

— O que acontece em seguida?

— Tenho de passar algumas semanas recebendo instruções em Washington e depois as crianças e eu seguimos para a Romênia.

— Mal posso esperar o momento de ligar para o *Daily Union*! — exclamou Florence. — A cidade provavelmente vai erguer uma estátua para você. Tenho de desligar agora. Estou excitada demais para continuar a conversa. Tornarei a ligar amanhã.

Ben Cohn tomou conhecimento do resultado da audiência de confirmação quando voltou ao jornal. Ainda se sentia perturbado. E não sabia explicar o motivo.

Capítulo 14

COMO STANTON ROGERS previra, a votação do plenário do Senado foi uma mera formalidade. Mary foi aprovada por uma maioria tranquila. Quando foi informado, o presidente Ellison disse a Stanton Rogers:

— Nosso plano está em andamento, Stan. Nada pode nos deter agora.

Stanton Rogers balançou a cabeça e murmurou, sorrindo:

— Nada mesmo.

PETE CONNORS estava em sua sala quando recebeu a notícia. No mesmo instante escreveu uma mensagem e codificou-a. Um dos seus homens estava de serviço na sala de comunicações da CIA.

— Quero usar o Canal Roger — disse Connors. — Espere lá fora.

O Canal Roger é o sistema de transmissão ultraprivativo da CIA, à disposição apenas de uns poucos executivos de alto nível. As mensagens são enviadas por um transmissor laser numa frequência ultra-alta, em uma fração de segundo. Assim que ficou sozinho, Connors despachou a mensagem. Estava endereçada a Sigmund.

DURANTE A SEMANA seguinte Mary visitou o subsecretário de Estado para assuntos políticos, o diretor da CIA, o secretário de Comércio, os diretores do Chase Manhattan Bank de Nova York e diversas organizações judaicas importantes. Cada um tinha avisos, conselhos e pedidos. Ned Tillingast, da CIA, mostrou-se entusiasmado.

— Será ótimo para o nosso pessoal voltar a agir por lá, senhora embaixadora. A Romênia tem sido um ponto cego para nós desde que nos tornamos *personae non gratae*. Destacarei um homem para a sua embaixada como um dos adidos. — Exibiu uma expressão sugestiva. — Tenho certeza de que dará a ele cooperação total.

Mary especulou o que isso significaria exatamente. *É melhor não perguntar*, decidiu.

A CERIMÔNIA DE juramento dos novos embaixadores é normalmente presidida pelo secretário de Estado, e cerca de 25 a 30 candidatos participam ao mesmo tempo. Na manhã em que a cerimônia deveria ocorrer, Stanton Rogers telefonou para Mary.

— O presidente Ellison pediu que esteja na Casa Branca ao meio-dia, Mary. Ele presidirá o juramento pessoalmente. Traga Beth e Tim.

O GABINETE OVAL estava repleto de representantes da imprensa. Quando o presidente Ellison entrou, acompanhado por Mary e seus filhos, as câmeras de televisão começaram a funcionar e os *flashes* espocaram. Mary passara a meia hora anterior com o presidente, que se mostrara afável e tranquilizador.

— Você é perfeita para o posto, ou eu nunca a teria escolhido — garantira ele. — E você e eu vamos fazer com que o sonho se transforme em realidade.

E parece mesmo um sonho, pensou Mary, enquanto enfrentava a bateria de câmeras.

— Levante a mão direita, por favor.

Mary repetiu as palavras do presidente:

— Eu, Mary Elizabeth Ashley, juro solenemente que sustentarei e defenderei a Constituição dos Estados Unidos contra todos os inimigos, externos e internos, que lhe concederei toda fé e lealdade, que assumo esta obrigação por livre e espontânea vontade, sem qualquer reserva mental ou propósito de evasão, que me desincumbirei fielmente dos deveres do cargo que estou prestes a assumir, pela vontade de Deus.

E estava consumado. Ela era a embaixadora na República Socialista da Romênia.

A ROTINA COMEÇOU. Mary recebeu a ordem de se apresentar na Seção de Assuntos Europeus e Iugoslavos do Departamento de Estado. Ali, recebeu uma pequena sala, um autêntico cubículo, em caráter temporário, ao lado do setor romeno.

James Stickley, o chefe do setor romeno, era um diplomata de carreira, com 25 anos de serviço. Tinha cinquenta e tantos anos, estatura mediana, rosto afilado, lábios pequenos e finos. Os olhos eram castanhos, muito claros e frios. Encarava com desdém os nomeados políticos que estavam invadindo seu mundo. Era considerado o maior perito do setor romeno; quando o presidente Ellison anunciara seu plano de designar um embaixador para a Romênia, Stickley ficara extasiado, certo de que o posto lhe seria concedido. A notícia sobre Mary Ashley fora um golpe amargo. Já era bastante terrível ter sido preterido, mas era mortificante perder para uma escolha política — uma mulher insignificante do Kansas.

— Pode acreditar numa coisa dessas? — perguntara ele a Bruce, seu maior amigo. — Metade dos nossos embaixadores é de nomeados políticos. Isso nunca poderia acontecer na Inglaterra ou França. *Eles* usam profissionais de carreira. O exército convidaria um amador para ser general? Pois as porras dos nossos embaixadores amadores no exterior são como generais.

— Você está bêbado, Jimbo.

— E vou ficar ainda mais bêbado.

Agora ele estudava Mary Ashley, sentada no outro lado de sua mesa.

Ela também estava estudando Stickley. Havia algo mesquinho naquele homem. *Eu não gostaria de tê-lo como meu inimigo*, pensou Mary.

— Sabe que está sendo enviada para um posto extremamente delicado, senhora Ashley?

— Claro. Eu...

— Nosso último embaixador na Romênia deu um passo errado e todo o relacionamento explodiu na nossa cara. Levamos três anos para voltar a abrir a porta. O presidente seria doido se estragasse tudo outra vez.

Se eu estragasse, é o que ele está querendo dizer, pensou Mary.

— Teremos de transformá-la numa especialista em assuntos romenos de um momento para o outro. Não temos muito tempo. — Entregou a Mary diversas pastas de arquivo. — Pode começar pela leitura desses relatórios.

— Dedicarei a manhã a isso.

— Não será possível. Dentro de trinta minutos deverá iniciar um curso de romeno. Geralmente levam-se meses para aprender a língua, mas tenho ordens para acelerar o processo.

O TEMPO TORNOU-SE uma coisa indefinida, um turbilhão de atividade que deixava Mary exausta. Todas as manhãs ela e Stickley verificavam juntos os despachos diários do setor romeno.

— Lerei as mensagens que você enviar — informou Stickley. — Serão cópias amarelas para ação ou cópias brancas para informação. Duplicatas de seus despachos irão para os Departamentos de Defesa e Tesouro, CIA, USIA e uma dúzia de outros órgãos do governo. Um dos primeiros problemas para os quais se espera solução é dos americanos que se encontram em prisões romenas. Queremos que sejam libertados.

— De que foram acusados?

— Espionagem, tráfico de tóxicos, roubo... qualquer coisa de que os romenos quiseram acusá-los.

Mary se perguntou como seria possível revogar uma acusação de espionagem. *Encontrarei um jeito.*

— Certo — disse ela, incisiva.

— Não se esqueça... a Romênia é um dos países mais independentes da Cortina de Ferro. Temos de estimular essa atitude.

— Exatamente.

— Vou lhe entregar um pacote — acrescentou Stickley. — Não pode sair de suas mãos. E é a única pessoa que pode tomar conhecimento. Depois que ler e digerir, quero que me devolva, pessoalmente, amanhã de manhã. Alguma pergunta?

— Não, senhor.

Ele entregou a Mary um grosso envelope pardo, com um lacre vermelho.

— Assine o recebimento, por favor.

Mary assinou.

VOLTANDO PARA O hotel, Mary apertava o envelope no colo, sentindo-se personagem de um filme de James Bond.

As crianças estavam arrumadas, à sua espera.

Oh, não!, pensou Mary, se lembrando. *Prometi levá-las a um restaurante chinês e ao cinema!*

— Houve uma mudança de planos, companheiros — declarou ela. — Teremos de deixar nossa excursão para outra noite. Hoje vamos ficar em casa e pedir que mandem o jantar para a suíte. Tenho um trabalho urgente a fazer.

— Claro, mamãe.

— Está bem.

E Mary pensou: *Antes de Edward morrer, eles teriam gritado como desesperados. Mas amadureceram. Todos nós tivemos de crescer.* Ela passou os braços pelos dois e prometeu:

— Podem deixar que vou compensá-los por isso.

O MATERIAL QUE James Stickley lhe dera era inacreditável. *Não é de admirar que ele queira isso de volta imediatamente,* pensou Mary. Havia relatórios detalhados sobre todas as autoridades romenas, do presidente ao ministro do Comércio. Havia informações sobre seus hábitos sexuais, operações financeiras, amizades, características pessoais e preconceitos. Algumas coisas eram estarrecedoras. O ministro do Comércio, por exemplo, ia para a cama com a amante e seu motorista, enquanto a esposa mantinha ligação amorosa com uma criada.

Mary ficou acordada durante a metade da noite, memorizando nomes e os pecados das pessoas com as quais iria tratar. *Será que conseguirei me manter impassível quando for apresentada a essa gente?*

PELA MANHÃ ela devolveu os documentos secretos. Stickley disse:

— Muito bem, agora você já conhece tudo o que deveria saber sobre os líderes romenos.

— E mais alguma coisa — murmurou Mary.

— Há uma coisa que não deve esquecer: a essa altura, os romenos já conhecem tudo o que há para saber a *seu* respeito.

— Não vão chegar muito longe.

— Não mesmo? — Stickley recostou-se em sua cadeira. — Você é mulher e está sozinha. Pode estar certa de que já a classificaram como um alvo fácil. Vão jogar com a sua solidão. Cada movimento que fizer será observado e registrado. Haverá microfones secretos na embaixada e na residência. Nos países comunistas, somos obrigados a usar o pessoal local, e assim todos os criados na residência serão membros da polícia de segurança romena.

Ele está tentando me assustar, pensou Mary. *Pois não vai dar certo.*

CADA HORA DO dia de Mary parecia estar totalmente ocupada, assim como a maior parte das noites. Além das aulas de língua romena, sua programação incluía um curso no Instituto de Serviço Diplomático, em Rosslyn, instruções na Agência de Informações da Defesa, reuniões com o secretário da ASI — Agência de Segurança Internacional — e com diversos comitês do Senado. Todos tinham pedidos, conselhos, perguntas.

Mary sentia-se culpada em relação a Beth e Tim. Com a ajuda de Stanton Rogers, encontrou uma tutora para as crianças. Beth e Tim conheceram algumas outras crianças que também estavam no hotel e pelo menos tinham companhia de sua idade; mas, apesar disso, Mary continuava a detestar deixá-los sozinhos por tanto tempo.

Ela fazia questão de tomar o café da manhã com os filhos todas as manhãs, antes de partir, às oito horas, para o curso da língua no Instituto. O romeno era muito difícil. *É surpreendente que os próprios romenos consigam falar uma língua assim.* Ela estudava as frases em voz alta:

Bom-dia	*Bună dimineata*
Obrigado	*Mulţumesc*
Seja bem-vindo	*Cu plăcere*
Não compreendo	*Nu înteleg*
Senhor	*Domnule*
Senhorita	*Domnisoară*

E nenhuma das palavras era pronunciada da maneira como se escrevia.

Beth e Tim ficavam observando sua luta com o dever de casa. Beth sorria e comentava:

— É a nossa vingança por nos obrigar a aprender a tabuada de multiplicação.

James Stickley comunicou:

— Quero apresentá-la a seu adido militar, senhora embaixadora. Este é o coronel William McKinney.

Bil McKinney estava à paisana, mas seu porte militar era como um uniforme. Era um homem alto, de meia-idade, o rosto vincado.

— Senhora embaixadora.

A voz era rude e meio rouca, como se a garganta estivesse machucada.

— Prazer em conhecê-lo — disse Mary.

O coronel McKinney era o primeiro membro de sua equipe, e conhecê-lo deixou Mary excitada. Parecia tornar bem mais próximo o seu novo posto.

— Estou ansioso para trabalhar ao seu lado na Romênia — disse o coronel McKinney.

— Já esteve na Romênia antes?

O coronel e James Stickley trocaram um olhar.

— Ele já esteve lá antes — respondeu Stickley.

Todas as tardes de segunda-feira eram realizadas sessões diplomáticas para os novos embaixadores, numa sala de conferências no oitavo andar do Departamento de Estado.

— Temos uma rigorosa cadeia de comando no serviço diplomático — disse o instrutor. — No topo, está o embaixador. Abaixo dele [*abaixo dela*, pensou Mary automaticamente], está o subchefe da missão. Abaixo dele [*abaixo dela*], estão os representantes consulares político-econômico, administrativo e de assuntos públicos. Há ainda o adido agrícola, o comercial e o militar. [*Esse é o coronel McKinney*, pensou Mary.] Quando estiverem em seus novos postos, gozarão de imunidade diplomática. Não podem ser presos por avançar um sinal, guiar embriagado, queimar uma casa ou até por assassinar alguém. Quando morrerem, ninguém pode tocar no corpo ou examinar qualquer bilhete que tenham deixado. Não precisam pagar suas contas... as lojas não podem processá-los.

Alguém da turma gritou:

— Não deixem minha mulher saber disso!

— Lembrem-se sempre de que o embaixador é o representante pessoal do presidente junto ao país a que está credenciado. Espera-se que se comportem de acordo. — O instrutor olhou para o relógio. — Antes de nossa próxima sessão, sugiro que estudem o *Manual do serviço diplomático*, volume dois, seção trezentos, que versa sobre os relacionamentos pessoais. Obrigado.

MARY E STANTON ROGERS estavam almoçando no Watergate Hotel.

— O presidente Ellison gostaria que fizesse um trabalho de relações públicas para ele — disse Rogers.

— Que espécie de trabalho?

— Vamos fazer uma campanha nacional. Entrevistas com a imprensa, depoimentos no rádio e televisão...

— Se isso é importante, tentarei fazer o melhor possível.

— Ótimo. Teremos de providenciar um novo guarda-roupa. Você não pode se apresentar com o mesmo vestido duas vezes.

— Isso custaria uma fortuna, Stan. Além do mais, não tenho tempo para fazer compras. Estou ocupada do início da manhã ao final da noite. Se...

— Não há problema. Helen Moody.

— Como?

— Ela é uma das melhores compradoras profissionais de Washington. Deixe tudo aos seus cuidados.

HELEN MOODY ERA uma negra atraente e extrovertida, que fora modelo de sucesso antes de iniciar o seu serviço de compras pessoais. Apareceu na suíte de Mary no hotel uma manhã e passou uma hora examinando seu guarda-roupa.

— Muito bom para Junction City — disse ela, com toda a franqueza. — Só que precisamos agora conquistar Washington. Certo?

— Não tenho muito dinheiro para...

Helen Moody sorriu.

— Sei onde se pode encontrar bons negócios. E teremos de providenciar tudo depressa. Vai precisar de um longo a rigor, um vestido de coquetel e recepções noturnas, um vestido para chás vespertinos e almoços, um costume para sair na rua ou usar no escritório, um vestido preto e um chapéu apropriado para funerais e lutos oficiais.

AS COMPRAS SE prolongaram por três dias. Quando acabaram, Helen Moody estudou Mary Ashley e declarou:

— Você é uma mulher bonita, mas acho que podemos melhorá-la ainda mais. Quero que procure Susan no Rainbow para a maquiagem e depois eu a mandarei ao Billy no Sunshine para cuidar dos cabelos.

POUCAS NOITES DEPOIS Mary encontrou com Stanton Rogers num jantar formal oferecido na Corcoran Gallery. Ele contemplou-a e sorriu.

— Você está absolutamente deslumbrante.

A *BLITZ* DOS meios de comunicação começou. Foi comandada por Ian Villiers, assessor de imprensa do Departamento de Estado. Villiers tinha quarenta e tantos anos e era um dinâmico ex-jornalista que parecia conhecer todo mundo nos meios de comunicação.

Mary descobriu-se na frente das câmeras de *Good morning, America, Meet the press* e *Firing fine.* Foi entrevista por *The Washington Post, The New York Times* e meia dúzia de outros importantes jornais diários. Concedeu entrevistas ainda ao *London Times, Der Spiegel, Oggi* e *Le Monde.* As revistas *Time* e *People* apresentaram reportagens sobre ela e os filhos. A fotografia de Mary Ashley parecia estar em toda parte. Sempre que acontecia alguma coisa que era notícia no outro lado do mundo, alguém da imprensa pedia seus comentários a respeito. Da noite para o dia, Mary Ashley e os filhos tornaram-se celebridades. Tim comentou:

— Mamãe, é fantástico ver as nossas fotografias nas capas de todas as revistas.

— *Fantástico* é mesmo a palavra — concordou Mary.

Mas ela se sentia constrangida com toda a publicidade, e falou a respeito com Stanton Rogers.

— Considere como uma parte de seu cargo. O presidente está tentando criar uma imagem. Quando você chegar à Europa, todo mundo saberá quem você é.

BEN COHN E AKIKO estavam na cama, nus. Akiko era uma adorável japonesa, dez anos mais moça do que o repórter. Haviam se conhecido alguns anos antes, quando ele fazia uma matéria sobre modelos, e estavam juntos desde então.

Cohn estava com um problema.

— O que há com você, meu bem? — indagou Akiko, suavemente. — Quer que eu trabalhe nele mais um pouco?

Os pensamentos de Cohn estavam longe dali.

— Não precisa. Já estou com o maior tesão.

— Não estou vendo — zombou Akiko.

— É na minha mente, Akiko. Estou com tesão por uma história. Há alguma coisa esquisita acontecendo nesta cidade.

— E qual é a novidade nisso?

— Agora é diferente. E não consigo entender.

— Quer falar sobre isso?

— É Mary Ashley. Eu a vi nas capas de seis revistas nas duas últimas semanas e ela ainda nem assumiu o posto! Akiko, alguém está dando uma projeção de estrela de cinema à senhora Ashley. E os dois filhos aparecem em todos os jornais e revistas. Por quê?

— E eu é que deveria ter a tortuosa mente oriental. Acho que você está complicando o que é muito simples.

Ben Cohn acendeu um cigarro e deu uma tragada furiosa.

— Talvez você tenha razão, Akiko.

Ela se inclinou e acariciou-o.

— Que tal apagar esse cigarro e me acender...?

— ESTÁ HAVENDO uma festa em homenagem ao vice-presidente Bradford — Stanton Rogers informou a Mary. — Providenciei para que você fosse convidada. Será na noite de sexta-feira, na União Pan-Americana.

A UNIÃO PAN-AMERICANA era um prédio grande e sóbrio, com um enorme pátio, usado com frequência para funções diplomáticas. O jantar para o vice-presidente foi requintado, com pratarias antigas e reluzentes copos de cristal Baccarat nas mesas. Havia uma pequena orquestra. A lista de convidados era formada pela elite da capital americana. Além do vice-presidente e esposa, lá estavam senadores, embaixadores e celebridades de todos os setores da vida.

Mary correu os olhos pela fascinante reunião. *Devo me lembrar de tudo, a fim de contar a Beth e Tim,* pensou.

QUANDO O JANTAR foi anunciado, Mary descobriu-se a uma mesa com uma interessante mistura de senadores, altos funcionários do Departamento de Estado e diplomatas. As pessoas eram encantadoras, e o jantar estava excelente.

Às onze horas, Mary olhou para o relógio e disse ao senador à sua direita:

— Não sabia que já era tão tarde. Prometi às crianças que voltaria cedo.

Ela se levantou e acenou com a cabeça para as pessoas sentadas à sua mesa.

— Foi maravilhoso conhecer todos vocês. Boa-noite.

Houve um silêncio aturdido, e todos no vasto salão de banquete se viraram para observar Mary atravessar a pista de dança e sair.

— Oh, Deus! — murmurou Stanton Rogers. — Ninguém avisou a ela!

STANTON ROGERS foi tomar o café da manhã com Mary na manhã seguinte.

— Mary, esta é uma cidade que leva as regras muito a sério. Muitas são estúpidas, mas temos de viver de acordo com elas.

— Mas o que foi que eu fiz?

Ele suspirou.

— Você violou a regra número um: Ninguém, absolutamente ninguém, jamais se retira de uma festa antes do convidado de honra. E ontem à noite o convidado de honra era o vice-presidente dos Estados Unidos.

— Meu Deus!

— Metade dos telefones de Washington está tocando sem parar.

— Sinto muito, Stan. Eu não sabia. De qualquer forma, prometi às crianças...

— Não há crianças em Washington... apenas jovens eleitores. Esta cidade funciona em torno do poder. Jamais se esqueça disso.

O DINHEIRO ESTAVA se tornando um problema. As despesas eram enormes. O preço de tudo em Washington parecia a Mary um absurdo. Ela entregou ao serviço do hotel algumas roupas para lavar e passar e ficou chocada quando recebeu as notas.

— Cinco dólares e meio para lavar uma blusa! — exclamou. — E um dólar e 95 por um sutiã!

Nunca mais, prometeu a si mesma. *Daqui por diante, lavarei minhas roupas pessoalmente.*

Ela encharcava a meia-calça em água fria e depois colocava no congelador. Durava muito mais assim. Lavava as meias, lenços e roupas de baixo das crianças, assim como seus sutiãs, na pia do banheiro. Abria os lenços no espelho para secar e depois dobrava com todo cuidado, a fim de não precisar passar. Fazia uma lavagem a vapor de seus vestidos e das calças de Tim pendurando-os no ferro da cortina do chuveiro, abrindo a água quente ao máximo e fechando a porta do banheiro. Uma manhã, quando abriu a porta do banheiro, Beth foi envolvida por uma nuvem de vapor.

— O que está *fazendo*, mamãe?

— Poupando dinheiro — respondeu Mary, altiva. — A lavanderia cobra uma fortuna.

— E se o presidente entrasse aqui neste momento? O que ele acharia? Pensaria que somos caipiras.

— O presidente não vai entrar. E feche a porta do banheiro, por favor. Está desperdiçando dinheiro.

Caipiras coisa nenhuma! Se o presidente entrasse e visse o que ela estava fazendo, certamente ficaria orgulhoso de sua iniciativa. Ela mostraria os preços da lavanderia do hotel e explicaria como estava poupando dinheiro com um pouco da engenhosidade ianque. Ele ficaria impressionado. "*Se mais pessoas no governo tivessem a sua imaginação, senhora embaixadora, a economia deste país estaria em condições muito melhores. Perdemos o espírito pioneiro que tornou este país grande. Nosso povo se tornou mole. Confiamos demais nos aparelhos eletrodomésticos que ganham tempo e não o suficiente em nós mesmos. Eu gostaria de usá-la como um exemplo extraordinário para alguns dos perdulários de Washington que pensam que este país é feito de dinheiro. Poderia ensinar a todos uma boa lição. Para dizer a verdade, tenho uma ideia maravilhosa. Mary Ashley, vou nomeá-la secretária do Tesouro.*"

O vapor estava saindo por baixo da porta do banheiro. Ainda sonhando, Mary abriu-a. Uma nuvem de vapor invadiu a sala. A campainha da porta soou neste momento. Um instante depois, Beth informou:

— Mamãe, James Stickley está aqui para falar com você.

Capítulo 15

— TUDO PARECE CADA VEZ MAIS estranho — comentou Ben Cohn.

Ele estava sentado na cama, nu, tendo ao lado a jovem amante, Akiko Hadaka. Assistiam a Mary Ashley na televisão, no programa *Meet the press*. A nova embaixadora na Romênia dizia:

— Creio que a China continental está se encaminhando para uma sociedade comunista mais humana e individualista através da incorporação de Hong Kong e Macau.

— Mas que porra essa mulher sabe sobre a China? — Ben Cohn virou-se para Akiko. — Está olhando para uma dona de casa do Kansas que se tornou profunda conhecedora de tudo da noite para o dia.

— Ela parece muito inteligente — comentou Akiko.

— Isso não tem a menor importância. Cada vez que ela dá uma entrevista, os repórteres vão à loucura. É como um frenesi trabalhado. Como ela conseguiu se apresentar em *Meet the press*? Vou explicar. Alguém decidiu que Mary Ashley tinha de se tornar uma celebridade. Quem? Por quê? *Charles Lindbergh* nunca teve essa projeção.

— Quem é Charles Lindbergh?

Ben Cohn suspirou.

— Esse é o problema do abismo entre as gerações. Não há comunicação.

Akiko sugeriu, insinuante:

— Há outros meios de se comunicar.

Ela o fez deitar na cama, gentilmente, e postou-se por cima. Desceu devagar pelo corpo de Cohn, os cabelos compridos e sedosos roçando-lhe pelo peito, barriga e virilha. Observou-o ficar duro. Acariciou-o e murmurou:

— Olá, Arthur.

— Arthur quer entrar em você.

— Ainda não. Voltarei para ele.

Ela levantou-se e foi até a cozinha. Ben Cohn observou-a por um instante e depois tornou a olhar para a televisão. E pensou: *Essa mulher me deixa invocado. Há muito mais por trás do que os olhos podem ver, mas juro que ainda vou descobrir tudo.*

— Akiko! — gritou ele. — O que está fazendo? Arthur já está começando a dormir!

— Diga a ele para esperar. Já estou voltando.

Poucos minutos depois ela apareceu com um prato cheio de sorvete, creme e uma cereja.

— Pelo amor de Deus! — protestou Cohn. — Não estou com fome, mas sim com tesão!

— Deite-se.

Ela pôs uma toalha por baixo, tirou sorvete do prato e começou a espalhar em torno dos testículos.

— Ei, está frio!

— Fique quieto.

Akiko pôs o creme por cima do sorvete e depois enfiou o pênis na boca, até ele endurecer.

— Ahn... não pare... — gemeu Ben Cohn.

Akiko pôs a cereja em cima do pênis, agora completamente rígido.

— Adoro banana split — sussurrou ela.

E começou a comê-lo. Ben experimentou uma mistura incrível de sensações, todas maravilhosas. Quando não pôde mais aguentar, virou Akiko e penetrou-a. Na televisão, Mary Ashley estava dizendo:

— Uma das melhores maneiras de evitar a guerra com os países que se opõem à ideologia americana é aumentar nosso comércio com eles...

Mais tarde, naquela noite, Ben Cohn telefonou para Ian Villiers.

— Oi, Ian.

— Benjie, meu garoto... o que posso fazer por você?

— Preciso de um favor.

— Pode falar e será atendido.

— Ouvi dizer que está como assessor de imprensa da nossa nova embaixadora na Romênia.

Uma reação cautelosa:

— E daí?

— Quem está por trás de toda essa projeção, Ian? Estou interessado em...

— Sinto muito, Ben. Isso é assunto do Departamento de Estado. Sou apenas um contratado. Se quiser saber alguma coisa, pode mandar um questionário para o secretário de Estado.

Desligando, Ben comentou:

— Por que ele simplesmente não me mandou à merda? — Cohn tomou uma decisão. — Acho que vou passar alguns dias fora da cidade.

— Para onde vai, meu bem?

— Junction City, Kansas.

No final das contas, Ben Cohn passou apenas um dia em Junction City. Levou uma hora conversando com o xerife Munster e um dos seus assistentes, depois seguiu num carro alugado para o Forte Riley, onde visitou o gabinete do DIC. Pegou um avião no fim da tarde para Manhattan, Kansas, onde embarcou em outro avião.

No momento em que o avião de Ben Cohn levantava voo, houve um telefonema pessoal do Forte Riley para um número em Washington.

MARY ASHLEY avançava por um corredor comprido do Instituto de Serviço Diplomático, a caminho de uma reunião com James Stickley, quando ouviu uma voz masculina dizer às suas costas:

— Ora, ora, *isso* é o que eu chamo de um dez perfeito!

Mary virou-se. Um estranho alto estava encostado na parede, fitando-a, com um sorriso insolente. Tinha uma aparência rude, vestia *jeans,* camisa de malha e alpargatas; dava a impressão de estar precisando tomar um banho e fazer a barba. Havia rugas em torno da boca e os olhos eram de um azul brilhante, zombeteiros. E tinha um ar de arrogância irritante. Mary virou-se e afastou-se, furiosa, consciente de que os olhos do estranho a acompanhavam.

A REUNIÃO COM James Stickley durou mais de uma hora. Quando Mary voltou à sala que lhe fora destinada, encontrou o estranho sentado em sua cadeira, os pés em cima da mesa, examinando seus papéis. Sentiu o sangue subindo-lhe ao rosto.

— O que está fazendo aqui?

O homem lançou-lhe um olhar longo e indolente e levantou-se devagar.

— Sou Mike Slade. Meus amigos me chamam de Michael.

Ela disse friamente:

— Em que posso ajudá-lo, senhor Slade?

— Na verdade, em nada — respondeu o homem, jovial. — Somos vizinhos. Trabalho aqui, no departamento, por isso pensei em aparecer para lhe dar um alô.

— Já deu. E se trabalha mesmo no departamento, presumo que tem sua mesa. Assim, no futuro, não precisa sentar à minha mesa e bisbilhotar.

— Ei, mas que temperamento explosivo! Sempre ouvi dizer que os kansianos, ou como quer que vocês se chamem, eram pessoas cordiais.

Mary rangeu os dentes.

— Senhor Slade, dou-lhe dois segundos para sair de minha sala antes de eu chamar um guarda.

— Devo ter ouvido mal — murmurou ele para si mesmo.

— E se realmente trabalha neste departamento, sugiro que vá para casa, faça a barba e ponha roupas mais apropriadas.

— Eu tinha uma esposa que falava assim. — Mike Slade suspirou. — Não tenho mais.

Mary sentiu que seu rosto ficava vermelho.

— Saia!

Ele lhe acenou com a mão.

— Até a vista, meu bem. Voltarei a vê-la.

De jeito nenhum, pensou Mary. *Você, não.*

A MANHÃ INTEIRA foi uma sucessão de experiências desagradáveis. James Stickley estava abertamente hostil. Ao meio-dia Mary estava transtornada demais para comer. Decidiu passar a hora do almoço passeando por Washington, descarregando a raiva do organismo.

Sua limusine estava encostada no meio-fio, na frente do Instituto do Serviço Diplomático.

— Bom-dia, senhora embaixadora — cumprimentou o motorista. — Para onde deseja ir?

— Para qualquer lugar, Marvin. Quero apenas dar uma volta.

— Pois não, senhora. — O carro partiu suavemente. — Gostaria de ver a área das embaixadas?

— Está bem.

Qualquer coisa servia para tirar de sua boca o gosto amargo daquela manhã. O carro virou à esquerda na esquina e seguiu pela Massachusetts Avenue.

— Começa aqui — informou Marvin, entrando numa rua larga.

Ele diminuiu a velocidade e começou a indicar as diversas embaixadas. Mary reconheceu a embaixada japonesa por causa da bandeira do sol nascente na frente. A embaixada indiana tinha um elefante sobre a porta.

Passaram por uma linda mesquita islâmica. Havia pessoas no pátio da frente, ajoelhadas em oração.

Chegaram à esquina da rua 23 e passaram por um prédio branco de pedra, com colunas nos lados dos três degraus.

— Aquela é a embaixada romena — disse Marvin. — Ao lado fica...

— Pare, por favor!

A limusine encostou no meio-fio. Mary olhou pela janela do carro para uma placa na fachada do prédio. Dizia: EMBAIXADA DA REPÚBLICA SOCIALISTA DA ROMÊNIA. Num súbito impulso, ela disse:

— Espere aqui. Vou entrar.

Seu coração batia mais depressa. Aquele seria o seu primeiro contato real com o país sobre o qual vinham lhe ensinando tanta coisa — o país que seria seu lar durante os próximos anos.

Ela respirou fundo e apertou a campainha da porta. Silêncio. Experimentou a porta. Não estava trancada. Abriu-a e entrou. O hall estava escuro e frio. Havia um sofá vermelho numa reentrância na parede e ao lado duas cadeiras, na frente de um pequeno aparelho de televisão. Ela ouviu passos e virou-se. Um homem alto e magro descia apressadamente os degraus.

— O que deseja? — gritou ele.

Mary exibiu um sorriso radiante.

— Bom-dia. Sou Mary Ashley. Sou a nova embaixadora na Ro...

O homem bateu com a mão no próprio rosto.

— Oh, não!

Ela ficou aturdida.

— Qual é o problema?

— O problema é que não a estávamos esperando, senhora embaixadora.

— Sei disso. Eu estava passando de carro e resolvi...

— O embaixador Corbescue vai ficar profundamente transtornado!

— Transtornado? Mas por quê? Apenas pensei em apresentar meus cumprimentos e...

— Claro, claro. Perdoe-me. Meu nome é Gabriel Stoica. Sou o subchefe da missão. Por favor, deixe-me acender as luzes e ligar o aquecimento. Não estávamos esperando visitas, como pode perceber. Absolutamente ninguém.

Ele estava num pânico tão óbvio que a única coisa que Mary queria fazer era ir embora. Só que já era tarde demais. Observou Gabriel Stoica correr de um lado para outro, acendendo as luzes do teto e abajures, até que o hall ficou intensamente iluminado.

— Levará alguns minutos para o aquecimento funcionar — desculpou-se ele. — Tentamos economizar combustível sempre que possível. Washington é uma cidade muito cara.

Mary tinha vontade de desaparecer no chão.

— Se eu soubesse...

— Não, não! Não é nada, não é nada! O embaixador está lá em cima. Vou informá-lo de que se encontra aqui.

— Não precisa se incomodar...

Stoica já estava subindo a escada, correndo.

Ele voltou cinco minutos depois.

— Acompanhe-me, por favor. O embaixador está muito satisfeito com sua presença aqui. Encantado.

— Tem certeza que...

— Ele está à sua espera.

Stoica escoltou Mary ao segundo andar. No alto da escada havia uma sala de reuniões, com quatorze cadeiras em torno de uma mesa comprida. Encostado numa parede estava um armário com portas de vidro, em que se viam artefatos e esculturas romenos. Na parede havia um mapa em alto-relevo da Romênia. Por cima da lareira se destacava a bandeira romena. Adiantando-se para cumprimentá-la, ela viu o embaixador Radu Corbescue, em mangas de camisa, vestindo apressado um paletó. Era um homem alto e corpulento, de pele escura. Um criado acendia as luzes e ligava o aquecimento.

— Senhora embaixadora! — exclamou Corbescue. — Que honra inesperada! Perdoe-nos por recebê-la de maneira tão informal. O Departamento de Estado não nos avisou de sua visita.

— A culpa é minha — murmurou Mary. — Eu estava passando e...

— É um prazer conhecê-la! Um prazer! Já a vimos muito na televisão, jornais e revistas. E estamos muito curiosos sobre a nova embaixadora em nosso país. Aceita um chá?

— Eu... ahn... se não for muito incômodo.

— Incômodo? Mas claro que não! Peço desculpas por não termos preparado um almoço formal. Perdoe-me! Estou tão embaraçado!

Eu é que estou embaraçada, pensou Mary. *O que me levou a cometer esta loucura? Ah, como fui estúpida! Não vou contar nem às crianças. Será um segredo que levarei para o túmulo.*

Quando o chá foi servido, o embaixador romeno estava tão nervoso que o derramou.

— Como sou desajeitado! Perdoe-me!

Mary gostaria que ele parasse de pedir perdão.

O embaixador tentou uma conversa amena, mas só serviu para piorar a situação. Era óbvio que ele estava totalmente contrafeito. Assim que pôde, Mary levantou-se.

— Muito obrigada, Excelência. Foi ótimo conhecê-lo. Adeus.

E tratou de fugir.

Quando Mary Ashley voltou ao escritório, James Stickley mandou chamá-la imediatamente.

— Senhora Ashley — disse ele friamente —, pode me explicar exatamente o que pensava que estava fazendo?

Acho que não será um segredo que levarei para o túmulo, concluiu Mary.

— Está falando da embaixada romena? Eu... eu apenas pensei em aproveitar que estava passando por lá para cumprimentar e...

— Isto não é uma reunião de comadres em sua terra — protestou Stickley em tom ríspido. — Em Washington ninguém *aproveita* para uma visita só porque está passando por uma embaixada. Um embaixador só visita outro embaixador a convite. Deixou Corbescue embaraçado e furioso. Precisei conversar muito com ele para dissuadi-lo de apresentar um protesto formal ao Departamento de Estado. Ele acha que você foi lá para espioná-lo e pegá-lo desprevenido.

— Como? Mas tudo o que...

— Procure se lembrar que não é mais uma cidadã particular... é agora uma representante do governo dos Estados Unidos. Da próxima vez em que tiver um impulso menos pessoal do que escovar os dentes, verifique comigo primeiro. Falei claro... falei bem claro?

Mary engoliu em seco.

— Está certo.

— Ótimo. — Ele pegou o telefone e discou um número. — A senhora Ashley está comigo agora. Gostaria de vir até aqui? Certo.

Ele desligou. Mary continuou sentada em silêncio, sentindo-se uma garotinha que estava sendo repreendida. A porta foi aberta e Mike Slade entrou. Ele olhou para Mary e sorriu.

— Oi. Aceitei seu conselho e fiz a barba.

Stickley olhou de um para outro.

— Vocês já foram apresentados?

Mary olhava furiosa para Slade.

— Não é bem assim. Encontrei-o bisbilhotando em minha mesa.

James Stickley disse:

— Senhora Ashley, Mike Slade. O senhor Slade será o subchefe da missão.

Mary ficou aturdida.

— *Como?*

— O senhor Slade é da seção do Leste europeu. Geralmente trabalha fora de Washington, mas foi decidido destacá-lo para a Romênia como o seu subchefe.

Ela se levantou da cadeira de um pulo.

— Não! Isso é inadmissível!

Mike sugeriu suavemente:

— Prometo fazer a barba todos os dias.

Ela virou-se para Stickley.

— Pensei que uma embaixadora tinha permissão para escolher seu subchefe da missão.

— Isso é correto, mas...

— Então estou desescolhendo o senhor Slade. Não o quero.

— Em circunstâncias normais, seria um direito seu, mas não neste caso. Lamento, mas não tem opção. A ordem veio da Casa Branca.

Mary tinha a impressão de que não conseguia evitar Mike Slade. O homem estava em toda parte. Encontrou-o no Pentágono, no restaurante do Senado, nos corredores do Departamento de Estado. Estava sempre vestido de *jeans* e camiseta ou de roupa esporte. Ela se perguntava como ele podia andar assim num ambiente tão formal.

Um dia ela o viu almoçando com o coronel McKinney. Os dois estavam empenhados numa animada conversa. Imaginou até que ponto os dois seriam íntimos. *Seria possível serem velhos amigos? E estarão planejando um complô contra mim? Acho que estou ficando paranoica*, disse Mary a si mesma. *E ainda nem fui para a Romênia.*

Charlie Campbell, presidente da Comissão de Relações Exteriores do Senado, ofereceu uma festa em homenagem a Mary na Corcoran Gallery. Quando chegou e viu todas as mulheres vestidas na maior elegância, Mary pensou: *Nem sequer pertenço a este lugar. Todas elas parecem que já nasceram chiques.*

Ela não tinha ideia de como estava atraente.

Havia mais de uma dúzia de fotógrafos presentes, e Mary foi a mulher mais fotografada. Dançou com meia dúzia de homens, alguns casados e outros não, e quase todos pediram seu telefone. Não se sentiu ofendida nem interessada.

— Sinto muito — disse a todos —, mas meu trabalho e minha família me mantêm muito ocupada para sair.

A ideia da companhia de outro homem que não Edward era inconcebível. Nunca poderia haver outro homem para ela.

Ela sentou a uma mesa com Charlie Campbell e a esposa e diversas pessoas do Departamento de Estado. A conversa recaiu em anedotas de embaixadores.

— Há poucos anos, em Madri — recordou um dos convidados —, centenas de estudantes amotinados estavam clamando pela devolução de Gibraltar em frente à embaixada britânica. Quando pareciam prestes a invadir o prédio, um dos ministros do general Franco telefonou. "Sinto-me profundamente embaraçado com o que está acontecendo em sua embaixada," disse ele. "Devo mandar mais guardas?" Ao que o embaixador respondeu: "Não preciso. Basta mandar menos estudantes."

Alguém perguntou:

— Não era Hermes que os antigos gregos consideravam o patrono dos embaixadores?

— Isso mesmo. E era também o protetor dos vagabundos, ladrões e mentirosos.

Mary estava gostando muito da noite. As pessoas eram inteligentes, espirituosas e interessantes. Poderia passar a noite inteira ali. O homem ao seu lado indagou:

— Não precisa levantar cedo para suas reuniões amanhã?

— Não — respondeu Mary. — É domingo. Posso dormir até tarde.

Pouco depois, uma mulher bocejou.

— Desculpem, mas tive um dia comprido.

— Eu também — comentou Mary, jovialmente.

Teve a impressão de que o salão estava anormalmente quieto. Olhou ao redor e todos pareciam observá-la. *Mas o quê...?* Olhou para o relógio. Eram duas e meia da madrugada. E com o maior horror ela se lembrou de repente de uma coisa que Stanton Rogers lhe dissera: *Numa festa, o convidado de honra é sempre a primeira pessoa a se retirar.*

E ela era a convidada de honra. *Deus do céu!*, pensou Mary. *Estou mantendo todo mundo acordado.* Levantou-se e disse, a voz sufocada:

— Boa-noite para todos. Foi uma noite maravilhosa.

Virou-se e foi embora, apressada, ouvindo às suas costas os outros convidados se levantando para partirem.

Na manhã de segunda-feira ela encontrou com Mike Slade à entrada do Instituto. Ele sorriu e comentou:

— Soube que você manteve a metade de Washington acordada na noite de sábado.

O ar arrogante de Slade deixou-a furiosa.

Ela passou por ele e foi para a sala de James Stickley.

— Senhor Stickley, creio que os melhores interesses de nossa embaixada na Romênia não seriam atendidos se o senhor Slade e eu tentássemos trabalhar juntos.

Ele levantou os olhos do documento que estava lendo.

— É mesmo? E qual é o problema?

— É... é a atitude dele. Considero o senhor Slade grosseiro e arrogante. Para ser franca, não gosto dele.

— Sei que Mike tem suas pequenas idiossincrasias, mas...

— *Idiossincrasias?* Isso é demais! Estou pedindo oficialmente que mande outra pessoa em seu lugar.

— Já acabou?

— Já.

— Senhora Ashley, Mike Slade por acaso é o nosso melhor perito em ação nos assuntos da Europa Central. Sua função é fazer amizade com os locais. A minha é providenciar para que receba toda ajuda possível. E isso significa Mike Slade. Não quero mais ouvir falar sobre isso. Estou sendo bem claro?

Não adianta, pensou Mary. *Não adianta mesmo.*

Ela voltou à sua sala, frustrada e furiosa. *Eu poderia falar com Stan*, pensou ela. *Ele compreenderia. Mas seria uma demonstração de fraqueza. Terei de cuidar pessoalmente de Mike Slade.*

— Sonhando?

Mary levantou os olhos, surpresa. Mike Slade estava parado na frente de sua mesa, segurando uma pilha de memorandos.

— Isto a manterá longe de encrencas esta noite — disse ele, pondo os memorandos em cima da mesa.

— *Bata* na próxima vez em que quiser entrar na minha sala.

Os olhos de Slade tinham uma expressão zombeteira.

— Por que tenho a impressão de que você não é louca por mim?

Mary sentiu que sua raiva tornava a aflorar.

— Vou explicar por quê, senhor Slade. Porque o acho arrogante, impertinente, presunçoso...

Ele levantou um dedo.

— Está sendo tautológica.

— Não se atreva a zombar de mim!

Mary descobriu que estava gritando. Ele baixou a voz para um nível perigoso.

— Quer dizer que não posso me juntar aos outros? O que acha que todos em Washington estão comentando a seu respeito?

— Não me importo com o que os outros falam.

— Mas deveria. — Slade inclinou-se por cima da mesa. — Todos estão perguntando que direito você tem de ocupar uma embaixada. Passei quatro anos na Romênia. É uma banana de dinamite prestes a explodir, e o governo está mandando uma estúpida garota do interior para enfrentar a situação.

Mary continuou sentada, em silêncio, escutando e rangendo os dentes.

— Não passa de uma amadora, senhora Ashley. E se alguém quisesse homenageá-la, deveria fazê-la embaixadora no Polo Norte.

Mary perdeu o controle. Levantou-se de um pulo e deu-lhe um tapa. Mike Slade suspirou.

— Você nunca fica sem resposta, hem?

Capítulo 16

O CONVITE DIZIA: "O Embaixador da República Socialista da Romênia solicita sua presença para coquetéis e jantar na Embaixada, rua 23, 1607, N.W., às 7,30 da noite, traje rigor, RSVP 555-6593."

Mary pensou na última vez que visitara a embaixada e como bancara a tola. *Isso nunca mais tornará a acontecer. Pertence ao passado. Sou parte do cenário de Washington agora.*

Vestiu uma de suas roupas novas, um vestido preto de veludo, decotado, as mangas compridas. Usou sapatos pretos de salto alto e um colar de pérolas simples. Beth comentou:

— Está mais linda do que a Madonna.

Mary abraçou-a.

— Estou irresistível. Vocês dois jantem no restaurante lá embaixo e depois podem subir para assistir à televisão. Voltarei cedo para casa. Amanhã vamos todos visitar a casa do presidente Washington em Mount Vernon.

— Divirta-se, mamãe.

O telefone tocou. Era da recepção.

— Senhora embaixadora, o senhor Stickley está à sua espera no saguão.

Eu gostaria de poder ir sozinha, pensou Mary. *Não preciso dele ou de qualquer outra pessoa para me manter fora de encrenca.*

A EMBAIXADA ROMENA parecia completamente diferente da última vez em que Mary a vira. Havia um ar festivo que faltava em sua primeira visita. Foram recebidos na porta por Gabriel Stoica, o subchefe da missão.

— Boa-noite, senhor Stickley. É um prazer vê-lo.

James Stickley acenou com a cabeça na direção de Mary.

— Posso apresentá-la a nossa nova embaixadora em seu país?

Não houve qualquer sinal de reconhecimento no rosto de Stoica.

— É um prazer conhecê-la, senhora embaixadora. Acompanhem-me, por favor.

Enquanto atravessavam o hall, Mary notou que todos os aposentos estavam bem iluminados e aquecidos. Podia ouvir os acordes de uma pequena orquestra soando lá em cima. Havia vasos com flores por toda parte.

O embaixador Corbescue conversava com algumas pessoas quando viu James Stickley e Mary Ashley se aproximarem.

— Boa-noite, senhor Stickley.

— Boa-noite, embaixador. Posso apresentar-lhe a embaixadora dos Estados Unidos na Romênia?

Corbescue olhou para Mary e disse, em tom impassível:

— Estou feliz em conhecê-la.

Mary ficou esperando por um brilho nos olhos. Não houve.

HAVIA UMA CENTENA de pessoas no jantar. Os homens estavam a rigor e as mulheres usavam lindos vestidos Givenchy e Oscar de la Renta. A mesa grande que Mary vira lá em cima, na visita anterior, fora aumentada por meia dúzia de mesas menores ao redor. Criados de libré circulavam pela sala com bandejas de champanhe.

— Não quer tomar um drinque? — perguntou Stickley.

— Não, obrigada — respondeu Mary. — Não bebo.

— É mesmo? É uma pena.

Ela fitou-o, perplexa.

— Por quê?

— Porque faz parte do cargo. Haverá brindes em todos os jantares diplomáticos a que comparecer. Se não beber, ofenderá o anfitrião. Precisa tomar um gole de vez em quando.

— Não me esquecerei.

Mary correu os olhos pela sala e lá estava Mike Slade. Por um momento, não o reconheceu. Ele estava de *smoking*, e Mary teve de admitir que naqueles trajes ele não era um homem desgracioso. Enlaçava uma loura sensual, cujo vestido parecia prestes a cair. *Uma mulher vulgar*, pensou Mary. *Típica do seu gosto. Quantas mulheres estarão à sua espera em Bucareste?*

Mary lembrou-se das palavras de Mike: *Não passa de uma amadora, senhora Ashley. Se alguém quisesse homenageá-la, deveria fazê-la embaixadora no Polo Norte.* Filho da mãe!

Enquanto Mary observava, o coronel McKinney, em uniforme de gala, aproximou-se de Mike. Ele pediu licença à loura e foi para um canto com o coronel. *Terei de tomar cuidado com os dois*, pensou Mary. Um criado estava passando com champanhe.

— Acho que *vou* tomar uma taça — disse Mary.

James Stickley observou-a tomar o champanhe e depois disse:

— Muito bem. Está na hora de começar a trabalhar a sala.

— Trabalhar a sala?

— Muitos negócios são acertados nestas festas. É por isso que as embaixadas as oferecem.

MARY PASSOU a hora seguinte sendo apresentada a embaixadores, senadores, governadores e algumas das personalidades políticas mais poderosas de Washington. A Romênia se tornara um país de destaque, e quase todas as pessoas importantes haviam conseguido um convite para o jantar na embaixada. Mike Slade aproximou-se de James Stickley e Mary, com a loura a tiracolo.

— Boa-noite — disse ele jovialmente. — Gostaria de apresentá-los a Debbie Dennison. James Stickley e Mary Ashley.

Era uma bofetada deliberada. Mary disse, friamente:

— Sou a *embaixadora* Ashley.

Mike bateu com a mão na testa.

— Desculpe, *embaixadora* Ashley. O pai da senhorita Dennison também é embaixador. Um diplomata de carreira, é claro. Serviu em meia dúzia de países nos últimos 25 anos.

Debbie Dennison comentou:

— É uma maneira maravilhosa de crescer.

Mike Slade acrescentou:

— Debbie tem circulado muito.

— Não tenho a menor dúvida quanto a isso — arrematou Mary calmamente.

MARY REZOU POR não ficar sentada ao lado de Mike durante o jantar, e sua prece foi atendida. Ele foi para outra mesa, ao lado da loura seminua. Havia uma dúzia de pessoas à mesa de Mary. Alguns rostos eram familiares, já os vira em capas de revistas e na televisão. James Stickley ficou sentado em frente a Mary. O homem à esquerda de Mary falava uma língua misteriosa, que ela não foi capaz de identificar. À sua direita estava um louro alto e magro, de meia-idade, com um rosto atraente e sensível.

— Fico muito satisfeito por estar ao seu lado no jantar — disse ele a Mary. — Sou seu fã ardoroso.

Ele falava com um ligeiro sotaque escandinavo.

— Obrigada.

Mary não pôde deixar de especular: *Meu fã por quê? Ainda não fiz nada.*

— Sou Olaf Peterson, adido cultural da Suécia.

— Prazer em conhecê-lo, senhor Peterson.

— Já esteve na Suécia?

— Não. Para ser franca, nunca estive em parte alguma.

Olaf Peterson sorriu.

— Então muitos lugares serão honrados com a sua visita.

— Talvez um dia eu e as crianças visitemos seu país.

— Quer dizer que tem filhos? Qual é a idade deles?

— Tim está com dez anos e Beth com doze. Vou lhe mostrar as fotos.

Mary abriu a bolsa e tirou as fotos das crianças. No outro lado da mesa, James Stickley sacudia a cabeça em desaprovação. Olaf Peterson examinou os retratos e exclamou:

— Mas que lindas crianças! Saíram à mãe.

— Têm os olhos do pai.

Eles costumavam discutir jovialmente sobre com qual dos dois as crianças pareciam.

Beth vai ser uma beldade, como você, dizia Edward. *Não sei com quem Tim parece. Tem certeza de que ele é meu?*

E a conversa provocante sempre acabava na cama.

Olaf Peterson estava lhe dizendo alguma coisa.

— Como?

— Eu disse que li a notícia da morte de seu marido num acidente de automóvel. Sinto muito. Deve ser bastante difícil para uma mulher ficar sozinha, sem um homem.

A voz estava impregnada de simpatia. Mary pegou o copo de vinho à sua frente e tomou um gole. Estava revigorante. Ela esvaziou o copo. Um garçom de luvas brancas, pairando por trás dos convidados, tornou a enchê-lo no mesmo instante.

— Quando vai assumir seu posto na Romênia? — indagou Peterson.

— Fui informada de que deveremos partir dentro de poucas semanas. — Mary pegou o copo de vinho. — A Bucareste.

Ela bebeu. O vinho era delicioso, e todos sabiam que vinho tinha um baixo teor alcoólico.

Quando o garçom se ofereceu para encher o copo outra vez, Mary acenou com a cabeça, feliz. Correu os olhos pela sala, para todos os convidados tão bem-vestidos, falando em uma dúzia de línguas diferentes, e pensou: *Não há banquetes assim na velha Junction City. Jamais. O Kansas é um lugar sem graça. Já Washington é tão divertido como... tão divertido como o quê?* Ela franziu o rosto, procurando uma comparação.

— Você está bem? — perguntou Olaf Peterson.

Mary apertou-lhe o braço.

— Estou ótima. Gostaria de tomar outro copo de vinho, Olaf.

— Pois não.

Ele acenou para o garçom, e o copo de Mary foi enchido mais uma vez.

— Nunca tomei vinho em casa — revelou Mary, em tom confidencial. Ela tomou um gole e acrescentou: — Para ser franca, nunca bebo nada... a não ser água, é claro.

Suas palavras começavam a engrolar. Olaf Peterson estudava-a, sorrindo. No centro da mesa, o embaixador romeno, Corbescue, levantou-se e disse:

— Senhoras e senhores... meus distintos convidados... eu gostaria de propor um brinde.

O ritual começou. Houve brindes a Alexandros Ionescu, o presidente da Romênia. Houve brindes a madame Alexandros Ionescu. Houve brindes ao presidente e ao vice-presidente dos Estados Unidos, à bandeira romena e à bandeira americana. Mary tinha a impressão de que eram milhares de brindes. Ela bebeu a cada um. *Sou uma embaixadora*, lembrou a si mesma. *É meu dever.*

No meio dos brindes, o embaixador romeno disse:

— Tenho certeza de que todos gostaríamos de ouvir algumas palavras da encantadora nova embaixadora dos Estados Unidos na Romênia.

Mary levantou seu copo e começou a beber ao brinde quando compreendeu subitamente que estava sendo chamada a falar. Ainda ficou sentada por um instante, depois conseguiu se levantar. Teve de se apoiar na mesa. Olhou para a multidão e acenou.

— Oi para todos. Estão se divertindo?

Ela nunca se sentira tão feliz em toda a sua vida. Todos na sala eram amigos. Todos lhe sorriam. Alguns estavam até rindo. Ela olhou para James Stickley e sorriu.

— É uma grande festa. Estou feliz por todos terem vindo. — Ela arriou na cadeira e virou-se para Olaf Peterson. — Puseram alguma coisa em meu vinho.

Ele apertou-lhe a mão.

— Acho que você precisa de um pouco de ar fresco. Está muito abafado aqui.

— Tem razão, está abafado mesmo. Para dizer a verdade, estou me sentindo um pouco tonta.

— Deixe-me levá-la para fora.

Ele ajudou-a a se levantar. Mary descobriu, surpresa, que tinha alguma dificuldade para andar. James Stickley estava absorvido numa conversa compenetrada com seu vizinho à mesa e não viu Mary se retirar. Ela e Olaf Peterson passaram pela mesa de Mike Slade, que a observava com o rosto franzido, numa expressão de desaprovação.

Ele está com inveja, pensou Mary. *Não pediram a ele para fazer um discurso.* Ela disse a Peterson:

— Sabe qual é o problema dele, não é? Ele quer ser embaixador. Não suporta que eu tenha sido designada para o posto.

— De quem está falando?

— Não importa. Ele não tem a menor importância.

Os dois saíram para o ar frio da noite. Mary sentia-se grata pelo apoio do braço de Peterson. Tudo parecia enevoado.

— Tenho uma limusine em algum lugar por aqui — murmurou Mary.

— Vamos despachá-la — sugeriu Olaf Peterson. — Iremos para o meu apartamento e tomaremos um drinque.

— Chega de vinho.

— Claro. Apenas um pouco de conhaque para assentar seu estômago.

Conhaque. Nos livros, todas as pessoas sofisticadas bebiam conhaque. Conhaque e soda. Era um drinque ao estilo Cary Grant.

— Com soda?

— Claro.

Olaf Peterson ajudou Mary a entrar num táxi e deu o endereço ao motorista. Quando pararam, na frente de um enorme prédio de apartamentos, Mary olhou surpresa para Peterson.

— Onde estamos?

— Em casa.

Ele amparou Mary na saída do táxi, segurando-a quando ela começou a cair.

— Estou bêbada? — indagou Mary.

— Claro que não.

— Estou me sentindo meio esquisita.

Peterson levou-a pelo saguão do prédio e apertou o botão, chamando o elevador.

— Um pouco de conhaque dará um jeito em você.

Entraram no elevador e ele apertou o botão do andar.

— Sabia que sou uma... uma abstêmia?

— Não, não sabia.

— Pois sou.

Peter acariciava o braço nu de Mary.

A porta se abriu e Peterson ajudou Mary a sair do elevador.

— Alguém já disse que seu andar é todo irregular?

— Mandarei consertar — prometeu Peterson.

Ele amparou-a com uma das mãos, enquanto com a outra tirava do bolso a chave do apartamento e abria a porta. Entraram. O apartamento estava na semiescuridão.

— Está escuro aqui — balbuciou Mary.

Olaf Peterson abraçou-a.

— Gosto do escuro. Você não gosta?

Ela gostava? Não tinha certeza.

— Sabia que é uma linda mulher?

— Obrigada. Você é um lindo homem.

Ele conduziu-a para o sofá e sentou-a. Mary sentia-se completamente tonta. Os lábios de Peterson comprimiram-se contra os seus e ela sentiu uma mão subir por sua coxa.

— O que está fazendo?

— Basta relaxar, querida. Vai ser maravilhoso.

E a sensação era mesmo maravilhosa. As mãos dele eram muito gentis, como as de Edward.

— Ele era um médico maravilhoso — disse Mary.

— Tenho certeza que era.

Peterson comprimiu o corpo contra o dela.

— É a verdade. Sempre que alguém precisava de uma operação, pedia por Edward.

Ela estava estendida no sofá, de costas, mãos suaves haviam levantado o vestido e a acariciavam. As mãos de Edward. Mary fechou os olhos e sentiu os lábios descendo por seu corpo — lábios suaves, uma língua gentil. Edward tinha uma língua tão gentil. Era a felicidade. E ela queria que nunca parasse.

— É tão gostoso, meu querido — murmurou ela. — Por favor, quero que me possua agora.

— É para já!

A voz era rouca. Subitamente áspera. Não era absolutamente a voz de Edward.

Mary abriu os olhos e deparou com o rosto de um estranho. E gritou, enquanto sentia o homem começar a penetrá-la:

— Não! Pare!

Ela saiu de baixo dele e caiu no chão. Levantou-se cambaleando. Olaf Peterson fitava-a com expressão aturdida.

— Mas...

— Não!

Mary correu os olhos pelo apartamento.

— Sinto muito — disse ela. — Cometi um erro. Não quero que pense que eu...

Ela se virou e correu para a porta.

— Espere! Deixe-me pelo menos levá-la em casa!

Mas Mary já tinha ido embora.

ELA FOI ANDANDO pelas ruas desertas, encolhendo-se contra o vento gelado, dominada por uma profunda e angustiante mortificação. Não havia explicação para o que fizera. E não havia desculpa. Desgraçara a sua posição. E de que maneira estúpida! Embriagara-se na frente da metade do corpo diplomático de Washington, fora para o apartamento de um estranho e quase permitira que ele a seduzisse. Pela manhã seria o alvo das zombarias de todos os colunistas sociais de Washington.

BEN COHN soube da história através de três pessoas que haviam comparecido ao jantar na embaixada romena. Procurou a notícia nas colunas dos jornais de Washington e Nova York. Não havia qualquer alusão ao incidente. Alguém abafara a história. E só podia ser alguém muito importante.

Cohn sentou no pequeno cubículo que o jornal chamava de sala, pensando. Ligou para Ian Villiers.

— O senhor Villiers está?

— Está, sim. Quem deseja falar?

— Ben Cohn.

— Um momento, por favor. — Ela voltou à linha um minuto depois. — Lamento muito, senhor Cohn, mas o senhor Villiers acaba de sair.

— Quando posso falar com ele?

— Creio que ele está com o dia inteiro ocupado.

— Está bem.

Cohn desligou e telefonou para uma colunista de outro jornal. Nada acontecia em Washington sem que ela soubesse.

— Como vai a batalha diária, Linda?

— *Plus ça change, plus c'est la même chose.*

— Está acontecendo alguma coisa emocionante neste balneário deslumbrante?

— Nada demais, Ben. Anda tudo parado.

— Ouvi dizer que houve uma grande confusão na embaixada romena ontem à noite.

— É mesmo?

Havia uma súbita cautela na voz da colunista.

— É, sim. Não teve qualquer notícia sobre a nossa nova embaixadora na Romênia?

— Não. Preciso desligar agora, Ben. Tenho de atender uma ligação internacional.

E o telefone ficou mudo.

Ben Cohn ligou para um amigo no Departamento de Estado. Quando a secretária completou a ligação, ele disse:

— Olá, Alfred.

— Benjie! Quais são as novidades?

— Há muito tempo que não nos encontramos. Pensei que poderíamos almoçar juntos.

— Boa ideia. Em que está trabalhando?

— Por que não espera para ouvir até nos encontrarmos pessoalmente?

— Está certo. Não tenho muitos compromissos hoje. Vamos nos encontrar no Watergate?

Ben Cohn hesitou.

— Por que não almoçamos no Mama Regina's, em Silver Springs?

— Não acha que é um pouco longe?

— Acho.

Houve uma pausa.

— Ahn...

— Uma hora da tarde?

— Combinado.

BEN COHN ESTAVA sentado a uma mesa no canto quando chegou seu convidado, Alfred Shuttleworth. O dono do restaurante, Tony Sergio, conduziu-o à mesa.

— Desejam um drinque, senhores?

Shuttleworth pediu um martíni.

— Eu não quero nada — respondeu Ben Cohn.

Alfred Shuttleworth era um homem pálido, de meia-idade, que trabalhava na seção europeia do Departamento de Estado. Anos antes estivera envolvido num acidente de automóvel, em que guiava embriagado. Ben Cohn fizera a cobertura para seu jornal. A carreira de Shuttleworth estava em jogo. Cohn abafara a história, e Shuttleworth demonstrava seu agradecimento lhe dando informações de vez em quando.

— Preciso de sua ajuda, Al.

— Pode pedir.

— Eu gostaria de informações internas sobre a nossa nova embaixadora na Romênia.

Alfred Shuttleworth franziu o rosto.

— Como assim?

— Três pessoas me telefonaram para dizer que ela tomou um porre na festa do embaixador romeno ontem à noite e bancou a idiota na presença de todo mundo que é importante em Washington. Já viu os jornais matutinos de hoje ou as primeiras edições dos vespertinos?

— Já, sim. Falaram da festa na embaixada, mas não houve qualquer referência a Mary Ashley.

— Exatamente. "O curioso incidente do cachorro durante a noite."

— Não entendi.

— Sherlock Holmes. O cachorro não latiu. Ficou calado. E os jornais também. Por que os colunistas silenciariam com uma história tão suculenta? Alguém abafou o incidente. Alguém importante. Se fosse qualquer outra VIP que se desgraçasse, a imprensa teria um prato cheio.

— Não é tanto assim, Ben.

— Al, temos uma Cinderela que surge do nada, é tocada pela varinha de condão do nosso presidente e de repente se transforma numa Grace Kelly, princesa Di e Jacqueline Kennedy, tudo numa só pessoa. Reconheço que ela é bonita... mas não tão bonita assim. Ela é inteligente... mas não inteligente assim. Na minha humilde opinião, dar um curso de ciência política na Universidade Estadual do Kansas não qualifica qualquer pessoa a se tornar embaixadora num dos lugares mais delicados do mundo. E vou lhe contar outra coisa que não parece muito certa. Voei para Junction City e conversei com o xerife.

Alfred Shuttleworth tomou o resto de seu martíni.

— Acho que vou querer outro. Você está me deixando nervoso.

— Está ficando como eu.

Ben Cohn pediu outro martíni.

— Continue — disse Shuttleworth.

— A senhora Ashley recusou o convite do presidente porque o marido não podia deixar sua clínica. E de repente ele morre num conveniente acidente de automóvel. *Voilà!* A mulher está em Washington, a caminho de Bucareste. Exatamente como alguém planejara desde o início.

— Alguém? Quem?

— Essa é a pergunta fundamental.

— O que está querendo sugerir, Ben?

— Não estou querendo sugerir nada. Deixe-me contar-lhe o que o xerife Munster sugeriu. Ele achou que era estranho que meia dúzia de testemunhas surgissem do nada numa madrugada gelada de inverno a tempo de testemunhar o acidente. E quer saber de uma coisa ainda mais estranha? Todas as testemunhas desapareceram. Sem exceção.

— Continue.

— Fui ao Forte Riley para conversar com o motorista do caminhão militar que matou o doutor Ashley.

— E o que ele tinha a dizer?

— Nada. Tinha morrido. Sofreu um infarto. Aos 27 anos de idade.

Shuttleworth estava mexendo na haste de seu copo.

— Posso presumir que há mais?

— Claro. Há muito mais. Procurei o oficial do DIC em Forte Riley, para entrevistar o coronel Jenkins, que estava no comando das investigações e também foi uma das testemunhas do acidente. O coronel não estava mais lá. Foi promovido e transferido. Agora é general, servindo em algum lugar no exterior. Parece que ninguém sabe ao certo onde.

Alfred Shuttleworth sacudiu a cabeça.

— Sei que você é um tremendo repórter, Ben, mas sinceramente acho que desta vez saiu dos trilhos. Está reunindo umas poucas coincidências para fazer um roteiro de Hitchcock. As pessoas morrem em acidentes de automóvel, sofrem infartos, são promovidas e transferidas. Está procurando por alguma conspiração onde não existe nenhuma.

— Já ouviu falar de uma organização chamada Patriotas pela Liberdade?

— Não. É alguma coisa parecida com a DAR?

Ben Cohn respondeu suavemente:

— Não tem qualquer semelhança com a DAR. Estou ouvindo rumores a todo instante, mas não consigo descobrir nada de concreto.

— Que tipo de rumores?

— Dizem que é uma cabala de fanáticos de alto nível da extrema direita e da extrema esquerda, de uma dúzia de países dos dois lados. As ideologias são diametralmente opostas, mas são reunidos pelo medo. Os membros comunistas acham que o plano do presidente Ellison é uma trama capitalista para destruir o bloco do Leste. O pessoal da extrema direita está convencido de que o plano é uma porta aberta que permitirá que os comunistas nos destruam. Por isso, eles fizeram essa espantosa aliança.

— Não dá para acreditar.

— Há mais. Além dos VIPs, parece que há diversos grupos de várias agências internacionais de segurança envolvidos. Acha que poderia conferir isso para mim?

— Não sei. Mas tentarei.

— Sugiro que seja discreto. Se a organização existe mesmo, eles não ficarão muito satisfeitos por descobrirem alguém bisbilhotando.

— Procurarei você assim que souber de alguma coisa, Ben.

— Obrigado. Vamos pedir o almoço.

O espaguete à carbonara estava magnífico.

ALFRED SHUTTLEWORTH estava cético sobre a teoria de Ben Cohn. *Os repórteres estão sempre procurando por histórias sensacionalistas*, pensou Shuttleworth. Ele gostava de Ben Cohn, mas não tinha a menor ideia de como obter informações sobre uma organização provavelmente mítica. Se de fato existia, devia estar em algum computador do governo. Ele próprio não tinha acesso aos computadores. *Mas conheço alguém que tem*, lembrou Alfred Shuttleworth. *Falarei com ele.*

ALFRED SHUTTLEWORTH estava tomando o seu segundo martíni quando Pete Connors entrou no bar.

— Desculpe o atraso — disse Connors. — Tive um pequeno problema na fábrica de picles.

Peter Connors pediu um uísque puro e Shuttleworth pediu outro martíni.

Os dois se conheciam porque a namorada de Connors e a esposa de Shuttleworth trabalhavam para a mesma companhia e haviam se tornado amigas. Connors e Shuttleworth eram completamente opostos: um estava envolvido em jogos mortais de espionagem e o outro era um burocrata que não saía de uma escrivaninha. As diferenças é que fizeram com que gostassem da companhia um do outro, e de vez em quando trocavam informações úteis. Quando Shuttleworth o conhecera, Connors era um companheiro divertido e interessante. Em algum ponto do caminho, no entanto, tornara-se um homem azedo. Virara um reacionário amargo. Shuttleworth tomou um gole do martíni.

— Preciso de um favor, Pete. Poderia procurar uma coisa para mim no computador da CIA? Talvez não haja nada, mas prometi a um amigo que tentaria descobrir.

Connors sorriu interiormente. *O pobre coitado provavelmente quer descobrir se alguém está comendo sua esposa.*

— Claro. Eu lhe devo alguns favores. Sobre quem você quer saber?

— Não é *quem*, mas *o quê*. E provavelmente nem existe. É uma organização chamada Patriotas pela Liberdade. Já ouviu falar?

Pete Connors pôs o copo na mesa com todo cuidado.

— Não posso dizer que sim, Al. Qual é o nome do seu amigo?

— Ben Cohn. Ele é repórter do *Post*.

NA MANHÃ SEGUINTE, Ben Cohn tomou uma decisão. Ele disse a Akiko:

— Ou descobri a história do século ou não tenho nada. Está na hora de descobrir com certeza.

— Graças a Deus! — exclamou Akiko. — Arthur vai ficar muito feliz.

Ben Cohn encontrou Mary Ashley em seu escritório.

— Bom-dia, embaixadora. Sou Ben Cohn. Lembra de mim?

— Claro, senhor Cohn. Já escreveu aquela reportagem?

— É por isso que estou lhe telefonando, embaixadora. Fui a Junction City e obtive algumas informações que acho que poderão interessá-la.

— Que tipo de informações?

— Prefiro não falar pelo telefone. Não poderíamos nos encontrar em algum lugar?

— Estou com a agenda incrivelmente cheia. Deixe-me ver... Tenho meia hora livre na manhã de sexta-feira. Está bom?

Mais três dias.

— Acho que pode esperar até lá.

— Quer vir à minha sala?

— Há um café embaixo do prédio. Podemos nos encontrar lá?

— Está certo. Até sexta-feira.

Eles se despediram e desligaram. Um momento depois houve um terceiro clique na linha.

NÃO HAVIA POSSIBILIDADE de fazer um contato direto com o Controlador. Ele organizara e financiava os Patriotas pela Liberdade, mas nunca comparecia às reuniões do comitê e se mantinha completamente anônimo. Era apenas um número de telefone — que não se podia localizar (Connors já tentara) — e uma gravação que dizia:

— Tem sessenta segundos para deixar sua mensagem.

O telefone só devia ser usado em casos de emergência. Connors foi a uma cabine pública para fazer a ligação. Falou ao gravador.

A mensagem foi recebida às seis horas da tarde.

Eram oito horas da noite em Buenos Aires.

O Controlador escutou a mensagem duas vezes e depois discou um número. Esperou por três minutos antes de ouvir a voz de Neusa Muñez.

— *Sí?*

O Controlador disse:

— Aqui é o homem que fez o acordo com você sobre Angel. Tenho outro contrato para ele. Podemos fazer contato imediatamente?

— Não sei.

A mulher parecia bêbada. Ele fez um esforço para reprimir a impaciência.

— Quando espera ter notícias dele?

— Não sei.

Mas que mulher desgraçada!

— Preste atenção. — Ele falou devagar, com todo cuidado, como se estivesse tratando com uma criança pequena. — Diga a Angel que quero que o trabalho seja feito imediatamente. Quero que ele...

— Espere um instante. Tenho de ir ao banheiro.

O Controlador ouviu-a largar o telefone. Ficou esperando, dominado pela frustração. A mulher voltou à linha três minutos depois, comentando:

— Muita cerveja deixa a gente com vontade de mijar.

Ele rangeu os dentes.

— É muito importante. — Ele estava com medo de que a mulher não se lembrasse. — Quero que pegue lápis e papel e anote tudo. Falarei devagar.

NAQUELA NOITE MARY compareceu a uma festa oferecida pela embaixada canadense. Quando estava deixando o escritório, a fim de ir para o hotel e se vestir, James Stickley disse:

— Sugiro que desta vez tome apenas um *gole* nos brindes.

Ele e Mike Slade formam uma dupla maravilhosa.

AGORA QUE SE encontrava na festa, ela preferia estar em casa com Beth e Tim. Os rostos à mesa eram desconhecidos. À sua direita sentava um armador grego. À esquerda estava um diplomata inglês. Uma *socialite* de Filadélfia, carregada de diamantes, perguntou a Mary:

— Está gostando de Washington, madame embaixadora?

— Estou gostando muito.

— Deve estar emocionada por ter escapado do Kansas.

Mary fitou-a sem entender.

— Escapado do Kansas?

A mulher explicou:

— Nunca estive no Meio-Oeste americano, mas deve ser horrível. Só fazendeiros e plantações de trigo e milho. É surpreendente que tenha conseguido suportar por tanto tempo.

Mary sentiu um ímpeto de raiva, mas fez um esforço para manter a voz sob controle.

— O milho e o trigo de que está falando alimentam o mundo — comentou ela, polidamente.

O tom da mulher era condescendente.

— Nossos automóveis funcionam com gasolina, mas eu não gostaria de viver nos campos petrolíferos. Em termos culturais, acho que só se pode viver no Leste. Não concorda? Falando francamente, não há nada para fazer no Kansas, a não ser que se passe o dia inteiro trabalhando nas plantações, não é?

As outras pessoas à mesa acompanhavam a conversa com extrema atenção.

Não há realmente nada para fazer? Mary pensou nos passeios em carroças de feno em agosto, nas feiras do condado e nos emocionantes dramas clássicos apresentados no teatro da universidade. Os piqueniques dominicais no Milford Park e os torneios de beisebol, a pesca no lago de água limpa. A banda tocando no gramado e as reuniões na prefeitura, as festas de rua, os bailes em celeiros e a emoção da época da colheita... os passeios de trenó no inverno e os fogos de artifício no Quatro de Julho, criando um arco-íris no suave céu do Kansas. Ela disse à mulher:

— Se nunca esteve no Meio-Oeste americano, não sabe do que está falando, não é? Porque é lá que este país existe. A América não é Washington, Los Angeles ou Nova York. São milhares de pequenas cidades que você nunca viu nem ouviu falar que tornam grande este país. São os mineiros, os lavradores e os operários. E quero que saiba que no Kansas temos balés, sinfonias e teatro. Para sua informação, cultivamos muito mais do que apenas trigo e milho... também criamos seres humanos decentes.

— Você deve saber que insultou a irmã de um senador muito importante — James Stickley informou a Mary na manhã seguinte.

— Mas não o suficiente — respondeu Mary, em tom de desafio. — Não o suficiente.

MANHÃ DE QUINTA-FEIRA. Angel estava de mau humor. O voo de Buenos Aires para Washington fora atrasado porque alguém ligara para as autoridades avisando que havia uma bomba a bordo. *O mundo não é mais seguro*, pensou Angel, irritado.

O quarto de hotel que lhe fora reservado em Washington era moderno demais, muito — qual era mesmo a palavra? — plástico. *Era esse o problema*. Em Buenos Aires, tudo era autêntico.

Cumprirei esse contrato e voltarei logo para casa. O trabalho é muito simples, quase um insulto ao meu talento. Mas o dinheiro é excelente. Preciso trepar esta noite. Gostaria de saber por que matar sempre me deixa com tesão.

A PRIMEIRA VISITA de Angel foi a uma loja de equipamentos elétricos. Depois foi a uma loja de tintas e finalmente a um supermercado, onde comprou apenas seis lâmpadas. O resto do equipamento esperava no quarto do hotel, em duas caixas lacradas, marcadas com FRÁGIL — MANUSEIE COM CUIDADO. Na primeira caixa havia quatro granadas de mão militares, cuidadosamente acondicionadas. Na segunda caixa havia equipamento de solda.

Trabalhando devagar e com toda cautela, Angel cortou a parte superior da primeira granada, depois pintou-a da mesma cor que as lâmpadas. A segunda providência foi remover o explosivo da granada e substituí-lo por explosivo sísmico. Assim que ficou pronto, Angel acrescentou chumbo e estilhaços metálicos. Angel quebrou uma lâmpada na mesa, preservando o filamento e a base. Levou menos de um minuto para soldar o filamento a um detonador ativado eletricamente. A providência final foi inserir o filamento numa gelatina, a fim de mantê-lo instável, e inserir na granada pintada. Quando Angel acabou, o artefato parecia uma lâmpada comum.

Angel pôs-se então a trabalhar nas outras lâmpadas. Depois, não tinha mais nada a fazer a não ser esperar pelo telefonema.

O TELEFONE TOCOU às oito horas daquela noite. Angel atendeu e escutou, sem falar. Depois de um momento, uma voz disse:

— Ele saiu.

Angel desligou. Com cuidado, com muito cuidado, as lâmpadas foram acondicionadas numa caixa cheia de aparas de madeira, que foi metida numa valise, com os restos dos materiais descartados.

A viagem de táxi para o prédio de apartamentos levou dezessete minutos.

NÃO HAVIA PORTEIRO no saguão; se houvesse, no entanto, Angel estava preparado para lidar com o homem. O apartamento ficava no quinto andar, ao final do corredor. A fechadura era uma Schlage modelo antigo, uma brincadeira de criança. Em poucos segundos Angel estava no interior do apartamento escuro, imóvel, escutando. Não havia ninguém ali.

Foi um trabalho de poucos minutos substituir as seis lâmpadas na sala de estar. Depois, Angel seguiu direto para o Aeroporto Dulles, a fim de pegar o voo da meia-noite para Buenos Aires.

FORA UM DIA comprido para Ben Cohn. Cobrira pela manhã a entrevista coletiva do secretário de Estado, fora ao almoço oferecido ao secretário de Interior que se aposentava e ainda obtivera informações confidenciais de um amigo do Departamento de Defesa. Passara em casa para tomar um banho de chuveiro e trocar de roupa, depois fora jantar com um editor sênior do *Posto*. Já era quase meia-noite quando voltou para casa. *Tenho de preparar as anotações para o encontro amanhã com a embaixadora Ashley*, pensou Ben.

Akiko não estava na cidade e só voltaria no dia seguinte. *Ainda bem. Posso aproveitar para descansar. Mas não resta a menor dúvida de que aquela mulher sabe comer uma banana split*, pensou ele, sorrindo.

Enfiou a chave na porta do apartamento e abriu-a. Estava tudo escuro lá dentro. Ele estendeu a mão para o interruptor e o premiu. Houve um súbito clarão, e a sala explodiu como uma bomba atômica; fragmentos de seu corpo foram arremessados para as quatro paredes.

No dia seguinte a esposa de Alfred Shuttleworth comunicou que ele desaparecera. O corpo nunca foi encontrado.

Capítulo 17

— ACABAMOS DE receber o comunicado oficial — anunciou Stanton Rogers. — O governo romeno aprovou-a como a nova embaixadora dos Estados Unidos.

Foi um dos momentos mais emocionantes da vida de Mary Ashley. *Vovô teria ficado muito orgulhoso.*

— Eu queria lhe dar a notícia pessoalmente, Mary. O presidente gostaria de vê-la. Eu a levarei à Casa Branca.

— Eu... eu não sei como lhe agradecer por tudo o que tem feito, Stan.

— Não fiz nada — protestou Rogers. — Foi o presidente que a escolheu. — Ele sorriu. — E devo dizer que fez uma escolha perfeita.

Mary pensou em Mike Slade.

— Há algumas pessoas que não concordam.

— Pois estão erradas. Você pode fazer mais por nosso país na Romênia do que qualquer outra pessoa que conheço.

— Obrigada. Tentarei corresponder às suas expectativas.

Ela sentiu-se tentada a levantar o problema de Mike Slade. Afinal, Stanton Rogers tinha muito poder. Talvez ele pudesse dar um jeito para que Slade permanecesse em Washington. *Não*, decidiu Mary. *Não devo exigir demais de Stan. Ele já fez muita coisa.*

— Tenho uma sugestão a fazer. Em vez de voarem direto para Bucareste, por que você e as crianças não passam antes alguns dias em Paris e Roma? A Tarom Airlines tem um voo direto de Roma para Bucareste.

Ela fitou-o aturdida por um instante.

— Oh, Stan, isso seria o paraíso! Mas será que eu teria tempo?

Ele piscou um olho.

— Tenho amigos lá no alto. Tentarei dar um jeito.

Impulsivamente, Mary abraçou-o. Ele se tornara um amigo muito querido. Os sonhos de que ela e Edward haviam falado tantas vezes se convertiam em realidade. Mas sem Edward. Era um pensamento agridoce.

MARY E STANTON ROGERS foram introduzidos na Sala Verde, onde o presidente Ellison os aguardava.

— Quero pedir desculpas pela demora em acertar tudo, Mary. Stanton já lhe disse que foi aprovada pelo governo romeno. Aqui estão suas credenciais.

O presidente entregou-lhe uma carta. Mary leu devagar:

A SENHORA MARY ASHLEY é por meio deste documento designada Representante do presidente dos Estados Unidos na Romênia e todos os funcionários do governo dos Estados Unidos nesse país estão sob a sua autoridade.

— ISTO VAI junto.

O presidente entregou um passaporte a Mary. Tinha a capa preta, em vez da azul habitual. Na frente, em letras douradas, estava escrito PASSAPORTE DIPLOMÁTICO.

Mary estava esperando por aquilo há semanas, mas agora que o momento chegara mal podia acreditar.

Paris!

Roma!

Bucareste!

Parecia quase bom demais para ser verdade. E sem nenhuma razão, uma coisa que a mãe de Mary costumava dizer aflorou em sua mente: *Se alguma coisa parece boa demais para ser verdade, Mary, então provavelmente é mesmo verdade.*

HOUVE UMA PEQUENA notícia nos jornais da tarde, informando que o repórter Ben Cohn, do *Washington Post*, morrera numa explosão de gás em seu apartamento. A explosão foi atribuída a um vazamento do fogão.

Mary não leu a notícia. Quando Ben Cohn não apareceu para o encontro, ela chegou à conclusão de que o repórter esquecera ou então não estava mais interessado. Voltou ao escritório e retomou o trabalho.

O RELACIONAMENTO entre Mary e Mike Slade tornava-se cada vez mais irritante para ela. *Ele é o homem mais arrogante que já conheci*, pensou Mary. *Terei de falar com Stan a seu respeito.*

Stanton Rogers acompanhou Mary e as crianças ao Aeroporto Dulles, numa limusine do Departamento de Estado. Durante a viagem, Stanton disse:

— As embaixadas em Paris e Roma já foram avisadas de sua chegada. Providenciarão para que os três sejam bem cuidados.

— Obrigada, Stan. Você tem sido maravilhoso.

Ele sorriu.

— Não tenho palavras para descrever quanto prazer isso me proporcionou.

— Posso ver as catacumbas em Roma? — perguntou Tim.

Stanton advertiu:

— Lá embaixo é assustador, Tim.

— É por isso mesmo que quero ver.

No aeroporto, Ian Villiers estava à espera, com uma dúzia de fotógrafos e repórteres. Eles cercaram Mary, Beth e Tim, e fizeram as perguntas habituais. Depois de algum tempo, Stanton Rogers interferiu:

— Já chega.

Dois homens do Departamento de Estado e um representante da companhia aérea levaram o grupo para uma sala de espera particular. As crianças foram para a banca de revistas. Mary disse:

— Detesto sobrecarregá-lo com mais um problema, Stan, mas James Stickley disse que Mike Slade será meu subchefe da missão. Não há um jeito de mudar isso?

Ele fitou-a com expressão de surpresa.

— Está tendo algum problema com Slade?

— Para ser sincera, não gosto dele. E não confio nele... não sei explicar por quê. Não há alguém que possa substituí-lo?

Stanton Rogers disse, com um ar pensativo:

— Não conheço Mike Slade muito bem, mas sei que ele tem uma ficha excelente. Serviu de maneira brilhante em postos no Oriente Médio e Europa. Pode lhe proporcionar exatamente o tipo de experiência de que precisa.

Mary suspirou.

— Foi o que o senhor Stickley disse.

— Lamento, Mary, mas terá de ficar com ele. Slade é um solucionador de problemas.

Errado, pensou Mary. *Slade é o problema em pessoa. E ponto final.*

— Se tiver algum problema com ele, quero que me avise. Mais do que isso, se tiver problemas com *qualquer pessoa*, quero que me comunique imediatamente. Providenciarei para que receba toda ajuda que for possível.

— Fico agradecida.

— Só mais uma coisa. Sabia que todos os comunicados serão copiados e enviados para diversos departamentos em Washington?

— Sabia.

— Se tiver alguma mensagem que queira me enviar sem que ninguém mais leia, o código no alto da página é três xis. Serei então o único a receber a mensagem.

— Não esquecerei.

O AEROPORTO Charles de Gaulle parecia algo saído da ficção científica, um caleidoscópio de colunas de pedra e o que pareceu a Mary centenas de escadas rolantes funcionando desenfreadas. O aeroporto estava apinhado de viajantes.

— Fiquem perto de mim, crianças — ordenou Mary.

Quando saíram da escada rolante, ela olhou ao redor, desamparada. Parou um francês que passava e perguntou, hesitante, recorrendo às poucas palavras de francês de que podia se lembrar:

— *Pardon, monsieur, où sont les baggages?*

O homem respondeu implacável, com um forte sotaque francês:

— Desculpe, madame, mas não falo inglês.

E se afastou, deixando Mary a fitá-lo completamente atordoada. Nesse momento um jovem americano bem-vestido aproximou-se de Mary e das crianças.

— Perdoe-me, senhora embaixadora! Recebi instruções para encontrá-la no avião, mas fui atrasado por um acidente de tráfego. Meu nome é Peter Callas. Sou da embaixada americana.

— Não pode imaginar como fico contente por vê-lo. Estou me sentindo completamente perdida. — Mary apresentou as crianças. — Onde encontramos a bagagem?

— Não se preocupe — disse Peter Callas. — Cuidarei de tudo.

Ele cumpriu a palavra. Quinze minutos depois, enquanto os outros passageiros começavam a passar pela alfândega e pelo controle de passaporte, Mary, Beth e Tim se encaminhavam para a saída do aeroporto.

O INSPETOR HENRI DURAND, diretor-geral da Segurança Externa, a agência de informações francesa, observou-os entrarem na limusine à espera. Depois que o carro se afastou, o inspetor foi até uma fileira de cabines telefônicas e entrou numa. Fechou a porta, inseriu um *jeton* e discou. Quando uma voz atendeu, ele disse:

— *S'il vous plaît, dites à Thor que son paquet est arrivé à Paris.*

A IMPRENSA FRANCESA esperava em massa quando a limusine parou na frente da embaixada americana. Peter Callas, contemplando a cena pela janela do carro, murmurou:

— Puxa, parece um motim!

O embaixador americano na França, Hugh Simon, aguardava-os lá dentro. Era um texano de meia-idade, com olhos inquisitivos num rosto redondo, encimado por uma cabeleira ruiva.

— Todos estão ansiosos por conhecê-la, senhora embaixadora. A imprensa está em cima de mim desde a manhã.

A ENTREVISTA COLETIVA de Mary prolongou-se por mais de uma hora. Ela estava exausta quando acabou. Foi levada para o gabinete do embaixador Simon, com as crianças.

— Estou contente que tenha acabado. Quando cheguei aqui para assumir o posto, acho que recebi apenas um parágrafo na última página do *Le Monde*. — Ele sorriu. — Claro que não sou tão atraente quanto você.

O embaixador fez uma pausa, lembrando-se de alguma coisa.

— Recebi um telefonema de Stanton Rogers. Tenho instruções expressas da Casa Branca para providenciar que você, Beth e Tim se divirtam ao máximo durante a permanência em Paris.

— Instruções expressas? — indagou Tim.

O embaixador Simon acenou com a cabeça.

— Exatamente. Ele gosta muito de vocês.

— Nós também gostamos dele — comentou Mary.

— Reservei uma suíte no Ritz. É um excelente hotel, junto à Place de la Concorde. Tenho certeza de que ficarão bem instalados.

— Obrigada. — Um momento de hesitação e Mary acrescentou, um pouco nervosa: — É muito caro?

— É, sim... mas não para você. Stanton Rogers providenciou para que o Departamento de Estado arque com todas as despesas.

— Ele é incrível — murmurou Mary.

— Segundo ele, você também é.

Os JORNAIS DA tarde e da noite publicaram notícias grandes sobre a chegada da primeira embaixadora do presidente dos Estados Unidos em seu programa povo-para-povo. O assunto recebeu ainda uma ampla cobertura dos noticiários noturnos da televisão e dos jornais da manhã seguinte.

O inspetor Durand contemplou a pilha de jornais e sorriu. Tudo estava correndo de acordo com o planejado. A projeção estava ainda melhor do que o previsto. Podia determinar o itinerário de Ashley durante os três dias seguintes. *Eles visitarão todos os pontos turísticos sem sentido que os americanos gostam de ver*, pensou.

MARY E AS CRIANÇAS almoçaram no restaurante Jules Verne, na Torre Eiffel, e depois foram visitar o Arco do Triunfo.

Passaram a manhã seguinte conhecendo os tesouros do Louvre, almoçaram perto de Versalhes e jantaram no Tour d'Argent.

Tim olhou pela janela do restaurante, para a Notre-Dame e perguntou:

— Onde eles guardam o corcunda?

CADA MOMENTO em Paris foi uma alegria. Mary não parava de pensar no quanto gostaria que Edward estivesse ali.

No dia seguinte, depois do almoço, eles foram levados de carro para o aeroporto. O inspetor Durand observava quando se apresentaram para o voo para Roma.

A mulher é atraente — pode-se dizer até que adorável. Um rosto inteligente. Corpo bonito, pernas bem torneadas, um lindo traseiro. Fico imaginando como será ela na cama. As crianças foram uma surpresa. Bem-comportadas para americanos.

Assim que o avião decolou, o inspetor Durand foi a uma cabine telefônica.

— *S'il vous plaît, dites à Thor que son paquet est en route à Rome.*

EM ROMA, os *paparazzi* esperavam no Aeroporto Leonardo da Vinci. Ao desembarcarem, Tim disse:

— Olhe, mamãe, eles nos seguiram!

Mary teve mesmo a impressão de que a única diferença estava no sotaque italiano. A primeira pergunta que os repórteres italianos lhe fizeram foi a seguinte:

— O que está achando da Itália?

O embaixador Oscar Viner ficou tão perplexo quanto o embaixador Simon já ficara.

— Frank Sinatra não teve uma recepção tão grande. Existe alguma coisa a seu respeito que eu ignore, senhora embaixadora?

— Acho que posso explicar — respondeu Mary. — Não é em mim que a imprensa está interessada, mas sim no programa povo-para-povo do presidente. Teremos em breve representantes em todos os países da Cortina de Ferro. Será um passo enorme pela paz. Acho que é *isso* que atrai tanto a imprensa.

Depois de um momento de reflexão, o embaixador Viner disse:

— Muita coisa depende de você, não é?

O CAPITÃO CAESAR BARZINI, chefe da polícia secreta italiana, também foi capaz de prever acuradamente os lugares que Mary e seus filhos visitariam durante a breve estada em Roma.

O capitão destacou dois homens para vigiarem os Ashley, e quando eles apresentavam o relatório, ao final de cada dia, era exatamente o que previra.

— Eles tomaram sorvete no Doney's, passearam pela Via Veneto e visitaram o Coliseu.

— Foram à Fonte de Trevi e jogaram moedas.

— Visitaram as Termas de Caracalla e depois as catacumbas. O garoto passou mal e foi levado de volta ao hotel.

— Passearam de carruagem pelo Parque Borghese e a pé pela Piazza Navona.

Divirtam-se, pensou o capitão Barzini, sardonicamente.

O EMBAIXADOR VINER acompanhou Mary e as crianças ao aeroporto.

— Tenho uma bolsa diplomática para a embaixada na Romênia. Importa-se de levar com sua bagagem?

— Claro que não — respondeu Mary.

O CAPITÃO BARZINI estava no aeroporto para observar o embarque da família Ashley no avião da Tarom Airlines que a levaria a Bucareste. Ele ficou até o avião decolar e depois deu um telefonema.

— *Ho un messaggio per Balder. Il suo pacco è in via a Bucharest.*

SÓ DEPOIS QUE o avião estava no ar é que a enormidade do que estava prestes a acontecer atingiu Mary Ashley. Era tão incrível que ela teve de dizer em voz alta:

— Estamos a caminho da Romênia, onde vou assumir meu posto como embaixadora dos Estados Unidos.

Beth fitava-a com expressão estranha.

— É verdade, mamãe. Sabemos disso. É o motivo pelo qual estamos aqui.

Mas como Mary podia explicar sua excitação aos filhos?

Quanto mais o avião se aproximava de Bucareste, mais sua excitação aumentava.

Serei a melhor embaixadora que eles já conheceram, pensou. *Antes de eu morrer, os Estados Unidos e a Romênia serão grandes aliados.*

O aviso de PROIBIDO FUMAR acendeu, e os eufóricos sonhos de estadista de Mary se dissiparam.

Não é possível que já estejamos prestes a pousar, pensou ela, em pânico. *Acabamos de decolar. Por que o voo é tão curto?*

Ela sentiu a pressão em seus ouvidos enquanto o avião começava a descer. Poucos momentos depois as rodas tocaram na pista. *Está realmente acontecendo,* pensou Mary, incrédula. *Não sou uma embaixadora. Sou uma impostora. Vou nos meter numa guerra. Deus nos ajude. Eu nunca deveria ter deixado o Kansas.*

LIVRO TERCEIRO

Capítulo 18

O Aeroporto Otopeni, a quarenta quilômetros do centro de Bucareste, é moderno, construído para facilitar o fluxo dos viajantes dos países próximos da Cortina de Ferro, além de absorver os turistas ocidentais, menos numerosos, que visitam a Romênia todos os anos.

No interior do terminal havia soldados em uniformes marrons, armados com rifles e pistolas; havia também uma impressão de frieza que nada tinha a ver com a temperatura. Inconscientemente, Tim e Beth chegaram-se para mais perto de Mary. *Então eles também sentem,* pensou ela.

Dois homens se aproximaram. Um deles era esguio e atlético, parecia um americano, o outro era mais velho e vestia um terno amarfanhado de aparência estrangeira. O americano apresentou-se:

— Seja bem-vindo à Romênia, senhora embaixadora. Sou Jerry Davis, seu representante consular para assuntos públicos. Este é Tudor Costache, o chefe do protocolo romeno.

— É um prazer ter a senhora e seus filhos conosco — disse Costache. — Sejam bem-vindos a nosso país.

De certa forma, pensou Mary, *vai ser meu país também.*

— *Mulţumesc, domnule* — respondeu Mary.

— Você fala romeno! — exclamou Costache. — *Cu plăcere!*

Mary torceu para que o homem não se deixasse arrebatar. E apressou-se em ressaltar:

— Apenas umas poucas palavras.

Tim disse:

— *Bunădimineata.*

E Mary ficou tão orgulhosa que teve a sensação de que ia estourar.

Ela apresentou as crianças.

— A limusine está à sua espera, senhora embaixadora — disse Jerry Davis. — O coronel McKinney está lá fora.

O coronel McKinney. O coronel McKinney e Mike Slade. Perguntou-se se Slade também estaria ali, mas não falou nada.

Havia uma fila comprida esperando para passar pela alfândega, mas Mary e as crianças deixaram o prédio em poucos minutos. Havia repórteres e fotógrafos à sua espera, só que não eram turbulentos como os que Mary sempre encontrara antes, mas sim ordeiros e controlados. Quando acabaram, agradeceram a Mary e partiram em bloco.

O coronel McKinney, de uniforme, estava à espera na calçada. Estendeu a mão.

— Bom-dia, senhora embaixadora. Fez boa viagem?

— Foi ótima, obrigada.

— Mike Slade queria estar aqui, mas precisou resolver um problema urgente.

Mary se perguntou se seria uma ruiva ou uma loura.

Uma limusine preta comprida, com uma bandeira americana no para-lama dianteiro direito, parou junto ao meio-fio. Um homem de aparência jovial, num uniforme de motorista, abriu a porta.

— Este é Florian.

O motorista sorriu, exibindo lindos dentes brancos.

— Seja bem-vinda, senhora embaixadora, mister Tim, miss Beth. Terei o maior prazer em servir a todos.

— Obrigada — disse Mary.

— Florian estará à sua disposição 24 horas por dia. Pensei em seguirmos direto para a residência, a fim de que possa desfazer as malas e descansar. Talvez mais tarde queira dar uma volta pela cidade. E amanhã de manhã Florian a levará à embaixada americana.

— Está ótimo para mim.

Mary especulou outra vez onde estaria Mike Slade.

A VIAGEM DO aeroporto à cidade foi fascinante. Seguiram por uma estrada de duas faixas com tráfego intenso de caminhões e automóveis, mas a intervalos de poucos quilômetros os veículos praticamente tinham de parar por causa de carroças de ciganos que se arrastavam com lentidão. Nos dois lados da estrada havia fábricas modernas, entre cabanas antigas. O carro passou por uma fazenda depois de outra, com mulheres trabalhando nos campos, lenços coloridos na cabeça.

Passaram pelo Băneasa, o aeroporto de voos domésticos de Bucareste. Mais além, a alguma distância da estrada, havia um prédio de dois andares, cinzento e azul, de aparência sinistra.

— O que é aquilo? — perguntou Mary.

Florian fez uma careta.

— A prisão Ivan Stelian. É o lugar em que são encarceradas as pessoas que discordam do governo romeno.

Durante a viagem, o coronel McKinney apontou para um botão vermelho ao lado da porta.

— Este é um controle de emergência — explicou ele. — Se estiver numa situação crítica... for atacada por terroristas ou qualquer coisa parecida... basta apertar este botão. Ativa um transmissor de rádio no carro que é controlado na embaixada e acende uma luz vermelha na capota. Poderemos determinar sua posição em poucos minutos.

Mary comentou, em tom fervoroso:

— Espero nunca ter de usá-lo.

— É o que também espero, senhora embaixadora.

O CENTRO DE Bucareste era uma beleza. Havia parques, monumentos e chafarizes por toda parte. Mary se lembrou do comentário do avô:

— Bucareste é uma Paris em miniatura, Mary. Temos até uma réplica da Torre Eiffel.

E lá estava tudo. Ela se encontrava na pátria de seus antepassados.

As ruas enxameavam de pessoas, ônibus e bondes. Florian buzinava a todo instante, os pedestres saíam da frente apressados. O carro entrou numa rua pequena, arborizada.

— A residência fica logo à frente — informou o coronel. — A rua tem o nome de um general russo. Não é irônico?

Era uma casa antiga de três andares, grande e bonita, cercada por um lindo jardim.

Os empregados estavam formados na frente da casa, aguardando a nova embaixadora. Quando Mary saltou do carro, Jerry Davis fez as apresentações.

— Senhora embaixadora, aqui está o pessoal que vai servi-la. Mihai, o mordomo, Sabina, a secretária social, Rosica, a governanta, Cosma, a cozinheira, e Delia e Carmen, as criadas.

Mary foi avançando pela fila, recebendo as mesuras, enquanto pensava: *O que vou fazer com toda essa gente? Em casa eu tinha apenas Lucinda, que aparecia três vezes por semana para cozinhar e fazer a faxina.*

— Estamos muito honrados em conhecê-la, senhora embaixadora — cumprimentou Sabina, a secretária social.

Todos a fitavam atentamente; parecia que esperavam que ela dissesse alguma coisa. Mary respirou fundo.

— *Bună ziua. Mulţumesc. Nu vorbesc...*

Pouco de romeno que ela aprendera sumiu de sua cabeça. Ficou olhando para o pessoal, desamparada. Mihai, o mordomo, adiantou-se e fez uma mesura.

— Todos nós falamos inglês, senhora. Nós lhe damos as boas-vindas e teremos a maior satisfação em atender a todas as suas necessidades.

Mary deixou escapar um suspiro de alívio.

— Obrigada.

Havia champanhe gelado à sua espera na casa, assim como uma mesa repleta de comidas de aparência tentadora.

— Tudo parece delicioso! — exclamou Mary.

Todos a observavam, com expressões. Ela se perguntou se deveria lhes oferecer alguma coisa. Será que se fazia isso com a criadagem? Não queria começar a estada na Romênia cometendo gafes. *"Já soube o que a nova embaixadora americana fez? Convidou os criados a comerem com ela. Eles ficaram tão chocados que foram embora."*

"Já soube o que a nova embaixadora americana fez? Empanturrou-se na presença dos criados famintos e não lhes ofereceu coisa alguma."

— Pensando bem — acrescentou Mary —, não estou com fome neste momento. Eu... eu comerei alguma coisa mais tarde.

— Permita que eu lhe mostre a casa — sugeriu Jerry Davis.

Mary seguiu-o, aliviada.

Era uma linda casa, agradável e encantadora, ao estilo antigo. No térreo havia um *hall*, uma biblioteca cheia de livros, uma sala de música, uma sala de estar e uma sala de jantar grande, com uma cozinha e despensa ao lado. Todos os cômodos estavam bem mobiliados. Havia um terraço por toda a extensão da casa, além da sala de jantar, que dava para um enorme parque.

Quase nos fundos do terreno havia uma piscina coberta, com uma sauna e vestiário.

— Temos a nossa própria piscina! — exclamou Tim. — Posso dar um mergulho?

— Mais tarde, querido. Vamos nos instalar primeiro.

A *pièce de résistance* no primeiro andar era o salão de baile, perto do jardim. Era imenso. Havia candelabros de cristal Baccarat nas paredes, forradas com um papel felpudo. Jerry Davis disse:

— É aqui que se realizam as festas da embaixada. Observe isto. — Ele apertou um botão na parede. Houve um rangido e o teto começou a se abrir no centro, até que o céu se tornou visível. — O mecanismo pode ser operado também manualmente.

— Mas é sensacional! — exclamou Tim.

— É conhecido como "a loucura do embaixador" — acrescentou Jerry Davis. — Faz muito calor para abrir no verão e é frio demais no inverno. Só usamos em abril e setembro.

— Mesmo assim é sensacional — insistiu Tim.

Enquanto o ar frio invadia o salão de baile, Jerry Davis tornou a apertar o botão e o teto fechou.

— Vou mostrar agora os aposentos lá em cima.

Eles subiram a escada atrás de Jerry Davis para um grande *hall* central, com dois quartos separados por um banheiro completo. Mais adiante, pelo corredor, ficava o quarto principal, com uma sala de descanso, um quarto de vestir e um banheiro completo, depois um quarto menor com banheiro e uma sala de costura. Havia um terraço no telhado, com uma escada independente. Jerry Davis informou:

— No terceiro andar estão os aposentos dos criados, uma lavanderia e uma área para guardar coisas. No porão há uma adega e a área de refeições e descanso dos criados.

— É... é enorme — murmurou Mary.

As crianças corriam de um aposento para outro.

— Qual é o meu quarto? — perguntou Beth.

— Você e Tim podem escolher.

— Se quiser, pode ficar com este — ofereceu Tim. — É cheio de enfeites. As garotas gostam dessas coisas.

O quarto principal era adorável, com uma cama enorme, dois sofás na frente de uma lareira, uma poltrona, uma penteadeira com um espelho antigo, um armário, um banheiro suntuoso e uma vista espetacular do jardim.

Delia e Carmen já haviam arrumado a bagagem de Mary. Em cima da cama estava o malote diplomático que o embaixador Viner lhe pedira que trouxesse para a Romênia. *Devo levá-lo para a embaixada amanhã de manhã*, pensou Mary. Foi até a cama, pegou o malote e examinou-o. Os lacres vermelhos haviam sido rompidos e grudados de novo, de maneira desajeitada. *Quando aconteceu isso?*, especulou Mary. *No aeroporto? Aqui? E quem fez isso?*

Sabina entrou no quarto.

— Está tudo satisfatório, senhora?

— Está, sim. Nunca tive antes uma secretária social. Não sei exatamente quais são as suas funções.

— Meu trabalho é cuidar para que sua vida transcorra sem problemas, senhora embaixadora. Trato dos seus compromissos sociais, jantares, almoços e assim por diante. Também providencio para que a casa seja bem administrada. Com tantos criados, sempre há problemas.

— Tem razão — murmurou Mary, distraída.

— Deseja alguma coisa para esta tarde?

Poderia me falar sobre os lacres violados, pensou Mary. Em voz alta, ela disse:

— Não, obrigada. Acho que vou descansar um pouco.

Sentia-se subitamente esgotada.

Mary ficou acordada durante a maior parte daquela primeira noite, dominada por uma solidão profunda e fria, misturada com um crescente excitamento pelo início de seu novo trabalho.

Tudo depende de mim agora, Edward. Não tenho mais ninguém em quem me apoiar. Eu gostaria que você estivesse aqui comigo, dizendo-me para não ter medo, dizendo-me que não vou fracassar. Não devo fracassar, querido.

Quando finalmente pegou no sono, ela sonhou com Mike Slade dizendo: *"Detesto amadores. Por que não volta para casa?"*

A embaixada americana em Bucareste, na Şoseaua Kiseleff, 21, é um prédio branco de dois andares, semigótico, patrulhado por um guarda uniformizado, de capote cinza e quepe vermelho. Um segundo guarda fica na parte de dentro, numa cabine de segurança, ao lado do portão. Há uma porta-cocheira para os carros passarem e degraus de mármore rosa que levam ao saguão.

O saguão é todo ornamentado. Tem um piso de mármore, dois aparelhos de um circuito fechado de televisão numa mesa, guardada por um fuzileiro naval, e uma lareira com uma tela de proteção, na qual está pintado um dragão soprando fumaça. Os corredores estão revestidos com os retratos de presidentes dos Estados Unidos. Uma escada em curva leva ao segundo andar, onde estão localizados os escritórios e uma sala de conferências.

Um fuzileiro estava esperando por Mary.

— Bom-dia, senhora embaixadora — cumprimentou ele. — Sou o sargento Hughes. Todos me chamam de Gunny.

— Bom-dia, Gunny.

— Estão à sua espera na sala de conferências. Eu a acompanharei até lá.

— Obrigada.

Mary seguiu-o para uma sala de recepção no segundo andar, onde uma mulher de meia-idade estava sentada atrás de uma mesa. Ela se levantou.

— Bom-dia, senhora embaixadora. Sou Dorothy Stone, sua secretária.

— Como vai?

— Há uma verdadeira multidão à sua espera lá dentro.

Dorothy abriu a porta, e Mary entrou na sala. Havia nove pessoas sentadas em torno de uma enorme mesa de reuniões. Todos se levantaram quando a viram. Ficaram observando-a, e Mary sentiu uma onda de hostilidade quase palpável. A primeira pessoa que ela reconheceu foi Mike Slade. Pensou no sonho que tivera.

— Vejo que chegou aqui sã e salva — disse Mike. — Deixe-me apresentá-la a seus chefes de departamentos. Este é Lucas Janklow, conselheiro administrativo; Eddie Maltz, conselheiro político; Patricia Hatfield, conselheira econômica; David Wallace, chefe da administração; Ted Thompson, especialista em assuntos agrícolas. Já conheceu Jerry Davis, seu conselheiro de assuntos públicos. Este é David Victor, conselheiro comercial. E também já conhece o coronel Bill McKinney.

— Sentem-se, por favor — disse Mary.

Ela foi para a cadeira à cabeceira da mesa e contemplou o grupo. *A hostilidade vem em todas as idades, tamanhos e formatos,* pensou.

Patricia Hatfield tinha um corpo gordo e rosto atraente. Lucas Janklow, o membro mais moço da equipe, parecia e se vestia como um americano de família tradicional. Os outros eram mais velhos, cabelos grisalhos, calvos, magros, gordos. *Vai levar algum tempo para definir a todos.* Mike Slade estava dizendo:

— Todos nós estamos servindo a seu critério. Pode nos substituir a qualquer momento.

Isso é mentira pensou Mary, furiosa. *Tentei substituir você, mas não consegui.*

A reunião durou quinze minutos. A conversa foi irrelevante. Mike Slade finalmente anunciou:

— Dorothy providenciará reuniões separadas para todos com a embaixadora ainda hoje. Obrigado.

Mary sentia-se ressentida porque ele assumira o comando. E perguntou, quando ficou a sós com Slade:

— Qual deles é o agente da CIA adido à embaixada?

Ele fitou-a em silêncio por um momento e depois disse:

— Por que não vem comigo?

Slade saiu da sala. Mary hesitou por um instante e depois foi atrás. Seguiu-o por um corredor comprido, passando por uma sucessão de salas pequenas. Ele parou diante de uma porta em que um fuzileiro montava guarda. O fuzileiro deu um passo para o lado e Slade abriu a porta. Virou-se e gesticulou para que Mary entrasse.

Ela entrou e olhou ao redor. A sala era uma incrível combinação de metal e vidro, cobrindo o chão, as paredes e o teto. Mike Slade fechou a pesada porta.

— Esta é a Sala Bolha. Cada embaixada num país da Cortina Ferro possui uma sala assim. É o único lugar da embaixada em que pessoas estranhas não podem ouvir o que se fala.

Ele viu a expressão de incredulidade de Mary e acrescentou:

— Senhora embaixadora, não apenas a embaixada está repleta de microfones ocultos, mas pode também apostar até seu último dólar como o mesmo acontece com a residência oficial... e se for a um restaurante para jantar, haverá também um microfone oculto em sua mesa. Está em território inimigo.

Mary arriou numa cadeira.

— Como se pode resolver o problema? — indagou ela. — Quer dizer que nunca podemos falar livremente?

— Efetuamos uma varredura eletrônica todas as manhãs. Descobrimos os microfones que eles plantam e os tiramos. Eles os substituem e tornamos a removê-los.

— Por que se permite que romenos trabalhem na embaixada?

— É o campo deles. Formam o time da casa. Ou jogamos por suas regras ou estragamos a festa. Eles não podem plantar microfones aqui dentro porque há fuzileiros de guarda na porta durante as 24 horas do dia. E agora... quais são suas perguntas?

— Eu apenas gostaria de saber quem era o homem da CIA.

— Eddie Maltz, seu conselheiro político.

Mary tentou recordar como era Eddie Maltz. Cabelos grisalhos e corpulento. Não, esse era o homem dos assuntos agrícolas. *Eddie Maltz... ah, sim, o homem de meia-idade, muito magro, um rosto sinistro.* Ou será que ela só tinha essa impressão agora, porque fora informada que se tratava de um agente da CIA?

— Ele é o único homem da CIA na equipe?

— É.

Havia hesitação em sua voz.

Mike Slade consultou o relógio.

— Você deve apresentar suas credenciais dentro de trinta minutos. Florian está à sua espera lá fora. Leve a carta de credencial. Entregue o original ao presidente Ionescu e guarde uma cópia em nosso cofre.

Mary descobriu que estava rangendo os dentes de raiva.

— Já sei de tudo isso, senhor Slade.

— Ele pediu que você levasse as crianças. Mandei um carro buscá-las.

Sem consultá-la.

— Obrigada.

A SEDE DO GOVERNO romeno é um prédio de aparência intimidativa, feito com blocos de arenito, no centro de Bucareste. É protegido por um muro de aço, com guardas armados na frente.

Havia mais guardas na entrada do prédio. Um assessor escoltou Mary e as crianças ao segundo andar.

O presidente Alexandros Ionescu cumprimentou Mary e as crianças numa sala comprida e retangular. O presidente da Romênia era uma presença poderosa. Um homem moreno, de feições aquilinas e cabelos pretos crespos. Tinha um dos narizes mais imperiosos que Mary já vira. Os olhos eram brilhantes, hipnotizadores. O assessor disse:

— Excelência, posso apresentar a senhora embaixadora dos Estados Unidos?

O presidente pegou a mão de Mary e deu-lhe um beijo prolongado.

— É ainda mais bonita do que nas fotografias.

— Obrigada, Excelência. Estes são minha filha Beth e meu filho Tim.

— Crianças bonitas. — Ionescu fitou-a, expectante. — Tem alguma coisa para mim?

Mary quase esquecera. Abriu apressada a bolsa e tirou a carta de credencial do presidente Ellison. Alexandros Ionescu deu uma olhada indiferente.

— Obrigado. Aceito em nome do governo romeno. É agora oficialmente a embaixadora americana em meu país. — Ele parecia radiante. — Vou lhe oferecer uma recepção esta noite. Conhecerá algumas das pessoas com quem irá trabalhar.

— É muita gentileza sua — disse Mary.

Ele tornou a pegar sua mão e disse:

— Temos um ditado aqui. "Um embaixador chega em lágrimas porque sabe que vai passar anos numa terra estranha, longe de seus amigos, mas quando parte está em lágrimas também, porque deve deixar seus novos amigos, num país que passou a amar." Espero que passe a amar nosso país, senhora embaixadora.

Ele apertou a mão de Mary.

— Tenho certeza de que isso acontecerá.

Ele pensou que sou apenas outro rostinho bonito, pensou Mary, desolada. *Terei de fazer alguma coisa a esse respeito.*

MARY MANDOU as crianças para casa e passou o resto do dia na embaixada, na grande sala de conferências, começando por uma reunião com os chefes de seções, os conselheiros político, econômico, agrícola, administrativo e comercial. O coronel McKinney estava presente como o adido militar

Sentaram à mesa comprida e retangular. Contra as paredes escuras havia uma dúzia de funcionários subalternos dos diversos departamentos.

O conselheiro comercial, um homem pequeno e pomposo, apresentou uma fieira de fatos e dados. Mary olhava pela sala, pensando: *Terei de me lembrar de todos os seus nomes.*

Chegou a vez de Ted Thompson, o conselheiro para assuntos agrícolas.

— O ministro da Agricultura romeno sabe que a situação é mais crítica do que está disposto a admitir. Terão uma colheita desastrosa este ano, e não podemos deixar que afundem.

A conselheira econômica, Patricia Hatfield, protestou:

— Já lhes demos bastante espaço, Ted. A Romênia está operando nos termos de um tratado de nação privilegiada. É um país SGP.

Ela olhou para Mary, discretamente. *Essa mulher está fazendo isso de propósito, para me embaraçar*, pensou Mary. Patricia Hatfield acrescentou, condescendente:

— Um país SGP é...

— ...o que conta com um sistema geral de preferências — arrematou Mary. — Tratamos a Romênia como um país menos desenvolvido, a fim de que possa desfrutar de vantagens de exportação e importação.

A expressão de Hatfield mudou.

— Isso mesmo. Já estamos dando as nossas reservas e...

David Victor, o conselheiro comercial, interveio:

— Não estamos dando nada... apenas tentando manter os canais abertos, a fim de podermos fazer negócios aqui. Eles precisam de mais crédito para comprarem milho de nós. Se não vendermos, eles comprarão da Argentina. — Victor virou-se para Mary. — Parece que vamos perder na soja. Os brasileiros estão tentando vender a preço inferior ao nosso. Eu agradeceria se conversasse com o primeiro-ministro o mais depressa possível e tentasse fechar um pacote, antes de sermos excluídos.

Mary olhou para Mike Slade, que estava sentado no outro lado da mesa, arriado na cadeira, rabiscando num bloco, aparentemente sem prestar a menor atenção à conversa.

— Verei o que posso fazer — prometeu Mary.

Ela fez uma anotação: enviar um telegrama ao chefe do Departamento do Comércio em Washington, pedindo permissão para oferecer mais crédito ao governo romeno. O dinheiro viria de bancos americanos, mas os empréstimos só se consumariam com a aprovação do governo.

Eddie Maltz, o conselheiro político, além de agente da CIA, disse:

— Tenho um problema um tanto urgente, senhora embaixadora. Uma estudante americana de dezenove anos foi presa ontem à noite por posse de drogas. É um crime muito sério aqui.

— Que tipo de drogas ela tinha?

— Marijuana. Apenas uns poucos gramas.

— Como é a moça?

— Inteligente, universitária, bonita.

— O que acha que farão com ela?

— A pena habitual é de cinco anos de prisão.

Mike Slade disse, em voz indolente:

— Pode tentar envolver o chefe da segurança com seu charme. Ele se chama Istrase. Tem muito poder.

Eddie Maltz acrescentou:

— As outras garotas dizem que ela caiu numa armadilha. É bem possível. Ela foi bastante estúpida para ter uma ligação com um policial romeno. Depois que a fo... que a levou para a cama, o homem entregou-a.

Mary ficou horrorizada.

— Como é possível?

Mike Slade disse, secamente:

— Senhora embaixadora, aqui somos o inimigo... e não eles. A Romênia está brincando com a gente. Somos amigos, trocamos sorrisos, mãos estendidas através do oceano. Deixamos que nos vendam e comprem de nós a preços de barganha, porque queremos atraí-los para longe da Rússia. Mas quando chega no fundo, eles continuam comunistas.

Mary fez outra anotação.

— Muito bem. Verei o que posso fazer. — Ela virou-se para o conselheiro de assuntos públicos, Jerry Davis. — Quais são os seus problemas?

— Meu departamento está encontrando dificuldades em obter aprovação para os reparos nos apartamentos em que moram os funcionários da embaixada. Estão em condições lamentáveis.

— Não é possível fazer os reparos sem consultar ninguém?

— Infelizmente, não. O governo romeno tem de aprovar todos os reparos. Alguns dos nossos estão sem aquecimento, os banheiros não funcionam em diversos apartamentos e não há água corrente.

— Já protestou contra essa situação?

— Já, sim... todos os dias, nos últimos três meses.

— Então por que...?

— É o que se chama de hostilidade — explicou Mike Slade. — Uma guerra de nervos que travam com a gente.

Mary fez outra anotação.

— Senhora embaixadora, tenho um problema da maior urgência — disse Jack Chancelor, diretor da biblioteca americana. — Alguns livros de referências muito importantes foram roubados ontem da...

A embaixadora Ashley estava começando a ficar com dor de cabeça.

A TARDE FOI ocupada a ouvir uma série de queixas. Todos pareciam infelizes. E havia ainda a leitura. Em sua mesa estava uma pilha de papéis. Eram traduções para o inglês de notícias que haviam saído no dia anterior em jornais e revistas romenos. A maioria das notícias do jornal popular *Scinteia Tineretului* era sobre as atividades diárias do presidente Ionescu, com três ou quatro fotografias suas em cada página. *O incrível ego de um homem*, pensou Mary.

Havia outras condensações para ler: *The Romania Libera*, o semanário *Flacara Rosie* e *Magafinul*. E isso era apenas o começo. Havia também os telegramas e os resumos do que estava acontecendo nos Estados Unidos. Havia uma pasta com os textos integrais de discursos de importantes autoridades americanas, um volumoso relatório sobre negociações de controle de armamentos e uma síntese atualizada sobre a situação da economia americana

Em um dia há material de leitura suficiente para me manter ocupada por anos e terei isso todas as manhãs, pensou Mary.

Mas o problema que mais a perturbava era a sensação de antagonismo da equipe. Era preciso encontrar uma solução imediata.

Ela chamou Harriet Kruger, a responsável pelo protocolo.

— Há quanto tempo trabalha aqui na embaixada? — perguntou-lhe Mary.

— Por quatro anos antes do rompimento com a Romênia e agora há três gloriosos meses.

Havia um tom de ironia em sua voz.

— Não gosta daqui?

— Sou uma garota de McDonald's e Coney Island. Como diz a canção, "Mostre-me o caminho de volta para casa".

— Podemos ter uma conversa particular?

— Não, madame.

Mary esquecera.

— Por que não vamos para a Sala Bolha? — sugeriu.

DEPOIS QUE SENTOU na Sala Bolha com Harriet Kruger, a porta fechada, Mary disse:

— Acaba de me ocorrer uma coisa. Nossa reunião de hoje foi realizada na sala de conferências. Não está grampeada?

— Provavelmente — respondeu Harriet Kruger, em tom jovial. — Mas não tem importância. Mike Slade não deixaria que fosse discutida qualquer coisa que os romenos já não soubessem.

Mike Slade de novo.

— O que acha de Slade?

— Ele é o melhor.

Mary resolveu não manifestar sua opinião.

— Eu queria conversar francamente com você porque tenho a impressão de que o moral aqui não é dos melhores. Todos estão se queixando. Ninguém parece feliz. Eu gostaria de saber se é por minha causa ou se sempre foi assim.

Harriet Kruger estudou-a em silêncio por um momento.

— Quer uma resposta sincera?

— Por favor.

— É uma combinação das duas coisas. Os americanos que trabalham aqui estão sob pressão permanente. Se violamos as regras, estamos perdidos. Temos receio de fazer amizade com romenos porque provavelmente acabaremos descobrindo que são da Securitate. Por isso, ficamos restritos aos americanos. O grupo é pequeno, e logo se torna aborrecido e incestuoso. — Ela deu de ombros. — O pagamento é péssimo, a comida ruim e o tempo horrível. Nada disso é culpa sua, senhora embaixadora. Seus problemas são dois. O primeiro é que se trata de uma nomeação política e está no comando de uma embaixada guarnecida por diplomatas de carreira. — Fez uma pausa. — Estou sendo muito forte?

— Não. Continue, por favor.

— A maioria era contra você antes mesmo de chegar aqui. O pessoal de carreira numa embaixada tende a não balançar o barco. Os designados políticos gostam de mudar as coisas. Você é uma amadora dizendo a profissionais como devem agir. O segundo problema é o fato de ser uma mulher. A Romênia devia ter um grande símbolo em sua bandeira: um porco chauvinista macho. Os americanos na embaixada não gostam de receber ordens de uma mulher, e os romenos são muito piores.

— Entendo.

Harriet Kruger sorriu.

— Mas com toda certeza você tem um grande agente de publicidade. Nunca vi tantas reportagens de capa em revistas em toda a minha vida. Como conseguiu?

Mary não tinha resposta para isso. Harriet Kruger olhou para o relógio.

— Ei, você vai se atrasar! Florian está esperando para levá-la em casa, a fim de que possa trocar de roupa.

— Trocar de roupa para quê? — perguntou Mary.

— Não verificou a programação que pus em sua mesa?

— Infelizmente, não tive tempo. Tenho alguma festa para ir hoje?

— *Festas.* Três esta noite. No total, são 21 festas nesta semana.

Mary estava aturdida.

— É impossível. Tenho muita coisa para...

— É inerente ao cargo. Há 75 embaixadas em Bucareste, e numa determinada noite algumas sempre estão celebrando qualquer coisa.

— Não posso recusar os convites?

— Seria uma recusa dos Estados Unidos. Eles ficariam ofendidos.

Mary suspirou.

— Acho melhor eu ir logo para casa e trocar de roupa.

O COQUETEL naquela tarde foi realizado no Palácio do Governo da Romênia, em homenagem a uma autoridade visitante da Alemanha Oriental.

Assim que Mary chegou, o presidente Ionescu adiantou-se em sua direção. Beijou-lhe a mão e disse:

— Eu estava ansioso por tornar a vê-la.

— Obrigada, Excelência. Eu também.

Mary teve a impressão de que ele andara bebendo muito. Recordou o dossiê a seu respeito: *Casado. Um filho de quatorze anos, o herdeiro presuntivo, e três filhas. É um conquistador. Bebe muito. Uma astuta mente de camponês. Encantador quando lhe é conveniente. Generoso com os amigos. Perigoso e implacável com os inimigos.* Mary pensou: *Um homem com quem se deve tomar cuidado.*

Ionescu pegou o braço de Mary e conduziu-a para um canto deserto.

— Vai descobrir que nós, os romenos, somos muito interessantes. — Ele apertou o braço de Mary. — Um povo ardente.

Ele fez uma pausa, aguardando uma reação. Como não houvesse nenhuma, acrescentou:

— Somos descendentes dos antigos dácios e seus conquistadores, os romanos, desde o ano 106 da Era Cristã. Durante séculos fomos o capacho da Europa. O país com fronteiras de borracha.

Os hunos, godos, ávaros, eslavos e mongóis limparam seus pés em nós, mas a Romênia sobreviveu. E quer saber como?

Ionescu fez outra pausa, inclinando-se para mais perto de Mary, que pôde sentir seu bafo de álcool.

— Dando ao nosso povo uma liderança forte e firme. O povo confia em mim, e eu o governo bem.

Mary pensou em algumas das histórias que ouvira. As prisões durante a madrugada, os tribunais irregulares, as atrocidades, os desaparecimentos súbitos e inexplicáveis.

Enquanto Ionescu continuava a falar, Mary olhou por cima de seu ombro para as pessoas na sala apinhada. Havia pelo menos duzentas pessoas ali, e Mary tinha certeza de que representavam todas as embaixadas na Romênia. Conheceria a todos em breve. Dera uma olhada na lista de compromissos preparada por Harriet Kruger e descobrira que uma de suas primeiras funções deveria ser uma visita formal a cada uma das 75 embaixadas. Além disso, havia coquetéis e jantares em seis noites por semana.

Quando terei tempo para ser uma embaixadora?, especulou Mary. E mesmo enquanto pensava, compreendeu que tudo aquilo era parte dos deveres de uma embaixadora.

Um homem aproximou-se do presidente Ionescu e sussurrou algo em seu ouvido. A expressão de Ionescu tornou-se fria. Ele murmurou alguma coisa em romeno, o homem acenou com a cabeça e afastou-se apressado. O ditador tornou a se virar para Mary, outra vez o charme em pessoa.

— Preciso deixá-la agora. Mas aguardarei ansioso a próxima oportunidade em que nos encontraremos.

E Ionescu se foi.

Capítulo 19

A FIM DE APROVEITAR melhor o tempo nos dias movimentados que a esperavam, Mary determinou que Florian fosse buscá-la às seis e meia da manhã todos os dias. Durante o percurso até a embaixada, ela lia os relatórios e comunicados de outras embaixadas, entregues na residência durante a noite.

Ao atravessar o corredor, passando pela porta de Mike Slade, ela parou de repente, surpresa. Ele estava à sua mesa, trabalhando. Com a barba por fazer. Ela se perguntou se Slade teria passado a noite inteira ali.

— Chegou cedo — disse Mary.

Ele levantou os olhos.

— Bom-dia. Gostaria de falar com você.

— Está bem.

Ela começou a entrar.

— Não aqui. Na sua sala.

Ele seguiu Mary para a sala dela e foi até um instrumento que estava num canto.

— Isto é um retalhador — informou Mike.

— Sei disso.

— Sabe mesmo? Quando saiu ontem à noite, deixou alguns papéis em cima de sua mesa. A esta altura, já foram fotografados e enviados para Moscou.

— Oh, Deus! Devo ter esquecido. Que papéis eram?

— Uma lista de cosméticos, papel higiênico e outros artigos pessoais que queria encomendar. Mas isso não importa. A faxineira trabalha para a Securitate. Os romenos ficam felizes por qualquer fragmento de informação que consigam obter e são ótimos para juntar dois e dois. Lição número um: à noite, tudo deve ser guardado em seu cofre ou destruído.

— E qual é a lição número dois? — indagou Mary, friamente.

Mike sorriu.

— A embaixadora sempre começa seu dia tomando café com o subchefe da missão. Como prefere o seu?

Mary não tinha o menor desejo de tomar café com aquele filho da mãe arrogante.

— Eu... puro.

— Faz muito bem. É preciso tomar muito cuidado com a silhueta por aqui. A comida é do tipo que engorda. — Ele se levantou e se encaminhou para a porta que dava para a sua sala. — Preparo meu próprio café. Tenho certeza de que vai gostar.

Mary continuou sentada, furiosa com Slade. *Tenho de tomar cuidado com a maneira de tratá-lo*, pensou. *Quero afastá-lo daqui o mais depressa possível.*

Mike Slade voltou com duas canecas de café fumegante e colocou-as em cima da mesa.

— Como posso matricular Beth e Tim na escola americana aqui? — indagou Mary.

— Já providenciei tudo. Florian as levará pela manhã e irá buscar à tarde.

Ela ficou confusa.

— Ahn... obrigada.

— Deve visitar a escola quando tiver uma oportunidade. É pequena, com cerca de cem alunos. Cada turma tem oito ou nove estudantes. Vêm de todos os lugares... canadenses, israelenses, nigerianos... pode dizer qualquer um. Os professores são excelentes.

— Irei até lá.

Mike tomou um gole do café.

— Soube que teve uma boa conversa com nosso destemido líder ontem à noite.

— O presidente Ionescu? É verdade. Ele foi muito simpático.

— Sempre é. Um cara maravilhoso. Até que se irrita com alguém. E corta sua cabeça.

Mary disse, bastante nervosa:

— Não deveríamos falar sobre essas coisas apenas na Sala Bolha?

— Não há necessidade. Mandei fazer uma varredura eletrônica em sua sala esta manhã. Está limpa. Mas tome cuidado depois que os criados chegarem. Por falar nisso, não deixe que o charme de Ionescu a engane. Ele é um filho da puta irredutível. O povo o despreza, mas não pode fazer nada. A polícia secreta está em toda parte. É a KGB e a força policial reunidas numa coisa só. Os romenos têm ordens para não fazerem qualquer contato com estrangeiros. Se um estrangeiro quer jantar no apartamento de um romeno, o compromisso tem de ser aprovado primeiro pelo Estado.

Mary sentiu um calafrio percorrer seu corpo.

— Um romeno pode ser preso por assinar uma petição, criticar o governo, pichar paredes...

Mary lera artigos em jornais e revistas sobre a repressão nos países comunistas, mas viver no meio de tudo aquilo lhe dava uma sensação de irrealidade.

— Há julgamentos aqui — murmurou ela.

— É verdade. De vez em quando eles promovem julgamentos de demonstração e permitem a presença de repórteres do Ocidente. Mas a maioria dos presos sofre acidentes fatais quando se encontra sob a custódia da polícia. Há *gulags* na Romênia que não podemos conhecer. Ficam na área do Delta e no Danúbio, perto do mar Negro. Conversei com pessoas que os conheceram. As condições são terríveis.

— E não há lugar para onde possam escapar — disse Mary, pensando em voz alta. — Eles têm o mar Negro a leste, a Bulgária ao sul, a Iugoslávia, Hungria e Tchecoslováquia nas outras fronteiras. Estão bem no meio da Cortina de Ferro.

— Já ouviu falar do Decreto da Máquina de Escrever?

— Não.

— É a última ideia de Ionescu. Ordenou que toda máquina de escrever e copiadora do país fossem registradas. Assim que isso aconteceu, confiscou tudo. Agora Ionescu controla todas as informações que são disseminadas. Mais café?

— Não, obrigada.

— Ionescu aperta o povo onde mais dói. As pessoas têm medo de fazer greve, porque sabem que serão fuziladas. O padrão de vida aqui é um dos mais baixos da Europa. Há escassez de tudo. Se as pessoas deparam com uma fila na frente de uma loja, entram e compram qualquer coisa que esteja à venda, enquanto têm a chance.

— Parece-me que tudo isso oferece uma oportunidade maravilhosa para nós os ajudarmos — comentou Mary.

Mike Slade fitou-a em silêncio por um instante e depois disse, secamente:

— Tem razão. Uma oportunidade maravilhosa.

NAQUELA TARDE, enquanto lia os telegramas chegados de Washington, Mary pensou em Mike Slade. Era um homem estranho. Arrogante e grosseiro, mas... *Já providenciei a escola para as crianças. Florian as levará pela manhã e irá buscar à tarde.* E parecia se importar realmente com o povo romeno e seus problemas. *Talvez ele seja mais complexo do que imaginei*, concluiu Mary.

Ainda assim, não confio nele.

FOI POR PURO ACASO que Mary tomou conhecimento das reuniões que se realizavam às suas costas. Ela deixou a embaixada para almoçar com o ministro da Agricultura romeno. Ao chegar ao ministério, foi informada de que ele fora convocado para um encontro inesperado com o presidente. Mary resolveu voltar à embaixada e ter um almoço de trabalho. Disse à sua secretária:

— Avise a Lucas Janklow, David Wallace e Eddie Maltz que quero falar com eles.

Dorothy Stone hesitou.

— Eles estão numa reunião, senhora.

Havia alguma coisa evasiva no tom da mulher.

— Numa reunião com quem?

Dorothy Stone respirou fundo.

— Com todos os outros conselheiros.

Mary levou um momento para compreender.

— Está querendo dizer que há uma reunião da equipe sem que eu tenha sido avisada?

— Isso mesmo, senhora embaixadora.

Mas aquilo era uma afronta!

— E não é a primeira vez?

— Não, senhora, não é.

— O que mais está acontecendo por aqui que eu deveria saber e ignoro?

Dorothy Stone tornou a respirar fundo.

— Todos estão enviando telegramas sem sua autorização.

Esqueça a revolução fermentando na Romênia, pensou Mary. *Há uma revolução aqui mesmo, na embaixada.*

— Dorothy, convoque uma reunião de todos os chefes de departamentos para três horas da tarde... e *todos* mesmo.

— Pois não, senhora.

MARY ESTAVA SENTADA à cabeceira da mesa, observando os conselheiros entrarem na sala de conferências. Os mais categorizados sentaram à mesa, enquanto os outros ocupavam cadeiras encostadas nas paredes.

— Boa-tarde — disse Mary, em tom firme. — Não vou levar muito tempo. Sei como todos andam muito ocupados. Chegou ao meu conhecimento que os membros mais categorizados da equipe têm se reunido sem o meu conhecimento e aprovação. Deste momento em diante, qualquer pessoa que comparecer a essas reuniões será imediatamente dispensada de suas funções.

Pelo canto dos olhos, ela podia ver Dorothy tomando anotações. E continuou:

— Também chegou ao meu conhecimento que alguns de vocês estão enviando telegramas sem me informarem. De acordo com o protocolo do Departamento de Estado, cada embaixador tem o direito de contratar e dispensar qualquer pessoa da equipe da embaixada, a seu critério. — Virou-se para Ted Thompson, o conselheiro para assuntos agrícolas. — Você enviou ontem um telegrama não autorizado ao Departamento de Estado. Fiz reserva para você num avião que parte para Washington ao meio-dia de amanhã. Não pertence mais a esta embaixada.

Ela fez uma pausa, correndo os olhos pela mesa.

— Na próxima vez em que alguém nesta sala enviar um telegrama sem meu conhecimento ou deixar de me proporcionar seu apoio total, essa pessoa embarcará no primeiro avião para os Estados Unidos. Isso é tudo, senhoras e senhores.

Houve um silêncio atordoado. Depois, lentamente, as pessoas começaram a levantar e sair da sala. Mike Slade saiu com uma expressão intrigada.

Mary e Dorothy Stone ficaram a sós na sala. Mary perguntou:

— O que você achou?

Dorothy sorriu.

— Perfeita, sem qualquer exagero. Foi a reunião da equipe mais curta e mais eficaz a que já assisti.

— Ótimo. E agora está na hora de esclarecer a situação na sala de telegramas.

Todas as mensagens enviadas de embaixadas na Europa Oriental são primeiro codificadas. São datilografadas numa máquina de escrever especial, lidas por um aparelho eletrônico na sala de códigos e automaticamente codificadas. Os códigos são mudados todos os dias e há cinco classificações: Ultrassecreto, Secreto, Confidencial, Limitado ao Uso Oficial e Aberta. A sala de telegramas, nos fundos, gradeada, sem janelas, com os mais modernos equipamentos eletrônicos, era guardada com todo cuidado.

Sandy Palance, o funcionário encarregado, estava sentado por trás de um guichê na sala de telegramas. Levantou-se quando Mary se aproximou.

— Boa-tarde, senhora embaixadora. Em que posso ajudá-la?

— Em nada. Eu é que vou ajudar *você*.

Palance ficou aturdido.

— Como?

— Andou enviando telegramas sem a minha assinatura. Isso significa que eram telegramas não autorizados.

Ele caiu na defensiva no mesmo instante.

— Os conselheiros disseram que...

— Daqui por diante, deve me levar imediatamente qualquer telegrama que alguém lhe peça para enviar sem a minha assinatura. Entendido?

A voz de Mary era fria e implacável. Palance pensou: *Eles se enganaram com essa mulher.*

— Claro, senhora. Entendido.

— Ótimo.

Mary virou-se e foi embora. Sabia que a sala de telegramas era usada pela CIA para enviar mensagens através de um "canal preto". Não havia meio de impedir isso. Ela se perguntou quantas pessoas na embaixada seriam da CIA e especulou se Mike Slade lhe contara toda a verdade a respeito. Tinha a impressão de que não.

NAQUELA NOITE, Mary escreveu anotações sobre os acontecimentos do dia e os problemas que precisava resolver. Deixou os papéis na mesinha de cabeceira. Pela manhã, foi tomar um banho de chuveiro. Depois que se vestiu, pegou as anotações. Estavam numa ordem diferente. *Pode estar certa de que a embaixada e a residência são espionadas.* Mary ficou imóvel por um instante, pensando.

Ao café da manhã, quando ela, Beth e Tim estavam sozinhos, Mary disse, em voz alta:

— Os romenos são maravilhosos. Mas tenho a impressão de que eles estão muito atrasados em relação aos Estados Unidos em algumas coisas. Sabiam que muitos dos apartamentos em que mora o pessoal da embaixada não têm aquecimento e água corrente e os banheiros não funcionam direito? — Beth e Tim fitavam-na com expressões estranhas. — Creio que teremos de ensinar aos romenos como consertar as coisas.

Na manhã seguinte, Jerry Davis disse:

— Não sei como conseguiu, mas os operários surgiram de repente para consertar nossos apartamentos.

Mary sorriu.

— Basta saber falar com eles.

AO FINAL DE uma reunião da equipe, Mike Slade disse:

— Você tem muitas embaixadas que precisa visitar formalmente. É melhor começar hoje logo de uma vez.

Mary ficou ressentida com seu tom. Além do mais, não era da conta dele; Harriet Kruger era a responsável pelo protocolo e não estava na embaixada naquele dia. Mike acrescentou:

— É importante que você visite as embaixadas de acordo com a prioridade. A mais importante...

— ...é a embaixada russa. Sei disso.

— Eu aconselharia...

— Se eu precisar de algum conselho seu a respeito de minhas funções aqui, senhor Slade, pode deixar que lhe direi.

Mike deixou escapar um suspiro profundo.

— Está bem. — Ele se levantou. — Como achar melhor, senhora embaixadora.

Depois da visita à embaixada russa, Mary passou o resto do dia ocupada com entrevistas, com um senador de Nova York que queria informações confidenciais sobre os dissidentes romenos e numa reunião com o novo conselheiro para assuntos agrícolas.

Quando Mary já se preparava para ir embora, Dorothy Stone tocou o interfone e avisou:

— Há uma ligação urgente, senhora embaixadora. James Stickley, de Washington.

Mary pegou o telefone.

— Olá, senhor Stickley.

A voz de Stickley soou furiosa pela linha:

— Quer me explicar o que pensa que está fazendo?

— Eu... eu não sei do que está falando.

— *Obviamente.* O secretário de Estado acaba de receber um protesto formal do embaixador do Gabão sobre o seu comportamento.

— Ei, espere um pouco! — disse Mary. — Deve haver algum engano. Nem mesmo falei com o embaixador do Gabão.

— Exatamente — cortou Stickley, o tom ríspido. — Mas falou com o embaixador da União Soviética.

— É verdade. Fiz uma visita de cortesia esta manhã.

— Não sabia que as embaixadas estrangeiras têm prioridade de acordo com as datas em que apresentaram suas credenciais?

— Sabia, sim, mas...

— Para sua informação, na Romênia a embaixada do Gabão é a primeira, e a da Estônia a última, havendo entre as duas cerca de setenta outras embaixadas. Alguma pergunta?

— Não, senhor. Lamento muito se...

— Por favor, cuide para que isso não torne a acontecer.

Quando soube da notícia, Mike Slade foi à sala de Mary.

— Eu tentei avisá-la.

— Senhor Slade...

— Eles levam essas coisas muito a sério na diplomacia. Em 1661 os servidores do embaixador espanhol em Londres atacaram a carruagem do embaixador francês, mataram o postilhão, espancaram o cocheiro e estropiaram dois cavalos, só para terem certeza de que a carruagem espanhola chegaria na frente. Sugiro que mande um bilhete de desculpas.

Mary sabia que o jantar naquela noite seria amargo.

Mary sentia-se perturbada com os comentários que ouvia sobre a publicidade que ela e as crianças estavam obtendo. Saiu até uma matéria no *Pravda*, com uma fotografia dos três.

Fez uma ligação para Stanton Rogers, à meia-noite. Ele deveria estar chegando ao escritório e atendeu no mesmo instante.

— Como está a minha embaixadora predileta?

— Estou bem, Stan. E você, como vai?

— Além de uma agenda que me ocupa 48 horas por dia, não tenho do que me queixar. Para ser franco, estou adorando cada minuto. Como está se saindo sozinha? Tem algum problema em que eu possa ajudá-la?

— Não chega a ser bem um problema. É apenas uma coisa que me deixa curiosa. — Ela hesitou, querendo formular o assunto de uma maneira que não permitisse qualquer mal-entendido. — Viu a fotografia minha e das crianças no *Pravda* da semana passada?

— Claro que vi! Está maravilhosa! Finalmente estamos conseguindo atingi-los!

— Os outros embaixadores recebem tanta publicidade quanto eu, Stan?

— Francamente, não. Mas o chefe decidiu promovê-la ao máximo, Mary. Você é o nosso mostruário. O presidente Ellison era sincero ao dizer que procurava o oposto do americano feio. Encontramos você e tencionamos exibi-la. Queremos que o mundo inteiro dê uma olhada no melhor do nosso país.

— Eu... eu me sinto lisonjeada...

— Continue a fazer um bom trabalho.

Eles trocaram amenidades por mais alguns minutos e depois se despediram.

Então é o presidente quem está por trás de toda essa projeção, pensou Mary. *Não é de admirar que ele tenha conseguido tanta publicidade.*

O INTERIOR DA Prisão Ivan Stelian era ainda mais assustador que o exterior. Os corredores eram estreitos, pintados com um cinza opaco. Havia uma verdadeira selva de celas apinhadas, com grades pretas, no primeiro andar, e outra ala por cima, patrulhadas por guardas uniformizados, armados com metralhadoras.

Um guarda levou Mary a uma pequena sala para visitantes, nos fundos do prédio.

— Ela está aí dentro. Tem dez minutos para conversar.

— Obrigada.

Mary entrou na sala e a porta foi fechada. Hannah Murphy estava sentada a uma mesa pequena e escalavrada. Tinha algemas nos pulsos e usava o uniforme da prisão. Eddie Maltz referira-se a ela como uma linda estudante de dezenove anos. Só que ela parecia ser dez anos mais velha. O rosto era pálido e encovado, os olhos estavam vermelhos e inchados, os cabelos desgrenhados.

— Oi — disse Mary. — Sou a embaixadora americana.

Hannah Murphy fitou-a e desatou a chorar de maneira incontrolável. Mary abraçou-a e murmurou:

— Calma, calma. Tudo vai acabar bem.

— Não vai, não — balbuciou a moça. — Serei condenada na próxima semana. Morrerei se tiver de passar cinco anos neste lugar. Juro que morrerei.

Mary apertou-a por mais um momento.

— Muito bem, agora quero que me conte o que aconteceu.

Hannah Murphy respirou fundo e depois disse:

— Conheci aquele homem... ele era romeno... e me sentia muito solitária. Ele foi gentil comigo e... fizemos amor. Uma amiga me dera dois cigarros de marijuana. Partilhei um com ele. Fizemos amor de novo e fui dormir. Quando acordei, de manhã, ele tinha sumido, mas a polícia estava lá. E eu estava nua. Eles ficaram parados ao redor, olhando enquanto eu me vestia. E me trouxeram para este inferno. — Ela sacudiu a cabeça, desamparada. — Disseram que eu ia pegar cinco anos.

— Não se eu puder evitar.

Mary pensou no que Lucas Janklow lhe dissera quando ela estava saindo para ir à prisão: "*Não há nada que possa fazer por ela, senhora embaixadora. Já tentamos antes. Uma sentença de cinco anos é o normal para estrangeiros. Se ela fosse romena, provavelmente seria condenada à prisão perpétua.*" Ela olhou agora para Hannah Murphy e prometeu:

— Farei tudo o que estiver ao meu alcance para ajudá-la.

Mary examinara o registro policial oficial sobre a prisão de Hannah Murphy. Estava assinado pelo capitão Aurel Istrase, chefe da Securitate. Era sucinto e não ajudava em nada, deixando evidente a culpa da moça. *Terei de encontrar outro meio*, pensou Mary. *Aurel Istrase*. O nome lhe parecia familiar. Ela recordou o dossiê confidencial que James Stickley lhe mostrara em Washington. Havia alguma coisa ali sobre o capitão Istrase. Algo a respeito... e de repente ela se lembrou.

MARY MARCOU UMA reunião com o capitão para a manhã seguinte.

— Está perdendo seu tempo — disse-lhe Mike Slade, bruscamente. — Istrase é uma montanha. Não pode ser demovido.

AUREL ISTRASE ERA um homem baixo e trigueiro, o rosto coberto por cicatrizes, a cabeça calva e lustrosa, dentes manchados. No início de sua carreira alguém lhe quebrara o nariz, que não fora consertado direito. Istrase teve de ir à embaixada americana para o encontro. Estava curioso sobre a nova embaixadora.

— Desejava falar comigo, senhora embaixadora?

— Desejava, sim. Obrigada por ter vindo. Quero discutir o caso de Hannah Murphy.

— Ah, sim, a traficante de tóxicos. Temos leis rigorosas na Romênia para as pessoas que vendem tóxicos. Sempre vão para a cadeia.

— Isso é ótimo — disse Mary. — Fico satisfeita por saber. Gostaria que tivéssemos leis mais rigorosas de repressão aos tóxicos nos Estados Unidos.

Istrase estava aturdido.

— Então concorda comigo?

— Claro. Qualquer pessoa que vende tóxicos merece a prisão. Hannah Murphy, no entanto, não vendia tóxicos. Ela apenas ofereceu um pouco de marijuana a seu amante.

— É a mesma coisa. Se...

— Não, capitão, não é a mesma coisa. O amante era um tenente de sua força policial. Ele também fumou marijuana. Foi punido?

— Por que deveria ser? Estava apenas obtendo provas de um ato criminoso.

— Seu tenente tem esposa e três filhos?

O capitão Istrase franziu o rosto.

— Claro. A americana seduziu-o para a cama.

— Capitão, Hannah Murphy é uma estudante universitária de dezenove anos. Seu tenente tem 45 anos. Quem seduziu quem?

— A idade não tem nada a ver com isso — insistiu o capitão, obstinado.

— A esposa do tenente tem conhecimento da aventura do marido?

O capitão Istrase fitava-a fixamente.

— Por que deveria ter?

— Porque me parece um caso óbvio de cilada. Acho melhor tornarmos pública a história. A imprensa internacional ficará fascinada.

— Não haveria sentido nisso.

Mary jogou seu trunfo.

— Porque o tenente é seu genro?

— Mas claro que não! — protestou o capitão, furioso. — Quero apenas que se faça justiça.

— Eu também.

Segundo o dossiê que Mary lera, o genro se especializava em entrar em contato com jovens turistas — homens e mulheres — levando-os para a cama e sugerindo lugares em que podiam negociar no mercado negro ou comprar tóxicos, denunciando-os em seguida. Mary acrescentou, em tom conciliador:

— Não há necessidade de sua filha saber como o marido se comporta. Creio que seria melhor para todas as pessoas envolvidas se discretamente soltasse Hannah Murphy e a mandasse de volta para os Estados Unidos. O que acha, capitão?

Ele se manteve em silêncio por algum tempo, visivelmente irritado, antes de murmurar:

— É uma mulher muito interessante.

— Obrigada. E devo dizer que é também um homem muito interessante. Estarei esperando miss Murphy em meu gabinete esta tarde. Providenciarei para que ela embarque no primeiro avião que deixar Bucareste.

Ele deu de ombros.

— Verei o que posso fazer com a pouca influência que tenho.

— Tenho certeza de que se empenhará ao máximo, capitão Istrase. Obrigada.

Na manhã seguinte, uma agradecida Hannah Murphy estava a caminho dos Estados Unidos.

— Como foi que conseguiu? — perguntou Mike Slade, incrédulo.

— Segui o seu conselho. Usei meu charme.

Capítulo 20

NO DIA EM que BETH E TIM deveriam começar a ir à escola Mary recebeu um telefonema da embaixada às cinco horas da manhã, comunicando que chegara uma mensagem urgente, que exigia resposta imediata. Foi o começo de um dia longo e movimentado. Quando ela voltou à residência, já passava das sete horas da noite, e as crianças estavam à sua espera.

— Como foi a escola? — perguntou Mary.

— Eu gostei — respondeu Beth. — Sabia que os alunos são de 22 países diferentes? Tem um garoto italiano lindo que passou a aula toda olhando para mim. É uma escola sensacional.

— Tem um laboratório de ciências que é uma beleza — acrescentou Tim. — Amanhã vamos dissecar algumas rãs romenas.

— Mas é muito esquisito — ressaltou Beth. — Todos falam inglês com sotaques engraçados.

— Lembrem-se de uma coisa — disse Mary aos filhos. — Quando alguém tem um sotaque, isso significa que fala uma língua a mais do que vocês. Mas fico contente de que não tenham tido problemas.

— Mike cuidou da gente — comentou Beth.

— Quem?

— O senhor Slade. Ele nos disse para chamá-lo de Mike.

— O que Mike Slade tem a ver com a ida de vocês à escola?

— Ele não lhe contou? Mike nos levou à escola e apresentou aos professores. Conhece todos.

— E também conhece uma porção de garotos — informou Tim. — E nos apresentou a eles. Todo mundo gosta de Mike. É um cara sensacional.

Um pouco sensacional demais, pensou Mary.

NA MANHÃ SEGUINTE, quando Mike entrou em sua sala, Mary foi logo dizendo:

— Soube que você levou Beth e Tim à escola.

Ele acenou com a cabeça.

— Não é fácil para os jovens tentarem se adaptar a um país estrangeiro. Eles são bons garotos.

Será que ele tinha filhos? Mary compreendeu de repente que sabia muito pouco a respeito da vida pessoal de Mike Slade. *Provavelmente é melhor assim*, concluiu ela. *Afinal, ele quer que eu fracasse.*

E ela queria ser bem-sucedida.

NA TARDE DE SÁBADO, Mary levou as crianças ao Clube Diplomático, onde a comunidade se reunia para conversar.

Correndo os olhos pelo pátio, Mary viu Mike Slade tomando um drinque com alguém. Quando a mulher se virou, ela constatou que era Dorothy Stone. E sentiu um choque momentâneo. Era como se sua secretária estivesse colaborando com o inimigo. Perguntou-se até que ponto Dorothy e Mike Slade seriam íntimos. *Devo ter a cautela de não confiar demais nela*, pensou Mary. *Nem em qualquer outra pessoa.*

Harriet Kruger estava sentada sozinha a uma mesa. Mary aproximou-se.

— Posso sentar com você?

— Terei o maior prazer. — Harriet tirou da bolsa um maço de cigarros americanos. — Aceita um cigarro?

— Não, obrigada. Não fumo.

— Uma pessoa não pode viver neste país sem o cigarro.

— Não entendi.

— Os maços de Kent fazem a economia funcionar. Literalmente. Se quer ver um médico, ofereça cigarros à enfermeira. Se quer carne do açougueiro, um mecânico para consertar seu carro ou um eletricista para dar um jeito numa lâmpada... suborne-os com cigarros. Tinha uma amiga italiana que precisava fazer uma pequena operação. Ela precisou subornar a enfermeira responsável para lhe arrumar uma lâmina nova ao prepará-la para a cirurgia. E teve de subornar também as outras enfermeiras para usarem ataduras novas depois que limparam o ferimento, em vez de usarem outra vez as ataduras antigas.

— Mas por que...?

Harriet Kruger explicou:

— Este país tem escassez de ataduras e de todos os outros medicamentos e suprimentos médicos que puder imaginar. O mesmo acontece em todos os países da Europa Oriental. No mês passado houve uma epidemia de botulismo na Alemanha Oriental. Precisaram importar o soro do Ocidente.

— E as pessoas não têm como se queixar — comentou Mary.

— Sempre dão um jeito. Nunca ouviu falar de Bula?

— Não.

— É um personagem mítico que os romenos usam para aliviar um pouco a pressão. Há uma história de pessoas na fila da carne durante um dia inteiro e a fila quase não anda. Depois de cinco horas de espera, Bula fica furioso e diz: "Vou ao palácio para matar Ionescu!" Ele volta à fila duas horas depois e os amigos perguntam: "O que aconteceu? Conseguiu matá-lo?" E Bula responde: "Não. A fila lá estava maior."

Mary riu. Harriet Kruger acrescentou:

— Sabe qual é um dos artigos mais procurados no mercado negro local? Videocassetes de nossos programas de televisão.

— Eles gostam de assistir a filmes americanos?

— Não. Interessam-se pelos comerciais. Todas as coisas que encaramos como banais... máquina de lavar roupa, aspirador de pó, aparelho de televisão, automóvel... estão fora do alcance dos romenos. E ficam fascinados pelos comerciais. Quando o filme recomeça, eles aproveitam para ir ao banheiro.

Mary virou a cabeça a tempo de ver Mike Slade e Dorothy Stone deixarem o clube. Ficou especulando para onde eles estavam indo.

QUANDO MARY chegava em casa à noite, depois de um dia comprido e árduo na embaixada, tudo o que queria era tomar um banho, trocar de roupa e esquecer o que fizera. Parecia que todos os seus minutos na embaixada estavam ocupados e nunca tinha tempo para si mesma. Mas não demorou a descobrir que a situação era idêntica na residência. Aonde quer que fosse, lá estavam os criados, e Mary tinha a sensação desagradável de que a espionavam.

Uma madrugada, às duas horas, ela desceu e foi à cozinha. Ouviu um barulho ao abrir a geladeira. Virou-se e deparou com Mihai, o mordomo, de chambre, e Rosica, Delia e Carmen ali de pé.

— Em que posso servi-la, senhora? — perguntou Mihai.

— Nada — respondeu Mary. — Eu só queria uma coisa para comer.

Cosma, a cozinheira, apareceu e disse, em voz magoada:

— Tudo o que a senhora precisava fazer era me dizer que estava com fome e eu providenciaria alguma coisa.

Todos a fitavam com expressões de reprovação.

— Acho que no fundo não estou com fome. Obrigada.

E voltou quase correndo para seu quarto.

No dia seguinte relatou o incidente às crianças e comentou:

— Eu me senti como a segunda esposa em *Rebeca*!

— O que é *Rebeca*? — perguntou Beth.

— É um livro maravilhoso que você lerá um dia.

QUANDO CHEGOU à embaixada, Mary encontrou Mike Slade à sua espera.

— Temos um garoto doente e seria bom você dar uma olhada — disse ele.

Mike conduziu-a a uma sala pequena no final do corredor. Um jovem fuzileiro estava estendido no sofá, muito pálido, gemendo de dor.

— O que aconteceu? — perguntou Mary.

— Meu palpite é apendicite.

— Então é melhor levá-lo para o hospital imediatamente.

Mike virou-se e fitou-a.

— Não aqui.

— Como assim?

— Temos de mandá-lo de avião para Roma ou Zurique.

— Mas isso é um absurdo! — disse Mary asperamente, baixando a voz para que o rapaz não a ouvisse. — Não percebe como ele está passando mal?

— Absurdo ou não, ninguém de uma embaixada americana jamais vai para um hospital num país da Cortina de Ferro.

— Mas por quê?

— Porque somos vulneráveis. Ficaríamos à mercê do governo romeno e da Securitate. Podem nos fazer dormir com éter ou dar escopolamina... e podem nos arrancar todas as informações. É uma regra do Departamento de Estado... nós o mandamos de avião para tratamento em outro país.

— Por que a embaixada não tem seu próprio médico?

— Porque somos uma embaixada da categoria C. Nosso orçamento não dá para um médico. Um médico americano nos visita de três em três meses. Nos intervalos, temos um farmacêutico para ajudar nos pequenos problemas. — Mike foi até uma mesa e pegou um pedaço de papel. — Basta assinar isto e ele partirá. Providenciarei um voo especial.

— Está bem. — Mary assinou a autorização, depois se aproximou do jovem fuzileiro e pegou-lhe a mão, murmurando: — Não se preocupe. Você vai ficar bom.

Duas horas depois o fuzileiro estava num avião, a caminho de Zurique.

Na manhã seguinte, quando Mary lhe perguntou como estava o jovem fuzileiro, ele deu de ombros e disse, indiferente:

— Foi operado e vai ficar bom.

Que homem mais frio!, pensou Mary. *Tenho dúvidas se alguma coisa é capaz de comovê-lo.*

Capítulo 21

NÃO IMPORTAVA QUÃO cedo Mary chegasse à embaixada pela manhã, Mike Slade sempre a precedia. Ela quase não o encontrava nas festas diplomáticas e tinha a impressão de que ele preferia suas diversões particulares todas as noites.

Mike Slade era uma surpresa constante. Uma tarde Mary concordou em deixar Florian levar Beth e Tim para patinarem no gelo, no Parque Floreasca. Mary saiu mais cedo da embaixada para ir ao encontro deles, e quando chegou ao parque descobriu que Mike Slade estava com as crianças. Os três patinavam juntos, obviamente se divertindo muito. Ele ensinava pacientemente as crianças a fazerem oitos. *Devo alertar as crianças contra ele*, pensou Mary. Mas ela não sabia exatamente contra o que advertir.

NA MANHÃ SEGUINTE, assim que Mary chegou a sua sala, Mike entrou e anunciou:

— Uma decon vai chegar dentro de duas horas. Achei que...

— Decon?

— É o jargão diplomático para indicar uma delegação de congressistas. Quatro senadores, acompanhados pelas esposas e assessores. Esperam que você os receba. Marcarei uma audiência com o presidente Ionescu e pedirei a Harriet que cuide das compras e excursões turísticas.

— Obrigada.

— Quer um pouco do meu café?

— Boa ideia.

Ela observou-o passar pela porta de ligação entre as duas salas. Um homem estranho. Rude, grosseiro. E, no entanto, tinha uma imensa paciência com Beth e Tim. Quando ele voltou com as duas xícaras de café, Mary perguntou:

— Você tem filhos?

A pergunta pegou Mike Slade de surpresa.

— Tenho dois meninos.

— Onde estão?

— Sob a custódia de minha ex-esposa. — Ele mudou de assunto abruptamente. — Vamos ver se consigo a audiência com Ionescu.

O café estava delicioso. Mary se lembraria mais tarde que aquele fora o dia em que compreendera que tomar café com Mike Slade se tornara um ritual matutino.

ANGEL FOI BUSCÁ-LA à noite, em La Boca, perto do cais, onde ela fazia ponto, com as outras prostitutas, vestindo uma blusa bem justa e *jeans* cortado nas coxas, mostrando o que tinha para vender. Parecia não ter mais que quinze anos. Não era bonita, mas isso não incomodava Angel.

— *Vamonos, querida.* Vamos nos distrair.

A garota morava num apartamento ordinário, num prédio sem elevador, ali perto. O cômodo imundo tinha uma cama, duas cadeiras, um abajur e uma pia.

— Tire as roupas, Estrelita. Quero ver você nua.

A garota hesitou. Havia alguma coisa em Angel que a assustava. Mas fora um dia fraco e precisava levar dinheiro para Pepe ou levaria uma surra. Lentamente, ela começou a se despir.

Angel ficou observando. Primeiro foi a blusa e depois o *jeans*. A garota não usava nada por baixo. O corpo era pálido e magro.

— Fique com os sapatos. Venha até aqui e se ajoelhe.

A garota obedeceu.

— O que eu quero que você faça é o seguinte.

A garota escutou e levantou os olhos, apavorada.

— Nunca fiz...

Angel chutou-a na cabeça. Ela caiu no chão, gemendo. Angel levantou-a pelos cabelos e jogou-a em cima da cama. Quando ela começou a gritar, ele lhe desferiu um violento murro no rosto. Ela gemeu.

— Assim está melhor — disse Angel. — Quero ouvir você gemer.

Um punho enorme acertou no nariz da garota e quebrou-o. Quando Angel acabou, meia hora depois, a garota estava inconsciente. Ele sorriu para o corpo todo arrebentado e jogou alguns pesos na cama, murmurando:

— *Gracias.*

MARY PASSAVA todos os momentos que podia com os filhos. Faziam muitos passeios turísticos. Havia dezenas de museus e igrejas antigas para visitar, mas o ponto alto para as crianças foi o castelo de Drácula, em Brasov, no coração da Transilvânia, a 150 quilômetros de Bucareste.

— O conde era na verdade um príncipe — explicou Florian, durante a viagem. — Príncipe Vlad Tepes. Foi um grande herói que conteve a invasão turca.

— Pensei que ele só gostava de chupar sangue e matar as pessoas — comentou Tim.

Florian balançou a cabeça.

— Infelizmente, depois da guerra o poder subiu à cabeça de Vlad. Ele se tornou um ditador e empalava os inimigos. E surgiu a lenda de que ele era um vampiro. Um dos seus conterrâneos, chamado Bram Stoker, escreveu um livro baseado nessa lenda. Um livro tolo, mas que fez maravilhas pelo turismo.

O castelo era um enorme monumento de pedra, no alto das montanhas. Todos estavam exaustos ao subirem os íngremes degraus de pedra que levavam ao castelo. Entraram numa sala de teto baixo, que continha armas e artefatos antigos.

— Era aqui que o conde Drácula assassinava suas vítimas e lhes bebia o sangue — disse o guia, em tom sepulcral.

A sala era úmida e assustadora. Tim roçou o rosto numa teia de aranha e disse à mãe:

— Não tenho medo de nada, mas podemos sair daqui?

A CADA SEIS semanas um avião C-130 da Força Aérea Americana pousava num pequeno aeroporto, nos arredores de Bucareste. O avião vinha carregado de alimentos e muitos artigos que não se podia encontrar em Bucareste, encomendados pelo pessoal da embaixada americana, através do reembolsável militar em Frankfurt.

Uma manhã, quando tomava café com Mary, Mike Slade disse:

— Nosso avião de carga vai chegar hoje. Por que não vai ao aeroporto comigo?

Mary já se dispunha a dizer que não. Tinha muito trabalho e parecia um convite inútil. Só que Mike Slade não era um homem de desperdiçar tempo. A curiosidade acabou por prevalecer e ela respondeu:

— Está certo.

No caminho para o aeroporto eles discutiram diversos problemas da embaixada. A conversa foi mantida num nível frio e impessoal.

Ao chegarem ao aeroporto, um sargento dos fuzileiros, armado, abriu o portão para a limusine passar. Dez minutos depois eles observaram a aterrissagem do C-130.

Por trás da cerca no perímetro da pista estavam reunidos centenas de romenos. Ficaram olhando, ansiosos, enquanto o avião era descarregado.

— O que aquela multidão está fazendo aqui?

— Sonhando. Contemplam algumas das coisas que nunca poderão ter. Sabem que estamos recebendo bife, sabonete e perfume. Há sempre uma multidão quando o avião chega. Parece que há uma espécie de telégrafo subterrâneo misterioso.

Mary estudou os rostos ávidos no outro lado da cerca.

— É incrível...

— Aquele avião é um símbolo para eles. Não é apenas a carga... representa um país livre que cuida de seus cidadãos.

Mary virou-se para fitá-lo.

— Por que me trouxe aqui?

— Porque não quero que se deixe impressionar pela conversa macia do presidente Ionescu. Esta é a verdadeira Romênia.

TODAS AS MANHÃS, ao chegar para o trabalho, Mary notava uma fila de pessoas à espera no portão, querendo entrar na seção consular da embaixada. Presumira que eram pessoas com pequenos problemas que o cônsul podia resolver. Mas naquela manhã em particular ela foi até a janela para um exame mais atento, e as expressões das pessoas levaram-na a ir à sala de Mike.

— Quem são aquelas pessoas que estão esperando na fila lá fora?

Mike foi com ela até a janela.

— Quase todos são judeus romenos. Estão esperando para apresentar pedidos de visto.

— Mas não existe uma embaixada israelense em Bucareste? Por que não vão para lá?

— Por dois motivos. Em primeiro lugar, acham que o governo dos Estados Unidos tem mais possibilidade de ajudá-los a chegar a Israel do que o governo israelense. Em segundo, eles acham que é menor o risco de a polícia de segurança descobrir suas intenções se vierem nos procurar. Estão enganados, é claro. — Mike apontou pela janela. — Há um prédio no outro lado da embaixada em que diversos apartamentos são ocupados por agentes que usam teleobjetivas para fotografar todo mundo que entra e sai daqui.

— Mas isso é terrível!

— É assim que eles agem. Quando os judeus de uma família solicitam um visto para emigrar, perdem os cartões verdes de trabalho e são expulsos de seus apartamentos. Os vizinhos recebem ordens para lhes dar as costas. O governo leva três ou quatro anos para dizer se os deixa ou não partirem, e a resposta quase sempre é não.

— Não podemos fazer nada a respeito?

— Estamos sempre tentando. Ionescu gosta de fazer um jogo de gato e rato com os judeus. Bem poucos recebem permissão para deixar o país.

Mary contemplou os rostos desesperados e murmurou:

— Tem de haver uma maneira.

— Não parta seu coração — recomendou Mike.

O PROBLEMA DE fuso horário era extenuante. Quando era dia em Washington, era o meio da noite em Bucareste. Mary era constantemente despertada por telegramas e telefonemas às três ou quatro horas da madrugada. Cada vez que chegava um telegrama noturno, o fuzileiro de plantão na embaixada ligava para o oficial de serviço, que mandava um assistente à residência oficial acordar Mary. Depois disso, ela ficava excitada demais para voltar a dormir.

É emocionante, Edward. Estou convencida de que posso me distinguir aqui. De qualquer forma, estou tentando. Não suportaria fracassar. Todos estão contando comigo. Eu gostaria que você esti-

vesse aqui para dizer: "Você pode conseguir, menina." Sinto muita saudade. Pode me ouvir, Edward? Está por aqui, em algum lugar, onde não posso vê-lo? Há ocasiões em que não saber a resposta para isso me deixa louca...

ESTAVAM TOMANDO o café da manhã.

— Temos um problema — anunciou Mike Slade.

— Qual é?

— Uma delegação de uma dúzia de dirigentes da igreja romena quer falar com você. Uma igreja de Utah convidou-os para uma visita. O governo romeno não quer conceder o visto de saída.

— Por que não?

— São bem poucos os romenos que recebem permissão para deixar o país. Há uma piada sobre o dia em que Ionescu assumiu o poder. Ele foi para a ala leste do palácio e observou o sol nascer. "Bom-dia, camarada sol", disse Ionescu. "Bom-dia", respondeu o sol. "Todos estão felizes porque você é o novo presidente da Romênia." Ao final do dia Ionescu foi para a ala oeste do palácio, a fim de observar o sol se pôr. E disse: "Boa-noite, camarada sol." O sol não respondeu. "Como é possível que tenha me falado tão gentilmente esta manhã e agora não quer me dizer nada?" Ao que o sol declarou: "Estou no Ocidente agora. E quero que você se dane." Ionescu tem medo de que os dirigentes da igreja lhe digam para se danar depois que estiverem no Ocidente.

— Falarei com o ministro do Exterior e verei o que posso fazer.

Mike levantou-se.

— Gosta de dança folclórica?

— Por quê?

— Há uma companhia de dança romena estreando esta noite. Dizem que é excelente. Gostaria de ir?

Mary foi tomada de surpresa. A última coisa que podia esperar era um convite de Mike para saírem.

E um momento depois, o que era ainda mais inacreditável, ela se descobriu a dizer que sim.

— Ótimo. — Mike estendeu um pequeno envelope. — Aqui estão três ingressos. Pode levar Beth e Tim. Cortesia do governo romeno. Recebemos ingressos para a maioria das estreias.

Mary continuou sentada, o rosto afogueado, sentindo-se uma tola.

— Obrigada — murmurou ela, muito tensa.

— Mandarei Florian ir buscá-la às oito horas.

Beth e Tim não estavam interessados em ir ao teatro. Beth convidara uma colega de escola para jantar.

— É minha amiga italiana — explicou ela. — Não tem problema?

— Para ser franco, nunca gostei muito de dança folclórica — acrescentou Tim.

Mary soltou uma risada.

— Está bem. Vou deixar os dois escaparem desta vez.

Imaginou se os filhos se sentiam igualmente solitários. Pensou em quem poderia convidar para acompanhá-la. Repassou a lista mentalmente: coronel McKinney, Jerry Davis, Harriet Kruger? Não havia ninguém cuja companhia realmente desejasse. *Irei sozinha*, decidiu.

Florian estava à espera quando Mary passou pela porta da frente.

— Boa-noite, senhora embaixadora.

Ele fez uma mesura e abriu a porta do carro.

— Parece muito alegre esta noite, Florian.

Ele sorriu.

— Estou sempre alegre, senhora. — Florian fechou a porta depois que ela embarcou e foi sentar ao volante. — Os romenos têm um ditado: "Beije a mão que não pode morder."

Mary resolveu correr um risco.

— Sente-se feliz em viver aqui, Florian?

— Devo lhe dar a resposta oficial, senhora embaixadora, ou quer a verdade?

— A verdade, por favor.

— Eu poderia ser fuzilado por dizer isso, mas nenhum romeno se sente feliz por viver aqui. Só os estrangeiros. Vocês têm liberdade para ir e vir, como quiserem. Nós somos prisioneiros. E não há quantidade suficiente de nada no país.

Eles estavam passando por uma fila comprida na frente de um açougue e Florian acrescentou:

— Está vendo aquilo? Eles vão esperar três ou quatro horas na fila para conseguir uma ou duas costeletas de carneiro, e metade ficará desapontada. O mesmo acontece com todas as outras mercadorias. Mas quer saber quantas casas Ionescu tem? Doze! Já conduzi muitas autoridades romenas a essas casas. Cada uma é um verdadeiro palácio. Enquanto isso, três ou quatro famílias são obrigadas a morar juntas num pequeno apartamento, sem aquecimento.

Florian parou de falar bruscamente, como se estivesse com medo de já ter dito demais.

— Não vai mencionar esta conversa a ninguém, não é?

— Claro que não.

— Obrigado. Eu não gostaria que minha esposa ficasse viúva. Ela é jovem. E judia. Temos aqui o problema do antissemitismo.

Mary já sabia disso.

— Há uma história de uma loja que prometeu ovos frescos. Às cinco horas da manhã havia uma fila comprida à espera, sob um frio enregelante. Por volta das oito horas os ovos ainda não haviam aparecido e a fila aumentara. O dono da loja disse: "Não haverá ovos suficientes para todos. Os judeus podem sair da fila." Às duas horas da tarde os ovos ainda não haviam chegado e a fila era ainda mais comprida. O dono disse: "Os que não são do partido podem se retirar." À meia-noite a fila ainda esperava, no frio intenso. O dono trancou a loja e disse: "Nada mudou. Os judeus sempre levam a melhor em tudo."

Mary não sabia se ria ou chorava. *Mas vou fazer alguma coisa a respeito*, prometeu a si mesma.

O TEATRO FICAVA na Rasodia Romană, uma rua movimentada, com estandes pequenos vendendo flores, barbatanas de plástico, blusas e canetas. Era um teatro pequeno e todo ornamentado, uma relíquia de dias mais tranquilos. O espetáculo em si foi maçante, os trajes de mau gosto e os dançarinos desajeitados. Parecia interminável, e quando finalmente acabou, Mary sentiu-se contente em escapar para o ar fresco da noite. Florian esperava junto à limusine, na frente do teatro.

— Lamento, senhora embaixadora, mas haverá um atraso. Um pneu furado. E um ladrão roubou o estepe. Já mandei buscar outro. Deverá estar aqui em menos de uma hora. Gostaria de esperar no carro?

Mary levantou os olhos para a lua cheia. Era uma noite clara e agradável. Ela compreendeu que não andava pelas ruas de Bucareste desde que chegara. E tomou uma súbita decisão.

— Acho que voltarei a pé para casa. — Ela balançou a cabeça. — É uma ótima noite para andar.

Mary virou-se e foi andando pela rua na direção da praça central. Bucareste era uma cidade exótica e fascinante. Havia placas misteriosas nas esquinas: *TUTEN... PIINE... CHIMÍST...*

Ela desceu pela Calea Moşilor e virou na Strada Maria Rosetti, por onde passavam tróleis vermelhos e marrons, lotados. Mesmo àquela hora tardia, a maioria das lojas estava aberta e havia filas na frente de todas. Os cafés serviam *gogoase*, as deliciosas rosquinhas romenas. As calçadas estavam apinhadas de pessoas fazendo compras, carregando *pungi*, as bolsas de corda. Mary achou que as pessoas estavam sinistramente quietas. Pareciam observá-la atentamente, as mulheres invejando suas roupas. Ela passou a andar mais depressa.

Parou ao chegar à esquina da Calea Victoriei, sem saber direito que direção tomar. Ela pediu a um transeunte:

— Por favor, pode me indicar o caminho para...

O homem lançou-lhe um olhar rápido e assustado e tratou de se afastar, apressado.

Eles não devem falar com estranhos, lembrou Mary.

Como ela conseguiria voltar? Tentou visualizar o caminho que percorrera com Florian. Tinha a impressão de que a residência ficava em algum lugar para leste. Pôs-se a andar nessa direção. Logo estava numa pequena rua transversal, mal iluminada. A distância, podia divisar uma avenida larga e bem iluminada. *Poderei pegar um táxi quando chegar lá*, pensou Mary, aliviada.

Ouviu o som de passos por trás e se virou, involuntariamente. Um homem grande, de sobretudo, avançava em sua direção, a passos largos. Mary passou a andar mais depressa.

— Com licença — chamou o homem, num forte sotaque romeno. — Está perdida?

Mary experimentou um profundo alívio. Provavelmente era algum policial. Talvez a seguisse para cuidar que se mantivesse sã e salva.

— Estou, sim — respondeu ela, agradecida. — Quero voltar para...

Houve o súbito barulho de um motor e um carro correndo por trás dela, depois os pneus rangendo na parada. O homem de sobretudo agarrou Mary. Ela sentiu seu bafo quente e fétido, os dedos fortes lhe apertando o pulso. Ele começou a empurrá-la para a porta aberta do carro. Mary lutava para se desvencilhar...

— Entre no carro! — resmungou o homem.

— Não! — Ela estava gritando. — Socorro! Socorro!

Um grito soou no outro lado da rua e um vulto começou a correr na direção deles. O homem parou, sem saber o que fazer. O estranho berrou:

— Largue-a!

Ele agarrou o homem de sobretudo e puxou-o para longe de Mary. Ela se descobriu subitamente livre. O homem ao volante estava saindo do carro para ajudar o cúmplice.

A distância, soava uma sirene se aproximando. O homem de sobretudo gritou alguma coisa para seu companheiro. Os dois entraram no carro e se afastaram a toda a velocidade.

Um carro azul e branco com a palavra *Militia* do lado e uma luz azul faiscante no teto parou na frente de Mary. Dois homens uniformizados saltaram. Um deles perguntou, em romeno:

— Está bem? — E depois acrescentou, num inglês vacilante: — O que aconteceu?

Mary estava fazendo o maior esforço para se controlar.

— Dois homens... tentaram me forçar a entrar em seu carro... Se... se não fosse esse cavalheiro...

Ela virou-se.

O estranho desaparecera.

Capítulo 22

Ela lutou a noite inteira, debatendo-se para escapar dos homens, despertando em pânico, tornando a dormir, acordando outra vez. Reconstituía a cena de maneira interminável: os passos súbitos avançando depressa em sua direção, o carro parando, o homem tentando forçá-la a embarcar. Sabiam quem ela era? Ou apenas tentavam roubar uma turista que vestia roupas americanas?

Mike Slade estava à sua espera quando Mary chegou à embaixada. Entrou em sua sala com duas xícaras de café e sentou na frente da mesa, indagando:

— Como foi o teatro?

— Muito bom.

O que acontecera depois não era da conta de Mike Slade.

— Ficou machucada?

Ela fitou-o, surpresa.

— Como?

— Quando tentaram sequestrá-la — disse Mike, paciente. — Eles a machucaram?

— Eu... como soube?

A voz de Mike estava repleta de ironia:

— A Romênia, senhora embaixadora, é um segredo enorme e aberto. Não se pode tomar um banho sem que todos saibam. Não foi muito inteligente de sua parte sair para dar um passeio sozinha.

— Sei disso agora — respondeu Mary friamente. — Não acontecerá de novo.

— Ótimo. O homem levou alguma coisa?

— Não.

Mike franziu o rosto.

— Não faz sentido. Se quisessem o casaco ou a bolsa, poderiam arrancar na rua. Tentar forçá-la a entrar num carro significa que era um sequestro.

— Quem poderia querer me sequestrar?

— Não seriam os homens de Ionescu. Ele está tentando manter nossas relações em bom nível. Teria de ser algum grupo dissidente.

— Ou bandidos que queriam me manter por um resgate.

— Não há sequestro por resgate neste país. Se pegassem alguém fazendo isso, não haveria nem julgamento... seria logo um pelotão de fuzilamento. — Ele tomou um gole do café. — Posso lhe dar um conselho?

— Estou escutando.

— Volte para casa.

— Como?

Mike Slade largou a xícara na mesa.

— Tudo o que precisa fazer é despachar uma carta de renúncia, pegar as crianças e voltar para o Kansas, onde estará segura.

Mary pôde sentir que seu rosto ficava vermelho.

— Cometi um erro, senhor Slade. Não foi o primeiro e provavelmente não será o último. Mas fui designada para este posto pelo presidente dos Estados Unidos, e até que ele me dispense não quero que você nem qualquer outra pessoa me diga para voltar para casa. — Fez um esforço para manter a voz sob controle. —

Espero que as pessoas nesta embaixada trabalhem comigo, e não contra mim. Se acha que é pedir demais, por que *você* não volta para casa?

Mary estava agora tremendo de raiva. Mike Slade levantou-se.

— Providenciarei para que os relatórios da manhã lhe sejam encaminhados, senhora embaixadora.

A TENTATIVA DE sequestro foi o único tema das conversas na embaixada naquela manhã. *Como todos descobriram?*, pensou Mary. *E como Mike Slade descobriu?* Ela gostaria de saber quem fora seu salvador, a fim de poder agradecer. No rápido vislumbre que tivera dele, ficara com a impressão de um homem atraente, talvez com quarenta e poucos anos, cabelos prematuramente grisalhos. Tinha um sotaque estrangeiro — talvez francês. Se fosse um turista, era possível que àquela altura já tivesse deixado a Romênia.

UMA IDEIA ASSEDIAVA Mary e era difícil descartá-la. Só conhecia uma pessoa que queria se livrar dela: Mike Slade. E se ele tivesse tramado o ataque, a fim de assustá-la e forçá-la a ir embora? Afinal, Mike lhe dera os ingressos para o teatro. Sabia onde ela estaria. Era uma possibilidade que se recusava a sair de seus pensamentos.

MARY DEBATERA CONSIGO mesma se deveria falar às crianças sobre a tentativa de sequestro, e acabou decidindo que era melhor não contar nada. Não queria assustá-las. Mas daria um jeito para que nunca ficassem sozinhas.

HAVIA UM COQUETEL na embaixada francesa naquela noite, em homenagem a uma pianista francesa que visitava o país.

Mary estava cansada e nervosa, daria qualquer coisa para evitar o compromisso, mas sabia que tinha a obrigação de comparecer.

TOMOU BANHO e escolheu um vestido. Ao pegar os sapatos, notou que um deles estava com o salto quebrado. Tocou a campainha, chamando Carmen.

— Pois não, senhora embaixadora?

— Carmen, quer fazer o favor de levar este sapato a um sapateiro e mandar consertá-lo?

— Claro, senhora. Mais alguma coisa?

— Não, obrigada. É só.

QUANDO MARY CHEGOU, já havia muitos convidados na embaixada francesa. Ela foi recebida na porta pelo assessor do embaixador francês, a quem já conhecera numa visita anterior à embaixada. Ele pegou sua mão e beijou-a.

— Boa-noite, senhora embaixadora. Foi muita gentileza sua ter vindo.

— Foi muita gentileza de vocês terem me convidado — respondeu Mary.

Os dois sorriram das frases vazias de cortesia.

— Permita que a acompanhe até o embaixador.

Ele escoltou Mary pelo salão de baile apinhado, onde ela avistou os rostos familiares com que vinha se encontrando há semanas. Ela cumprimentou o embaixador francês e trocaram algumas cortesias.

— Vai gostar de madame Dauphin. É uma pianista extraordinária.

— Estou ansiosa por conhecê-la — mentiu Mary.

Um criado passou com uma bandeja de copos com champanhe. Mary já aprendera a beber apenas pequenos goles nas diversas embaixadas. Ao virar-se para cumprimentar o embaixador australiano, avistou o estranho que a salvara dos sequestradores. Ele estava num canto, conversando com o embaixador italiano e seu assessor.

— Com licença, por favor — disse Mary.

Atravessou o salão na direção do francês. Ele estava dizendo:

— Claro que sinto saudade de Paris, mas espero que no próximo ano...

Parou de falar ao ver Mary se aproximar, e depois de um instante acrescentou:

— Ah, a dama em perigo...

— Já se conhecem? — perguntou o embaixador italiano.

— Ainda não fomos oficialmente apresentados — disse Mary.

— Senhora embaixadora, permita que lhe apresente o doutor Louis Desforges.

A expressão no rosto do francês mudou.

— *Senhora embaixadora?* Peço perdão! Eu não tinha a menor ideia! — A voz era embaraçada. — Deveria tê-la reconhecido, é claro.

— Fez melhor do que isso — comentou Mary, sorrindo. — Você me salvou.

O embaixador italiano olhou para o médico e disse:

— Ah, então foi você! — Ele virou-se para Mary. — Já soube de sua lamentável experiência.

— Seria ainda mais lamentável se o doutor Desforges não tivesse aparecido. Obrigada.

Louis Desforges sorriu.

— Estou feliz por eu ter estado no lugar certo no momento certo.

O embaixador e seu assessor viram a chegada de um contingente inglês. O embaixador disse:

— Se nos derem licença, tem uma pessoa que preciso cumprimentar.

Os dois homens se afastaram apressadamente. Mary ficou a sós com o médico.

— Por que foi embora quando a polícia chegou?

Ele estudou-a por um momento.

— Não é boa política o envolvimento com a polícia romena. Eles têm o hábito de deter testemunhas e depois lhes arrancar todas as informações possíveis. Sou médico, adido à embaixada francesa aqui, não tenho imunidade diplomática. Mas sei de muita coisa que ocorre em nossa embaixada, e as informações poderiam ser valiosas para os romenos. — Ele sorriu. — Por isso, peço que me perdoe se dei a impressão de que a abandonei.

Ele tinha uma franqueza fascinante. De alguma forma que Mary não podia definir, fazia com que se lembrasse de Edward. Talvez porque Louis Desforges era médico. Não, era mais do que isso. Ele tinha a mesma sinceridade de Edward, quase o mesmo sorriso.

— Se me dá licença — disse o doutor Desforges —, tenho de ir para desempenhar meu papel de animal social.

— Não gosta de festas?

Ele estremeceu.

— Detesto.

— E sua esposa gosta?

Ele fez menção de dizer alguma coisa e depois hesitou.

— Ela gostava. Muito.

— Não está aqui esta noite?

— Ela e nossos dois filhos morreram.

Mary empalideceu.

— Oh, Deus, sinto muito! Como...?

O rosto de Desforges estava rígido.

— A culpa foi minha. Vivíamos na Argélia. Eu pertencia ao movimento clandestino, lutando contra os terroristas. — As palavras saíam lentas e hesitantes. — Descobriram minha identidade e explodiram a casa. Eu estava ausente na ocasião.

— Sinto muito — repetiu Mary, sabendo que eram palavras inadequadas e inúteis.

— Obrigado. Há um clichê de que o tempo cura tudo. Não acredito mais nisso.

Sua voz era amargurada. Mary pensou em Edward e no quanto ainda sentia saudade. Mas aquele homem vivia com sua dor há mais tempo.

— Se me dá licença agora, senhora embaixadora...

Ele afastou-se para cumprimentar um grupo de convidados que chegavam.

Ele me lembra um pouco você, Edward. Gostaria dele. É um homem corajoso. Sofre muito e acho que é isso o que me atrai nele. Também sofro muito, querido. Será que algum dia conseguirei superar a saudade que sinto de você? Eu me sinto muito solitária aqui. Não há ninguém com quem eu possa conversar. Quero desesperadamente ser bem-sucedida. Mike Slade está tentando fazer com que eu volte para casa. Não voltarei. Mas como preciso de você! Boa-noite, meu querido.

Na manhã seguinte Mary falou pelo telefone com Stanton Rogers. Foi maravilhoso ouvir sua voz. *É como um elo vital com o lar,* pensou ela.

— Estou recebendo os melhores relatórios sobre você — disse Stanton Rogers. — A história de Hannah Murphy deu manchete aqui. Fez um excelente trabalho.

— Obrigada, Stan.

— Fale-me sobre a tentativa de sequestro, Mary.

— Já conversei com o primeiro-ministro e o diretor da Securitate, e eles não têm qualquer pista.

— Mike Slade não lhe avisou para não sair sozinha?

Mike Slade.

— Avisou, Stan.

Devo contar a ele que Mike Slade também me disse que era melhor eu voltar para casa? Não, decidiu Mary. *Cuidarei sozinha do senhor Slade.*

— Não se esqueça de que sempre estarei à sua disposição. A qualquer momento.

— Sei disso — respondeu Mary, agradecida. — E não tenho palavras para expressar o quanto isso significa para mim.

O telefonema fez com que ela se sentisse muito melhor.

— TEMOS UM PROBLEMA. Há um vazamento em algum lugar da embaixada.

Mary e Mike Slade estavam tomando um café, antes da reunião diária da equipe.

— E é sério?

— Muito sério. O adido comercial, David Victor, teve algumas reuniões com o ministro do Comércio romeno.

— Sei disso. Discutimos o assunto na semana passada.

— É verdade. Quando David voltou para a segunda reunião, eles já haviam antecipado todas as contrapropostas que apresentamos. Sabiam até que ponto exatamente estávamos dispostos a ir.

— Não é possível que eles apenas tenham calculado o que poderíamos propor?

— Claro que é possível. Só que discutimos algumas novas propostas e outra vez eles se anteciparam.

Mary ficou pensativa por um momento.

— Acha que é alguém da equipe?

— Não apenas *alguém*. A última reunião executiva foi realizada na Sala Bolha. Nossos peritos em eletrônica concluíram que o vazamento foi lá.

Mary ficou surpresa. Havia apenas oito pessoas que tinham permissão para realizar reuniões na Sala Bolha, os principais executivos da embaixada.

— Quem quer que seja, está usando um equipamento eletrônico, provavelmente um gravador. Sugiro que convoque uma reunião esta manhã para a Sala Bolha, com o mesmo grupo. Nossos instrumentos poderão indicar o culpado. Havia oito pessoas sentadas em torno da mesa na Sala Bolha. Eddie Maltz, o adido político e homem da CIA; Patricia Hatfield, conselheira econômica; Jerry Davis, assuntos públicos; David Victor, adido comercial; Lucas Janklow, adido administrativo; e o coronel McKinney. Mary estava numa extremidade da mesa e Mike Slade na outra. Mary olhou para David Victor.

— Como foram suas reuniões com o ministro do Comércio romeno?

O adido comercial sacudiu a cabeça.

— Para ser franco, não foram tão bem quanto eu esperava. Eles parecem saber de tudo o que tenho a dizer, antes mesmo que eu comece a falar. Apareço com novas propostas e eles já prepararam os argumentos em contrário. É como se lessem meus pensamentos.

— Talvez isso esteja mesmo acontecendo — comentou Mike Slade.

— Como assim?

— Estão lendo os pensamentos de alguém nesta sala. — Mike pegou um telefone vermelho em cima da mesa. — Mande-o entrar.

Um momento depois a enorme porta foi aberta e um homem à paisana entrou, carregando uma caixa preta com um mostrador. Eddie Maltz disse:

— Ei, ninguém tem permissão...

Mary não o deixou continuar:

— Está tudo bem. Temos um problema e este homem vai resolvê-lo. — Ela olhou para o recém-chegado. — Pode começar.

— Certo. Eu gostaria que todos continuassem sentados onde estão, por favor.

Enquanto o grupo observava, ele foi até Mike Slade e suspendeu a caixa. A agulha no mostrador permaneceu no zero. O homem passou para Patricia Hatfield. A agulha continuou imóvel. Eddie Maltz foi o seguinte, depois Jerry Davis e Lucas Janklow. A agulha permaneceu imóvel. O homem passou para David Victor e finalmente para o coronel McKinney. A agulha não mexeu. Só restava Mary. Quando ele se aproximou dela, a agulha começou a tremer freneticamente. Mike Slade disse:

— Mas o que... — Ele se levantou e chegou perto do civil, perguntando-lhe: — Tem certeza?

A agulha parecia enlouquecida.

— Absoluta — respondeu o homem.

Mary levantou-se, confusa.

— Importa-se de suspender a reunião? — perguntou Mike.

Mary virou-se para os outros.

— A reunião está suspensa por enquanto. Obrigada a todos.

Mike Slade disse para o técnico:

— Você fica.

Depois que os outros se retiraram, ele perguntou:

— Pode determinar onde está o microfone?

— Claro.

O homem foi descendo a caixa preta pelo corpo de Mary, lentamente. Ao chegar perto dos pés, a agulha se mexeu ainda mais depressa. Ele se empertigou.

— Está nos sapatos.

Mary fitou-o com expressão de incredulidade.

— Está enganado. Comprei estes sapatos em Washington.

— Importa-se de tirá-los? — pediu Mike.

— Eu...

Tudo aquilo era um absurdo. A máquina estava com defeito. Ou alguém tentava incriminá-la. Só podia ser a maneira que Mike Slade encontrara para se livrar dela. Comunicaria a Washington que ela fora descoberta espionando e fornecendo informações ao inimigo. Mas ele não ia escapar impune com aquela farsa.

Mary tirou os sapatos e largou-os nas mãos de Mike, dizendo, furiosa:

— Aí estão!

Ele examinou os sapatos.

— Este salto é novo?

— Não. É...

E foi nesse instante que Mary se lembrou. *Carmen, quer fazer o favor de levar este sapato a um sapateiro e mandar consertá-lo?*

Mike Slade estava abrindo o salto do sapato. Lá dentro havia um gravador em miniatura.

— Descobrimos nosso espião — disse ele, secamente. — Onde foi que pôs este salto?

— Eu... eu não sei — balbuciou Mary. — Pedi a uma das criadas para cuidar disso.

— Maravilhoso — murmurou ele, em tom sardônico. — No futuro, senhora embaixadora, todos lhe agradeceríamos se deixasse sua secretária cuidar dessas coisas.

Havia um telegrama para Mary.

"A Comissão de Relações Exteriores do Senado concordou com o empréstimo romeno que você solicitou. O anúncio será feito amanhã. Parabéns. Stanton Rogers."

Mike leu o telegrama e comentou:

— É uma ótima notícia. Negulesco ficará feliz.

Mary sabia que Negulesco, o ministro das Finanças romeno, se encontrava em situação difícil. O empréstimo o transformaria num herói aos olhos de Ionescu.

— Só vão anunciar amanhã. — Mary pensou por um momento. — Quero que marque uma reunião minha com Negulesco para esta manhã.

— Quer que eu a acompanhe?

— Não. Pode deixar que cuidarei de tudo sozinha.

DUAS HORAS DEPOIS Mary estava sentada na sala do ministro das Finanças romeno, que se mostrava radiante.

— Quer dizer que tem boas notícias para mim?

— Receio que não — respondeu Mary, em tom pesaroso, observando o sorriso do ministro se desvanecer.

— Mas como? Soube que o empréstimo era... como é mesmo que vocês costumam dizer?... líquido e certo!

Mary suspirou.

— Eu também pensava assim, ministro.

— O que aconteceu? O que saiu errado?

O rosto do romeno estava muito pálido. Mary deu de ombros.

— Não sei.

— Prometi a nosso presidente... — Ele parou de falar ao absorver todo o impacto da notícia. Observou Mary atentamente e acrescentou depois de um momento, a voz rouca: — O presidente Ionescu não vai gostar. Não há *nada* que possa fazer?

Mary declarou, ansiosa:

— Também estou desapontada, ministro. A votação estava correndo bem até que um senador soube que um grupo da igreja romena que fora convidado a visitar o Estado americano de Utah não obtivera o visto de saída. O senador é mórmon e ficou contrariado.

— *Um grupo da igreja?* — A voz de Negulesco se alterara. — Está querendo dizer que o empréstimo foi recusado porque um...?

— É o que fui informada.

— Mas a Romênia é a *favor* das igrejas, senhora embaixadora! Elas podem existir aqui! Existe liberdade religiosa! Nós *amamos* as igrejas!

Negulesco foi sentar na cadeira ao lado de Mary.

— Senhora embaixadora... se eu puder dar um jeito para que esse grupo visite seu país, acha que o Comitê de Finanças do Senado aprovaria o empréstimo?

Mary fitou-o nos olhos.

— Posso garantir isso, ministro Negulesco. Mas eu precisaria de uma resposta até esta tarde.

MARY FICOU SENTADA à sua mesa, esperando pelo telefonema. Negulesco ligou às duas e meia.

— Tenho notícias maravilhosas, senhora embaixadora! O grupo da igreja pode viajar quando quiser. E agora, tem boas notícias para mim?

Mary esperou uma hora e só depois ligou para o ministro.

— Acabo de receber um telegrama do Departamento de Estado. O empréstimo foi concedido.

Capítulo 23

MARY NÃO CONSEGUIRA tirar o doutor Louis Desforges de seus pensamentos. Ele salvara sua vida e depois desaparecera. Ficara contente por encontrá-lo de novo. Num súbito impulso, foi à American Dollar Shop, comprou uma linda tigela de prata para o médico, e mandou-a para a embaixada francesa. Era um pequeno gesto de agradecimento pelo que ele fizera. Naquela tarde, Dorothy Stone disse:

— Um certo doutor Desforges está ao telefone. Quer falar com ele?

Mary sorriu.

— Quero, sim. — Ela atendeu. — Boa-tarde.

— Boa-tarde, senhora embaixadora. — A frase parecia deliciosa no sotaque francês. — Liguei para agradecer por seu atencioso presente. Mas posso lhe assegurar que era desnecessário. Já tive o maior prazer por poder prestar-lhe algum serviço.

— Foi mais do que algum serviço — disse Mary. — Eu gostaria que houvesse alguma maneira de poder demonstrar realmente a minha gratidão.

Houve uma pausa.

— Não gostaria...

Ele parou de falar e Mary estimulou-o:

— De quê?

— Nada, nada...

Ele parecia subitamente inibido.

— Fale, por favor.

— Está bem. — Houve uma risada nervosa. — Eu estava pensando se não gostaria de jantar comigo uma noite dessas... mas sei como deve estar sempre ocupada e...

— Eu adoraria — Mary se apressou em dizer.

— É mesmo?

Ela podia perceber a satisfação na voz de Desforges.

— Claro.

— Conhece o restaurante Taru?

Mary já estivera lá duas vezes.

— Não.

— Ah, esplêndido! Então terei o prazer de apresentá-la. Por acaso está livre na noite de sábado?

— Tenho um coquetel às seis horas, mas podemos jantar depois.

— Maravilhoso! Soube que tem dois filhos pequenos. Não gostaria de levá-los?

— Agradeço sua gentileza, mas eles estão sempre ocupados nas noites de sábado.

Mary se perguntou por que mentira.

O COQUETEL FOI na embaixada suíça. Era obviamente uma das embaixadas da classe A, porque o presidente Alexandros Ionescu estava presente. Assim que viu Mary, ele se aproximou.

— Boa-noite, senhora embaixadora. — Ionescu pegou a mão de Mary e segurou-a por mais tempo do que o necessário. — Quero que saiba que estou muito satisfeito porque seu país concordou em nos conceder o empréstimo que solicitamos.

— E nós estamos muito satisfeitos que tenha permitido que o grupo da igreja visite os Estados Unidos, Excelência.

Ele acenou com a mão, como se isso não tivesse a menor importância.

— Os romenos não são prisioneiros. Qualquer um é livre para ir e vir, como quiser. Meu país é um símbolo de justiça social e liberdade democrática.

Mary pensou nas filas compridas esperando para comprar os alimentos escassos, a multidão no aeroporto e os refugiados querendo desesperadamente partir. Ionescu acrescentou:

— Todo poder na Romênia pertence ao povo.

Há gulags na Romênia que não temos permissão para ver. Mary disse:

— Com todo respeito, senhor presidente, há centenas de judeus, talvez milhares, que estão tentando deixar a Romênia. Seu governo não lhes concede o visto de saída.

Ele amarrou a cara.

— Dissidentes. Arruaceiros. Estamos fazendo um favor ao mundo ao mantê-los aqui, onde podemos vigiá-los.

— Senhor presidente...

— Em relação aos judeus, temos uma política mais tolerante que a de qualquer outro país da Cortina de Ferro. Em 1967, durante a guerra árabe-israelense, a União Soviética e todos os países do nosso bloco, à exceção da Romênia, romperam relações diplomáticas com Israel.

— Sei disso, senhor presidente, mas a verdade é que ainda há...

— Já provou o caviar? É beluga fresco.

O DOUTOR LOUIS Desforges se oferecera para ir buscar Mary, mas ela acertara que Florian a levasse ao restaurante Taru. Ela telefonou para avisar ao doutor Desforges que chegaria alguns minutos atrasada. Tinha de passar pela embaixada para enviar um relatório sobre sua conversa com o presidente Ionescu.

Gunny estava de serviço. Bateu continência para ela e abriu a porta. Mary entrou em sua sala e acendeu a luz. E ficou na porta, paralisada. Alguém escrevera na parede, com *spray* vermelho: VOLTE PARA CASA ANTES DE MORRER. Ela recuou, muito pálida, e voltou à sala de recepção. Gunny assumiu posição de sentido.

— O que foi, senhora embaixadora?

— Gunny... quem esteve em minha sala?

— Ninguém, ao que eu saiba.

— Deixe-me ver a lista das pessoas que estiveram na embaixada.

Mary tinha de fazer o maior esforço para impedir que a voz tremesse.

— Pois não, senhora.

Gunny pegou a lista de visitantes e entregou-a. Ao lado de cada nome estava indicada a hora da entrada. Mary começou a partir de cinco e meia, a hora em que deixara o escritório. Havia uma dúzia de nomes depois. Ela olhou para o fuzileiro.

— As pessoas nesta lista... são sempre escoltadas até a sala que vão visitar?

— Sempre, senhora embaixadora. Ninguém sobe para o segundo andar sem estar acompanhado. Há alguma coisa errada?

Alguma coisa estava muito errada.

— Por favor, mande alguém à minha sala para apagar o que pintaram na parede.

Ela virou-se e foi embora, apressada, com medo de vomitar. Seu telegrama podia esperar até a manhã seguinte.

O doutor Louis Desforges esperava quando Mary chegou ao restaurante. Ele se levantou quando ela se aproximou da mesa.

— Desculpe o atraso — disse Mary, fazendo força para parecer normal.

Ele puxou a cadeira para que ela sentasse.

— Não foi nada. Recebi seu recado. Foi muita gentileza sua aceitar meu convite.

Mary gostaria agora de não ter aceitado. Estava muito nervosa e transtornada. Ela apertou as mãos, uma contra a outra, a fim de impedir que tremessem. Ele a observava atentamente.

— Está se sentindo bem, senhora embaixadora?

— Estou, sim. — *Volte para casa antes de morrer.* — Eu gostaria de tomar um uísque puro, por favor.

Ela detestava uísque, mas achava que poderia relaxá-la. Desforges pediu os drinques e depois comentou:

— Não deve ser fácil trabalhar como embaixadora... especialmente sendo uma mulher e neste país. Os romenos são machos chauvinistas.

Mary forçou um sorriso.

— Fale-me a seu respeito.

Qualquer coisa servia para afastar seus pensamentos da ameaça.

— Não há muita coisa emocionante para contar.

— Disse que lutou no movimento subterrâneo na Argélia. Isso parece emocionante.

Ele deu de ombros.

— Vivemos momentos difíceis. Creio que cada homem deve arriscar alguma coisa, a fim de que, ao final, não tenha de arriscar tudo. O problema terrorista é literalmente esse... *aterrorizante.* Devemos acabar com ele.

A voz do médico estava impregnada de paixão. *Ele é como Edward*, pensou Mary. *Edward sempre foi apaixonado em suas convicções.* O doutor Desforges era um homem que não podia ser facilmente dominado. Estava disposto a arriscar a vida pelas coisas em que acreditava. E ele estava dizendo:

— ... se eu soubesse que o preço da minha luta seriam as vidas de minha mulher e de minhas filhas... — Ele fez uma pausa. As articulações dos dedos das mãos estavam brancas contra a mesa. — Desculpe. Não vim aqui para falar de meus problemas. Recomendo o carneiro. Eles o preparam muito bem aqui.

— Boa ideia.

Desforges pediu o jantar e uma garrafa de vinho e ficaram conversando. Mary começou a relaxar, a esquecer a terrível advertência pintada em vermelho. Estava descobrindo que era surpreendentemente fácil conversar com aquele atraente francês. De uma estranha maneira, era como conversar com Edward. Era espantoso como ela e Louis partilhavam tantas convicções e sentiam da mesma forma sobre tantas coisas. Louis Desforges nascera numa pequena cidade na França, e Mary nascera numa pequena cidade no Kansas, separados por oito mil quilômetros — apesar disso, seus antecedentes eram muito parecidos. O pai dele era lavrador e economizara ao máximo para enviar o filho à faculdade de medicina em Paris.

— Meu pai foi um homem maravilhoso, senhora embaixadora.

— Senhora embaixadora parece muito formal.

— Senhora Ashley?

— Mary.

— Obrigado, Mary.

Ela sorriu.

— O prazer é meu, Louis.

Mary se perguntou como seria sua vida pessoal. Ele era bonito e inteligente, podia ter todas as mulheres que quisesse. Estaria vivendo com alguém?

— Já pensou em casar de novo?

Ela não pôde acreditar que fizera mesmo tal pergunta. Desforges sacudiu a cabeça:

— Não. Se tivesse conhecido minha esposa, poderia compreender. Era uma mulher extraordinária. Ninguém jamais seria capaz de substituí-la.

É assim que me sinto em relação a Edward, pensou Mary. *Ninguém jamais será capaz de substituí-lo.* Ele fora muito especial. E, no entanto, toda pessoa precisava de uma companhia. Não era uma questão de substituir alguém que fora muito amado. Era descobrir alguém novo para partilhar as coisas. Louis estava dizendo:

— ... e quando me ofereceram a oportunidade, achei que seria interessante conhecer a Romênia. — Ele baixou a voz. — Mas confesso que sinto algo maligno neste país.

— É mesmo?

— Não no povo. O povo é maravilhoso. Mas o governo representa tudo o que desprezo. Não há liberdade para ninguém. Os romenos são praticamente escravos. Se querem ter uma alimentação decente e uns poucos confortos, têm de trabalhar para a Securitate. Os estrangeiros são sistematicamente espionados. — Ele olhou ao redor, a fim de se certificar de que ninguém podia ouvi-los. — Ficarei contente quando meu tempo de serviço terminar e puder voltar à França.

Sem pensar, Mary ouviu-se dizendo:

— Há algumas pessoas que acham que *eu* deveria voltar para casa.

— Como assim?

E de repente Mary descobriu-se contando toda a história do que acontecera na embaixada.

— Mas isso é horrível! — exclamou Louis. — Tem alguma ideia do responsável?

— Não.

— Posso fazer uma confissão impertinente? Desde que descobri quem você era, andei fazendo algumas indagações a seu respeito. Todos que a conhecem estão muito impressionados com você.

Mary escutava com um profundo interesse. Ele continuou:

— Parece que trouxe para cá a imagem de uma América que é bela, inteligente e afetuosa. Se acredita no que está fazendo, então deve lutar. Deve ficar. Não deixe que ninguém a amedronte.

Era exatamente o que Edward teria dito.

MARY NÃO CONSEGUIU dormir e ficou pensando no que Louis lhe dissera. *Ele estava disposto a morrer pelas coisas em que acreditava. E eu? Não quero morrer. E ninguém vai me matar. Ninguém vai me assustar.*

Ela continuou na cama, na escuridão total. Apavorada.

NA MANHÃ seguinte Mike Slade entrou em sua sala com duas xícaras de café. Acenou com a cabeça para a parede já limpa e disse:

— Soube que alguém andou escrevendo coisas na sua parede.

— Já descobriram quem foi?

Mike tomou um gole do café.

— Não. Verifiquei pessoalmente a lista de visitantes. Todos têm uma justificativa.

— O que significa que deve ter sido alguém da embaixada.

— Ou então alguém que conseguiu passar pelos guardas sem ser visto.

— Acredita mesmo nisso?

Mike pôs a xícara de café na mesa.

— Não.

— Nem eu.

— O que dizia exatamente?

— "Volte para casa antes de morrer."

Ele não fez qualquer comentário.

— Quem poderia querer me matar?

— Não sei.

— Senhor Slade, eu agradeceria se me desse uma resposta franca. Acha que corro algum perigo?

Ele estudou-a com uma expressão pensativa.

— Senhora embaixadora, já assassinaram Abraham Lincoln, John Kennedy, Robert Kennedy, Martin Luther King e Marin Groza. Somos dos vulneráveis. A resposta à sua pergunta é sim.

Se acredita no que está fazendo, então deve lutar. Deve ficar. Não deixe que ninguém a amedronte.

24

Às OITO E QUARENTA E CINCO da manhã seguinte, quando Mary estava numa reunião, Dorothy Stone entrou correndo na sala e disse:

— As crianças foram sequestradas!

Mary levantou-se de um pulo.

— Deus do céu!

— O alarme da limusine acaba de disparar. Estão localizando o carro agora. Eles não conseguirão escapar.

Mary correu para a sala de comunicações. Meia dúzia de homens estava parada em torno de um painel de controle. O coronel McKinney falava por um microfone.

— Entendido — disse ele. — Já anotei. Informarei à embaixadora.

— O que está acontecendo? — indagou Mary, a voz rouca, mal conseguindo falar. — Onde estão meus filhos?

O coronel disse, em tom tranquilizador:

— Estão bem, senhora. Um deles tocou no botão de alarme da limusine por acidente. A luz de emergência no teto acendeu e foi emitido um sinal de SOS em ondas curtas. Antes que o motorista percorresse mais dois quarteirões, foi cercado por quatro carros da polícia, com as sirenes ligadas.

Mary cambaleou contra a parede, aliviada. Não sabia até aquele momento como era grande a sua tensão. E pensou: *É fácil compreender por que os estrangeiros que vivem aqui acabam recorrendo aos tóxicos ou à bebida... ou a ligações amorosas.*

MARY FICOU com as crianças naquela noite. Queria estar o mais perto possível dos filhos. Contemplando-os, pensou: *Será que meus filhos correm perigo? Estaremos todos em perigo? Quem poderia querer nos fazer mal?* Ela não tinha as respostas.

TRÊS NOITES DEPOIS Mary tornou a jantar com o doutor Louis Desforges. Ele parecia mais relaxado desta vez. Embora persistisse o fundo de tristeza que ela sentira desde o primeiro encontro, ele se empenhou em ser atencioso e divertido. Mary se perguntou se ele sentiria a mesma atração que ela experimentava em relação a ele. *Não foi apenas uma tigela de prata que lhe mandei*, admitiu para si mesma. *Foi também um convite.*

Senhora embaixadora é muito formal. Pode me chamar de Mary. Ela estaria mesmo dando em cima daquele homem? E, no entanto... *Eu lhe devo muito, possivelmente minha vida. Mas estou racionalizando. Isso não tem nada a ver com o motivo pelo qual desejava vê-lo outra vez.*

Eles jantaram cedo no restaurante do terraço do Intercontinental Hotel. Quando Louis a levou de volta à residência oficial, Mary perguntou:

— Não gostaria de entrar?

— Obrigado — respondeu ele. — Será um prazer.

As crianças estavam lá embaixo, fazendo os deveres de casa. Mary apresentou-as a Louis. Ele se abaixou na frente de Beth e disse:

— Posso? — Abraçou-a por um instante e depois se empertigou. — Uma das minhas filhas era três anos mais moça do que você. A outra era mais ou menos de sua idade. Eu gostaria de pensar que cresceram para se tornarem tão bonitas quanto você, Beth.

Beth sorriu.

— Obrigada. Mas onde...?

Mary apressou-se em dizer:

— Que tal tomarmos todos um chocolate quente?

Eles sentaram na enorme cozinha, tomando o chocolate quente e conversando.

As crianças ficaram encantadas com Louis, e Mary pensou que nunca vira um homem com tanta ânsia nos olhos. Ele a esquecera. Estava inteiramente concentrado nas crianças, contando histórias sobre as filhas e anedotas, até que todos riam às gargalhadas.

Já era quase meia-noite quando Mary olhou para o relógio.

— Essa não! — exclamou ela. — Vocês já deveriam estar na cama há várias horas. Vão logo deitar!

Tim aproximou-se de Louis.

— Virá nos visitar de novo?

— Espero que sim, Tim. Depende de sua mãe.

Tim virou-se para Mary:

— E então, mamãe?

Ela virou-se para Louis e murmurou:

— Claro que sim.

MARY ACOMPANHOU LOUIS até a porta. Ele pegou-lhe a mão.

— Não tentarei expressar o que esta noite significou para mim, Mary. Não há palavras para isso.

— Estou contente.

Ela fitava-o nos olhos e sentiu que ele se adiantava. Esticou os lábios.

— Boa-noite, Mary.

E ele se foi.

Na manhã seguinte, ao entrar em sua sala, Mary notou que a outra parede também fora pintada de novo. Mike Slade entrou com duas xícaras de café.

— Bom-dia.

Ele pôs uma xícara na mesa.

— Alguém tornou a escrever na parede?

— Isso mesmo.

— O que dizia desta vez?

— Não tem importância.

— Não tem importância? — repetiu ela, furiosa. — Tem toda importância para mim! Que tipo de segurança tem esta embaixada? Não posso admitir que pessoas entrem sorrateiras nesta sala e escrevam ameaças contra a minha vida! O que dizia?

— Quer que eu diga literalmente?

— Quero.

— Dizia: "Pare agora ou morra."

Mary arriou na cadeira, enfurecida.

— Pode me explicar como alguém é capaz de entrar nesta embaixada sem ser visto e escrever mensagens na parede da minha sala?

— Eu bem que gostaria de poder — respondeu Mike. — Estamos fazendo tudo o que é possível para descobrir.

— Pois "tudo o que é possível" obviamente não é suficiente. Quero um guarda postado à minha porta durante a noite. Entendido?

— Entendido, senhora embaixadora. Transmitirei a ordem ao coronel McKinney.

— Não precisa. Falarei com ele pessoalmente.

Mary ficou observando Mike Slade se retirar e de repente se perguntou se ele não saberia quem estava por trás daquilo.

E se perguntou se não seria o próprio Mike Slade.

O Coronel McKinney estava contrariado.

— Pode estar certa, senhora embaixadora, que me sinto tão perturbado quanto a senhora. Dobrarei a guarda no corredor e determinarei que a porta de sua sala seja vigiada 24 horas por dia.

Mary não se sentiu apaziguada. Alguém dentro da embaixada era responsável pelo que estava acontecendo.

E o coronel McKinney estava dentro da embaixada.

Mary convidou Louis Desforges para um pequeno jantar na residência oficial. Havia uma dúzia de outros convidados. Ao final da noite, quando os outros já haviam se retirado, Louis disse:

— Importa-se se eu subir para ver as crianças?

— Já devem estar dormindo a esta altura, Louis.

— Não vou acordá-los — prometeu ele. — Quero apenas dar uma olhada.

Mary subiu com ele e observou-o parar na porta e contemplar o vulto adormecido de Tim. Depois de algum tempo, ela sussurrou:

— O quarto de Beth é por aqui.

Mary levou-o pelo corredor até o outro quarto e abriu a porta. Beth estava enroscada em torno do travesseiro, as cobertas retorcidas por cima. Louis aproximou-se da cama sem fazer barulho e ajeitou gentilmente as cobertas. Ficou parado ali por um longo momento, os olhos fechados. Depois virou-se e saiu do quarto.

— São crianças lindas — murmurou ele, a voz rouca.

Eles pararam, fitando-se nos olhos, o ar entre os dois carregado. Ele estava vulnerável em sua carência.

Vai acontecer, pensou Mary. *Nenhum dos dois pode evitar.*

E os braços se enlaçaram, os lábios se encontraram. Ele afastou-se bruscamente.

— Eu não deveria ter vindo. Sabe o que estou fazendo, não é? Revivendo meu passado. — Louis ficou em silêncio por um instante. — Ou talvez seja meu futuro. Quem sabe?

Mary disse suavemente:

— *Eu* sei.

DAVID VICTOR, o adido comercial, entrou apressado na sala de Mary.

— Tenho péssimas notícias. Acabei de receber a informação de que o presidente Ionescu vai aprovar um contrato com a Argentina de um milhão e meio de toneladas de trigo e outro com o Brasil de meio milhão de toneladas de soja. Estávamos contando com essas vendas.

— Até que ponto as negociações já avançaram?

— Estão quase concluídas. Fomos excluídos. Eu já ia mandar um telegrama para Washington... com a sua aprovação, é claro.

— Espere mais um pouco — disse Mary. — Quero pensar no caso.

— Não conseguirá fazer com que o presidente Ionescu mude de ideia. Já tentei todos os argumentos possíveis.

— Então não temos nada a perder se eu fizer uma tentativa. — Ela chamou a secretária. — Dorothy, marque uma audiência minha com o presidente Ionescu o mais depressa possível.

ALEXANDROS IONESCU convidou Mary para almoçar no palácio. Quando ela chegou, foi cumprimentada por Nicu, o filho de quatorze anos do presidente.

— Boa-tarde, senhora embaixadora — disse ele. — Sou Nicu. Seja bem-vinda ao palácio.

— Obrigada.

Era um garoto bonito, alto para sua idade, lindos olhos pretos e uma pele impecável. Tinha o porte de um adulto.

— Ouvi falar coisas ótimas a seu respeito — comentou o garoto.

— Fico satisfeita com isso, Nicu.

— Vou avisar a meu pai que você já chegou.

MARY E IONESCU sentaram frente a frente na sala de jantar formal, apenas os dois à mesa. Mary imaginou onde estaria a esposa, que raramente aparecia, mesmo nas recepções oficiais.

O presidente andara bebendo e estava de bom humor. Acendeu um Snogov, o cigarro romeno de cheiro horrível.

— Soube que andou fazendo excursões turísticas com seus filhos.

— É verdade, Excelência. A Romênia é um lindo país, e há muita coisa para se ver.

Ele exibiu o que julgava ser um sorriso sedutor.

— Um dia desses você deve permitir que eu lhe mostre meu país. — O sorriso transformou-se numa paródia de malícia. — Sou um guia excelente, e poderia lhe mostrar muitas coisas interessantes.

— Tenho certeza que poderia — disse Mary. — Senhor presidente, eu queria encontrá-lo hoje porque tenho um assunto muito importante para discutir.

Ionescu quase soltou uma gargalhada. Sabia exatamente por que ela viera. *Os americanos querem me vender trigo e soja, mas estão atrasados.* A embaixadora americana sairia de mãos vazias daquela vez. O que era uma pena, já que se tratava de uma mulher tão bonita...

— O que é? — perguntou ele.

— Quero lhe falar sobre as cidades irmãs.

Ionescu piscou os olhos, aturdido.

— Como?

— Cidades irmãs. Como San Francisco e Osaka, Los Angeles e Bombaim, Washington e Bangkok...

— Eu... eu não estou entendendo. O que isso tem a ver com...

— Senhor presidente, ocorreu-me que poderia obter manchetes no mundo inteiro se tornasse Bucareste uma cidade irmã de alguma cidade americana. Pense na emoção que isso despertaria. Atrairia quase tanta atenção quanto o programa de povo-para-povo do presidente Ellison. Seria um passo importante para a paz mundial. Uma ponte entre nossos países. Eu não ficaria surpresa se lhe concedessem o Prêmio Nobel da Paz.

Ionescu ficou em silêncio, tentando reorganizar seus pensamentos. Finalmente disse, cauteloso:

— Uma cidade irmã com os Estados Unidos? É uma ideia interessante. O que isso envolveria?

— Principalmente uma publicidade maravilhosa para a Romênia e seu governo. Faria uma visita à cidade. E uma delegação de Kansas City o visitaria.

— Kansas City?

— É apenas uma sugestão, é claro. Pensei que não gostaria de uma cidade grande como Nova York ou Chicago... são comerciais demais. E Los Angeles já é muito falada. Kansas City fica no centro dos Estados Unidos. Há lavradores lá, como os seus lavradores. Pessoas que têm valores simples, como o seu povo. Seria o ato de um grande estadista, senhor presidente. Seu nome estaria na boca de todo mundo. Ninguém na Europa jamais pensou em fazer isso.

Ionescu não disse nada por algum tempo.

— Eu... eu teria de pensar muito a respeito.

— Claro.

— Kansas City, Kansas, e Bucareste, Romênia. — Ele balançou a cabeça. — Somos uma cidade muito maior, é claro.

— Bucareste seria a irmã maior.

— Devo admitir que é uma ideia muito atraente.

Na verdade, quanto mais pensava a respeito, mais Ionescu gostava. *Meu nome estará na boca de todo mundo. E servirá para impedir que o abraço do urso soviético se torne muito apertado.*

— Existe alguma possibilidade de rejeição do lado americano? — perguntou Ionescu.

— Absolutamente nenhuma. Posso garantir.

Ele refletiu por mais algum tempo.

— Quando isso entraria em vigor?

— Assim que estiver pronto para fazer o anúncio. Cuidarei de tudo do nosso lado. Já é um grande estadista, senhor presidente, mas isso o tornaria ainda maior.

Ionescu pensou mais um pouco.

— Poderíamos promover o intercâmbio comercial com nossa cidade irmã. A Romênia tem muitas coisas para vender. Diga-me... o que o Kansas cultiva?

— Entre outras coisas, — respondeu Mary com um ar de inocência — trigo e soja.

— CONSEGUIU MESMO fechar o negócio? — indagou David Victor, incrédulo. — Conseguiu enganá-lo?

— Claro que não — afirmou Mary. — Ionescu é esperto demais para ser enganado. Sabia o que eu estava querendo. Apenas gostou do pacote que lhe ofereci. Pode acertar os detalhes para fechar o negócio. Ionescu já está ensaiando seu discurso pela televisão.

QUANDO SOUBE da notícia, Stanton Rogers telefonou para Mary.

— Você faz milagres — disse ele, rindo. — Já estávamos convencidos de que perdêramos o negócio. Como conseguiu?

— Pelo ego — respondeu Mary. — O dele.

— O presidente me pediu para lhe dizer que você está fazendo um grande trabalho aí, Mary.

— Agradeça a ele por mim, Stan.

— Claro. Por falar nisso, o presidente e eu viajaremos para a China na próxima semana. Se precisar de mim, pode fazer contato através de meu gabinete.

— Façam uma boa viagem.

As semanas foram passando depressa, e os ventos de março deram lugar à primavera e depois ao verão, as roupas grossas de inverno foram trocadas por trajes leves e frescos. As árvores estavam viçosas e as flores desabrochavam por toda parte, os parques se tornaram lindos. Junho estava quase terminando.

Era inverno em Buenos Aires. Neusa Muñez voltou ao seu apartamento de madrugada. O telefone estava tocando. Ela atendeu.

— *Sí?*

— Miss Muñez?

Era o gringo dos Estados Unidos.

— Está falando com ela.

— Posso falar com Angel?

— Angel não está aqui, *señor.* O que deseja?

O Controlador descobriu que sua irritação era cada vez maior. *Que tipo de homem se envolveria com uma mulher assim?* Pela descrição que Harry Lantz lhe dera, antes de ser assassinado, ela não apenas era estúpida, mas também muito feia.

— Quero que dê um recado meu a Angel.

— Espere um instante.

Ele ouviu o telefone cair e ficou esperando. A mulher voltou ao telefone.

— Pode falar.

— Diga a Angel que preciso dele para um contrato em Bucareste.

— Budapeste?

Oh, Deus, aquela mulher era mesmo insuportável!

— Bucareste, Romênia. Diga a ele que é um contrato de cinco milhões de dólares. Ele deve estar em Bucareste ao final do mês. Daqui a três semanas. Já anotou tudo?

— Espere um instante. Estou escrevendo.

Ele esperou, pacientemente.

— Muito bem. Quantas pessoas Angel tem de matar por cinco milhões de dólares?

— Uma porção...

AS LONGAS FILAS diárias na frente da embaixada continuavam a incomodar Mary. Ela tornou a discutir o assunto com Mike Slade.

— Deve haver alguma coisa que possamos fazer para ajudar essas pessoas a saírem do país.

— Já tentamos tudo — disse Mike. — Aplicamos pressão, oferecemos dinheiro... a resposta é sempre não. Ionescu se recusa a fazer qualquer negócio. Os pobres coitados estão perdidos. Ele não tem a menor intenção de deixá-los partir. A Cortina de Ferro não está apenas em torno do país... está no próprio país.

— Terei outra conversa com Ionescu.

— Boa sorte.

MARY PEDIU a Dorothy Stone para marcar uma audiência com o ditador. Poucos minutos depois a secretária entrou em sua sala.

— Lamento, senhora embaixadora, mas não haverá audiência.

Mary ficou surpresa.

— O que significa isso?

— Não sei direito. Alguma coisa estranha está acontecendo no palácio. Ionescu não recebe ninguém. Mais do que isso, ninguém pode sequer entrar no palácio.

Mary tentou imaginar o que poderia estar havendo. Ionescu estaria preparando algum comunicado de grande importância?

Haveria um golpe iminente? Só podia ser algo da maior relevância. O que quer que fosse, Mary sabia que precisava descobrir.

— Dorothy, você tem contatos no palácio presidencial, não é?

Dorothy sorriu.

— Está falando da "rede das comadres"? Claro. Sempre conversamos.

— Eu gostaria de saber o que está acontecendo por lá...

Uma hora depois Dorothy tornou a entrar na sala.

— Descobri o que estava querendo saber. Estão abafando o caso.

— Abafando o quê?

— O filho de Ionescu está agonizante.

Mary ficou consternada.

— Nicu? O que aconteceu?

— Ele está com botulismo.

Mary se apressou em indagar:

— Há uma epidemia em Bucareste?

— Não, senhora. Lembra da epidemia que houve recentemente na Alemanha Oriental? Ao que parece, Nicu esteve lá e alguém lhe deu comida enlatada de presente. Ele abriu e comeu ontem.

— Mas há um soro de anticorpos para o botulismo!

— Não tem mais nenhum nos países europeus. A epidemia do mês passado consumiu tudo.

— Oh, Deus!

Dorothy se retirou e Mary ficou pensando. Talvez fosse tarde demais, mas ainda assim... Ela podia lembrar como o jovem Nicu era jovial e feliz. Tinha quatorze anos... apenas dois anos mais velho do que Beth. Ela apertou o botão do interfone e disse:

— Dorothy, ligue-me com o Centro de Controle de Doenças, em Atlanta, Georgia.

Cinco minutos depois ela estava falando com o diretor.

— Temos um soro de anticorpos para envenenamento por botulismo, senhora embaixadora, mas não recebemos notícia de qualquer caso nos Estados Unidos.

— Não estou nos Estados Unidos — informou Mary. — Estou em Bucareste, e preciso do soro imediatamente.

Houve uma pausa.

— Terei a maior satisfação em fornecer o soro, mas o efeito do botulismo é muito rápido. Quando chegar aí...

— Providenciarei para que chegue aqui o mais depressa possível. Basta aprontar tudo. E obrigada.

DEZ MINUTOS DEPOIS ela estava falando com o general Ralph Zukor, da Força Aérea Americana, em Washington.

— Bom-dia, senhora embaixadora. É um prazer inesperado. Minha mulher e eu somos seus grandes fãs. Como está...

— Preciso de um favor, general.

— Não tem problema. Qualquer coisa que quiser.

— Preciso de seu jato mais rápido.

— Como?

— Preciso de um jato para trazer um soro a Bucareste imediatamente.

— Ahn...

— Pode dar um jeito?

— Claro. Vai precisar obter a aprovação do secretário de Defesa. E será necessário preencher alguns formulários de requisição. Uma cópia virá para mim e a outra será para o Departamento de Defesa. Mandaremos então...

Mary estava furiosa.

— General, pare de falar e trate de mandar o maldito avião levantar voo. Se...

— Não é possível...

— A vida de um garoto está em jogo. E acontece que o garoto é o filho do presidente da Romênia.

— Lamento muito, mas não posso autorizar...

— Se o garoto morrer porque algum formulário não foi preenchido, general, juro que vou convocar a maior entrevista coletiva de todos os tempos. E deixarei que explique aos jornalistas por que deixou o filho de Ionescu morrer.

— Não posso autorizar uma operação assim sem aprovação da Casa Branca. Se...

Mary interrompeu-o bruscamente:

— Pois então trate de obtê-la. O soro estará à espera no aeroporto de Atlanta. E lembre-se de uma coisa, general... cada minuto conta.

Ela desligou e continuou sentada, rezando silenciosamente.

O AJUDANTE DE ORDENS do general Ralph Zukor perguntou:

— Qual era o problema, senhor?

— A embaixadora quer que eu mande um SR-71 levar um pouco de soro para a Romênia.

O ajudante sorriu.

— Tenho certeza de que ela não tem a menor ideia das implicações de uma operação dessas, general.

— Isso é evidente. Mas é melhor nos precavermos. Ligue-me com Stanton Rogers.

CINCO MINUTOS DEPOIS o general estava falando com o assessor do presidente para política externa.

— Eu queria apenas comunicar que o pedido foi apresentado e recusei, como não podia deixar de ser. Se...

Stanton Rogers interrompeu-o:

— General, em quanto tempo pode fazer um SR-71 decolar?

— Em dez minutos. Mas...

— Faça-o.

O sistema nervoso de Nicu Ionescu fora afetado. Ele estava na cama, desorientado, pálido e suado, ligado a um respirador. Havia três médicos a atendê-lo. O presidente Ionescu entrou no quarto do filho.

— O que está acontecendo?

— Já nos comunicamos com todos os nossos colegas da Europa Oriental e Ocidental, Excelência. Não resta nenhum soro.

— E os Estados Unidos?

O médico deu de ombros.

— Quando conseguíssemos providenciar que alguém trouxesse o soro de avião para cá... — Ele fez uma pausa, delicado. — Receio que seria tarde demais.

Ionescu aproximou-se e pegou a mão do filho. Estava úmida e pegajosa.

— Você não vai morrer — soluçou o presidente da Romênia. — Não vai morrer.

QUANDO O JATO pousou no Aeroporto Internacional de Atlanta, uma limusine da força aérea esperava com o soro, acondicionado em gelo. Três minutos depois o jato estava outra vez no ar, seguindo para nordeste.

O SR-71, o mais veloz jato supersônico da Força Aérea Americana, voa a três vezes a velocidade do som. Diminuiu a velocidade só uma vez, para se reabastecer, no meio do Atlântico. Cobriu o percurso de cerca de oito mil quilômetros até Bucareste em pouco mais de duas horas e meia.

O coronel McKinney estava esperando no aeroporto. Uma escolta militar abriu o caminho até o palácio presidencial.

Mary permaneceu em sua sala durante a noite inteira, recebendo informações constantes sobre os acontecimentos. A última notícia chegou às seis horas da manhã, um telefonema do coronel McKinney:

— Deram o soro ao garoto. Os médicos dizem que ele vai viver.

— Graças a Deus!

DOIS DIAS DEPOIS, um colar de diamantes e esmeraldas foi entregue a Mary na embaixada, com um bilhete:

Nunca terei palavras suficientes para lhe agradecer.

Alexandros Ionescu

— Puxa! — exclamou Dorothy, quando viu o colar. — Deve ter custado meio milhão de dólares!

— No mínimo — disse Mary. — Devolva-o.

NA MANHÃ SEGUINTE o presidente Ionescu mandou chamar Mary. Um assessor informou:

— O presidente está à sua espera no gabinete.

— Posso ver Nicu primeiro?

— Claro que sim.

Ele conduziu-a ao segundo andar. Nicu estava na cama, lendo. Levantou os olhos quando Mary entrou no quarto.

— Bom-dia, senhora embaixadora.

— Bom-dia, Nicu.

— Meu pai me disse que foi você quem conseguiu o soro. Desejo lhe agradecer.

— Eu não podia deixar você morrer — disse Mary. — Estou guardando-o para Beth.

Nicu soltou uma risada.

— Traga-a aqui e conversaremos sobre isso.

O PRESIDENTE IONESCU esperava Mary lá embaixo. E foi logo dizendo, sem qualquer preâmbulo:

— Você devolveu meu presente.

— É verdade, Excelência.

Ionescu indicou uma cadeira.

— Sente-se. — Ele estudou-a por um momento. — O que você quer?

— Não faço negócios com a vida de crianças.

— Salvou a vida de meu filho. Devo lhe dar alguma coisa.

— Não me deve nada, Excelência.

Ionescu bateu com o punho na mesa.

— Não ficarei lhe devendo coisa alguma! Diga seu preço.

— Não há preço, Excelência. Tenho dois filhos. Sei como deve se sentir.

Ele fechou os olhos por um momento.

— Sabe mesmo? Nicu é meu único filho. Se alguma coisa lhe acontecesse...

Ele parou de falar, incapaz de continuar.

— Subi para visitá-lo. Ele parece estar bem. — Mary levantou-se. — Se não há mais nada, Excelência, tenho um compromisso na embaixada.

Ela fez menção de se retirar.

— Espere!

Mary virou-se.

— Não quer aceitar um presente?

— Não. Já expliquei...

Ionescu levantou a mão.

— Está bem, está bem. — Ele pensou por um momento. — Se pudesse exprimir um desejo, o que gostaria?

— Não há nada...

— Mas deve! Eu insisto! Um desejo. Qualquer coisa que quiser.

Mary ficou imóvel, estudando o rosto de Ionescu, pensando. E acabou dizendo:

— Eu gostaria que fossem suspensas as restrições à saída dos judeus da Romênia.

Ionescu continuou sentado, os dedos tamborilando sobre a mesa.

— Entendo... — Ele ficou imóvel por um longo tempo, depois levantou os olhos para Mary. — Será feito. Nem todos terão permissão para partir, é claro, mas... tornarei as coisas mais fáceis.

QUANDO HOUVE o comunicado público, dois dias depois, Mary recebeu um telefonema do próprio presidente Ellison.

— Pensei que estava mandando para a Romênia uma diplomata e arrumei uma fazedora de milagres — disse ele.

— Apenas tive sorte, senhor presidente.

— É o tipo de sorte que eu gostaria que todos os meus diplomatas tivessem. Quero lhe dar os parabéns, Mary, por tudo o que você tem feito aí.

— Obrigada, senhor presidente.

Ela desligou na maior felicidade.

— JULHO ESTÁ quase chegando — Harriet Kruger disse a Mary. — No passado, o embaixador sempre oferecia uma festa no Quatro de Julho aos americanos que vivem em Bucareste. Se prefere não...

— Acho a ideia ótima.

— Pode deixar que cuidarei de tudo. Muitas bandeiras, balões, uma orquestra... os fogos de artifício.

— Parece que será uma festa maravilhosa. Obrigada, Harriet.

Seria uma sangria e tanto na verba de representação, mas valeria a pena. *A verdade é que sinto saudade dos Estados Unidos*, pensou Mary.

FLORENCE E DOUGLAS SCHIFFER surpreenderam Mary com uma visita.

— Estamos em Roma — gritou Florence pelo telefone. — Podemos ir visitá-la?

Mary ficou emocionada.

— Quando podem chegar aqui?

— Amanhã está bom para você?

QUANDO OS SCHIFFER chegaram ao Aeroporto Otopeni, no dia seguinte, Mary estava lá para recebê-los, com a limusine da embaixada. Houve uma excitada troca de abraços e beijos.

— Você está ótima! — exclamou Florence. — Ser embaixadora não a mudou nem um pouquinho.

Você ficaria surpresa se soubesse, pensou Mary.

Na viagem para a residência oficial, Mary foi apontando os principais pontos de atração, as mesmas coisas que ela vira pela primeira vez apenas quatro meses antes. Teriam sido mesmo apenas quatro meses? Parecia uma eternidade.

— É aqui que você mora? — perguntou Florence quando a limusine parou diante do portão da residência oficial, guardado por um fuzileiro. — Estou impressionada.

Mary mostrou toda a casa aos Schiffer.

— Mas que coisa! — exclamou Florence. — Uma piscina, um teatro, mil cômodos e o seu próprio parque!

ELES ESTAVAM SENTADOS na sala de jantar, almoçando e conversando sobre os vizinhos em Junction City.

— Sente alguma saudade de lá? — indagou Douglas.

— Claro que sinto.

E mesmo enquanto falava, Mary compreendeu como estava longe do lar. Junction City representara paz e segurança, uma vida tranquila. Ali, havia medo e terror, ameaças terríveis rabiscadas nas paredes de sua sala em tinta vermelha. *Vermelho, a cor da violência.*

— Em que está pensando? — perguntou Florence.

— Como? Ah, nada... Eu estava apenas sonhando. O que vocês estão fazendo na Europa?

— Participei de uma convenção médica em Roma — explicou Douglas.

— Continue... conte o resto — estimulou-o Florence.

— A verdade é que eu não tinha muita vontade de vir, mas estávamos preocupados com você e queríamos saber como passava. Por isso, estamos aqui.

— Fico agradecida por isso.

— Nunca imaginei que conheceria uma pessoa tão importante — comentou Florence, suspirando.

Mary soltou uma risada.

— Ser embaixadora não me transforma numa pessoa tão importante assim, Florence.

— Não é disso que estou falando.

— Do que é então?

— Quer dizer que não sabe?

— Não sei o quê?

— Mary, saiu uma matéria grande a seu respeito na revista *Time* na semana passada, com uma fotografia sua e das crianças. Está sendo notícia em todas as revistas e jornais dos Estados Unidos. Quando Stanton Rogers concede entrevistas sobre as relações exteriores, sempre usa você como um grande exemplo. O presidente fala de você. Está na boca de todos.

— Acho que estou meio desatualizada...

Mary lembrou o que Stanton dissera: *O presidente ordenou a projeção.*

— Por quanto tempo vocês podem ficar? — perguntou ela.

— Eu adoraria ficar para sempre, mas planejamos passar três dias aqui e depois voltar para casa.

— Como você está indo, Mary? — perguntou Douglas. — Não no trabalho, mas... em relação a Edward?

— Estou me sentindo melhor — respondeu Mary, lentamente. — Converso com ele todas as noites. Isso parece loucura?

— Não.

— Ainda sofro muito, mas tento... tento sempre.

— Você... ahn... já conheceu alguém? — indagou Florence, delicadamente.

Mary sorriu.

— Para ser franca, talvez eu tenha conhecido. Vão conhecê-lo esta noite, ao jantar.

Os Schiffer simpatizaram logo com o doutor Louis Desforges. Pensavam que os franceses eram altivos, esnobes e indiferentes, mas Louis demonstrou-se amável, simpático e extrovertido. Ele e Douglas conversaram muito sobre medicina. Foi uma das noites mais felizes de Mary desde que chegara a Bucareste. Por um momento, ela sentiu-se segura e relaxada.

Às onze horas os Schiffer subiram para o quarto de hóspedes que fora preparado para alojá-los. Mary estava lá embaixo, despedindo-se de Louis.

— Gostei muito de seus amigos — disse ele. — Espero tornar a vê-los.

— Eles também gostaram de você. Voltarão para o Kansas dentro de dois dias.

Louis estudou-a em silêncio por um instante.

— Mary... você não está pensando em ir embora também, não é?

— Claro que não. Vou ficar.

Ele sorriu.

— Ótimo. — Um instante de hesitação e ele acrescentou: — Vou passar o fim de semana nas montanhas. Gostaria muito que você me acompanhasse.

— Está certo.

Foi mesmo simples assim.

NAQUELA NOITE, DEITADA no escuro, Mary conversou com Edward. *Querido, sempre o amarei, mas não devo mais precisar de você. Está na hora de começar uma vida nova. Você sempre será uma parte dessa vida, mas tem de haver também outra pessoa. Louis não é você, mas é Louis. Ele é forte, gentil e corajoso. É o mais próximo que posso chegar de ter você. Por favor, Edward, compreenda. Por favor...*

Ela sentou na cama e acendeu o abajur na mesinha de cabeceira. Ficou olhando para a aliança de casamento por um longo tempo e depois, lentamente, tirou-a do dedo.

Era um círculo que simbolizava um fim, e um começo.

MARY LEVOU OS SCHIFFER para uma excursão relâmpago por Bucareste, cuidando para que seus dias fossem totalmente ocupados. Os três dias passaram depressa, e quando os Schiffer foram embora, ela sentiu uma pontada de intensa solidão, uma impressão de completo isolamento de suas raízes, a sensação de estar à deriva mais uma vez, numa terra estranha e perigosa.

MARY ESTAVA tomando o habitual café da manhã com Mike Slade, discutindo a agenda do dia. Quando acabaram, Mike disse:

— Tenho ouvido alguns rumores.

Mary também ouvira.

— Sobre Ionescu e sua nova amante? Parece que ele...

— Sobre você.

Ela sentiu que ficava rígida.

— É mesmo? Que espécie de rumores?

— Parece que você anda se encontrando muito com o doutor Louis Desforges.

Mary experimentou um ímpeto de raiva.

— Com quem eu me encontro não é da conta de ninguém.

— Desculpe, mas tenho de discordar, senhora embaixadora. É da conta de todo mundo na embaixada. Temos regras rigorosas contra o envolvimento com estrangeiros, e o doutor é um estrangeiro. E acontece que ele é também um agente inimigo.

Mary estava quase atordoada demais para falar.

— Isso é um absurdo! — balbuciou ela. — O que *você* sabe sobre o doutor Desforges?

— Pense na maneira como o conheceu — sugeriu Mike Slade. — A dama em perigo e o cavaleiro de armadura reluzente. É o truque mais velho do mundo. Eu próprio já o usei.

— Não estou interessada no que você fez ou deixou de fazer. Ele vale uma dúzia de homens como você. Lutou contra os terroristas na Argélia e eles mataram sua esposa e filhas.

Mike comentou, suavemente:

— Isso é muito interessante. Estive examinando o dossiê do doutor Desforges. Ele nunca teve esposa ou filhas.

Capítulo 25

ELES PARARAM PARA ALMOÇAR em Timisoara, a caminho dos Montes Cárpatos. A estalagem se chamava Sexta-Feira dos Caçadores e era decorada no estilo de uma adega medieval.

— A especialidade da casa é a caça — informou Louis a Mary. — Sugiro a carne de veado.

— Está bem.

Mary nunca comera carne de veado. Era deliciosa. Louis pediu uma garrafa de Zghihara, o vinho branco local. Havia um ar de confiança em Louis, uma força tranquila, que proporcionava a Mary uma sensação de segurança.

Ele fora buscá-la longe da embaixada, explicando:

— É melhor não deixar que ninguém saiba para onde está indo ou todos os diplomatas da cidade vão começar a comentar.

Tarde demais, pensara Mary, amargurada.

Louis tomara emprestado o carro de um amigo da embaixada francesa. Tinha as placas ovais, em preto e branco, do corpo diplomático.

Mary sabia que as placas eram um aviso para a polícia. Os estrangeiros recebiam placas que começavam com o número doze. As placas amarelas eram para as autoridades.

Recomeçaram a viagem depois do almoço. Passaram por lavradores em carroças primitivas de fabricação doméstica, feitas de galhos entrelaçados, e por caravanas de ciganos.

Louis era um motorista competente. Mary estudava-o enquanto ele dirigia, pensando nas palavras de Mike Slade: "*Estive examinando o dossiê do doutor Desforges. Ele nunca teve esposa ou filhas.*"

Ela não acreditava em Mike Slade. Todo seu instinto lhe dizia que ele estava mentindo. Não fora Louis quem se esgueirara em sua sala e escrevera aquelas palavras nas paredes. Fora alguém que a estava ameaçando. Confiava em Louis. *Ninguém poderia simular a emoção que vi em seu rosto quando estava brincando com as crianças. Ninguém é tão bom ator.*

O ar estava se tornando mais rarefeito e mais frio, os arbustos e carvalhos davam lugar aos freixos, abetos e pinheiros.

— A caça por aqui é maravilhosa — comentou Louis. — Pode-se encontrar javali, cabrito-montês, lobo e o camurça preto.

— Nunca fiz uma caçada.

— Talvez um dia eu possa levá-la.

As montanhas à frente pareciam as gravuras que ela conhecia dos Alpes suíços, os picos cobertos por neblina e nuvens. Passavam por florestas e campinas verdejantes, salpicadas de vacas pastando. As nuvens geladas lá em cima eram da cor do aço, e Mary tinha a sensação de que se estendesse a mão e as tocasse elas ficariam grudadas em seus dedos, como metal frio.

A TARDE JÁ TERMINAVA quando chegaram a seu destino, Sioplea, uma adorável hospedaria na montanha, que parecia um chalé. Mary ficou esperando no carro enquanto Louis registrava os dois.

Um porteiro idoso conduziu-os à suíte. Tinha uma sala de estar confortável, de bom tamanho, mobiliada com simplicidade, um quarto, um banheiro e um terraço, com uma vista espetacular das montanhas.

— Pela primeira vez em minha vida — comentou Louis, suspirando —, eu gostaria de ser um pintor.

— É mesmo uma linda vista.

Ele chegou mais perto de Mary.

— Não estou falando da vista. Eu gostaria de pintar você.

Mary descobriu-se pensando: *Sinto-me como uma garota de dezessete anos em seu primeiro encontro. Estou nervosa.*

Louis abraçou-a e apertou-a. Ela comprimiu a cabeça contra seu peito e no instante seguinte os lábios de Louis se encontraram com os seus. Ele começou a explorar seu corpo e empurrou-lhe a mão para a ereção masculina. Mary esqueceu tudo o mais, exceto o que estava lhe acontecendo agora.

Sentia uma necessidade frenética que ia muito além do sexo. Era a necessidade de que alguém a abraçasse, a tranquilizasse, a protegesse, fizesse com que soubesse que não estava mais sozinha. Precisava que Louis estivesse dentro dela, estar dentro dele, se tornarem um só.

Estavam na cama de casal e ela sentiu a língua de Louis percorrer seu corpo nu. E depois ele a penetrou e Mary soltou um grito apaixonado, desvairado, antes de explodir em mil gloriosas Marys. E outra vez e outra vez, até que a felicidade tornou-se quase insuportável.

Louis era um amante incrível, ardente e exigente, terno e atencioso. Depois de um longo tempo, eles ficaram imóveis na cama, exaustos, satisfeitos. Mary aninhou-se em seus braços fortes e começaram a conversar.

— É muito estranho — disse Louis. — Eu me sinto inteiro outra vez. Desde que Renée e as crianças morreram, tenho sido como um fantasma, vagueando, perdido.

Eu também, pensou Mary.

— Senti sua falta em todas as coisas importantes e em outras que nunca imaginara. Eu não sabia cozinhar, lavar a roupa ou até fazer a cama direito. Os homens nem pensam nessas coisas.

— Eu também me senti desamparada, Louis. Edward era meu guarda-chuva. Quando começou a chover e ele não estava lá para me proteger, quase me afoguei.

Adormeceram.

Tornaram a fazer amor, agora devagar, com extrema ternura, o fogo abafado, a chama mais lenta, mais requintada.

Era quase perfeito. *Quase.* Porque havia uma pergunta que Mary queria fazer e sabia que não tinha coragem: *Você teve mesmo uma esposa e filhas, Louis?*

Tinha certeza de que tudo estaria acabado para sempre entre os dois no instante em que fizesse tal pergunta. Louis nunca a perdoaria por duvidar. *Maldito Mike Slade!*, pensou ela.

Louis a observava atentamente.

— Em que estava pensando?

— Nada, querido.

O que você estava fazendo naquela ruela escura quando aqueles homens tentaram me sequestrar, Louis?

JANTARAM NAQUELA NOITE ao ar livre, no terraço. Louis pediu Cemurata, o licor de morango feito nas montanhas próximas.

No sábado subiram numa cremalheira ao pico de uma montanha. Voltaram ao hotel e tomaram banho na piscina coberta, fizeram amor na sauna particular e jogaram bridge com um idoso casal alemão em lua de mel.

À noite foram ao Eintrul, um restaurante rústico nas montanhas, onde jantaram numa sala grande, com uma lareira aberta, em que o fogo crepitava. Havia lustres de madeira pendurados do teto e troféus de caça na parede por cima da lareira. A sala era iluminada por velas, e através das janelas podiam contemplar os picos nevados. Um cenário perfeito, numa companhia perfeita.

E logo, muito cedo, estava na hora de partir.

É tempo de voltar ao mundo real, pensou Mary. E o que era o mundo real? Um lugar de ameaças e sequestros, de coisas horríveis escritas nas paredes de sua sala.

A VIAGEM DE VOLTA foi agradável e descontraída. A tensão sexual da ida fora substituída por um sentimento relaxado de união. Louis era uma excelente companhia.

Ao se aproximarem dos arredores de Bucareste, passaram por campos de girassóis, virados na direção do sol.

Eu sou assim, pensou Mary, feliz. *Estou me virando para a luz do sol.*

BETH E TIM aguardavam ansiosos a volta da mãe.

— Vai casar com Louis? — perguntou Beth.

Mary ficou atordoada. Estavam traduzindo em palavras o que ela nem se atrevera a pensar.

— Vai ou não vai?

— Não sei — respondeu ela, com muito cuidado. — Vocês se importariam se eu casasse?

— Ele não é papai — disse Beth —, mas Tim e eu fizemos uma votação. Gostamos dele.

— Eu também — murmurou Mary, satisfeita. — Eu também.

HAVIA UMA DÚZIA de rosas vermelhas com um bilhete: "Obrigado por você."

Mary leu o cartão. E se perguntou se ele também mandava flores para Renée. E se perguntou se houvera mesmo uma Renée e duas filhas. E odiou a si mesma por isso. *Por que Mike Slade inventaria uma mentira tão terrível?* Não havia possibilidade de Mary confirmar. E foi nesse momento que Eddie Maltz, o adido político e homem da CIA, entrou em sua sala.

— Está com uma ótima aparência, senhora embaixadora. Teve um bom fim de semana?

— Tive, sim, obrigada.

Eles passaram algum tempo conversando sobre um coronel que procurara Maltz, revelando sua intenção de desertar.

— Ele seria um trunfo valioso para nós, pois trará algumas informações úteis. Estou enviando um telegrama preto esta noite, mas queria que estivesse preparada para enfrentar a pressão de Ionescu.

— Obrigada, senhor Maltz.

Ele se levantou para sair. Num súbito impulso, Mary acrescentou:

— Espere um instante. Eu... eu poderia lhe pedir um favor?

— Claro.

Ela descobriu de repente que era muito difícil continuar.

— É uma questão... pessoal e confidencial.

— Parece o nosso lema — comentou Maltz, sorrindo.

— Preciso de informações sobre um certo doutor Louis Desforges. Já ouviu falar dele?

— Já, senhora. Ele trabalha na embaixada francesa. O que gostaria de saber a seu respeito?

Seria ainda mais difícil do que ela imaginara. Afinal, era uma traição.

— Eu... eu gostaria de saber se o doutor Desforges foi casado e teve duas filhas. Acha que pode descobrir?

— Uma resposta em 24 horas é suficiente? — indagou Maltz.

— É, sim. Obrigada.

Por favor, Louis, perdoe-me.

POUCO TEMPO depois Mike Slade entrou na sala de Mary.

— Bom-dia.

— Bom-dia.

Ele pôs uma xícara de café na mesa. Alguma coisa em sua atitude parecia ter mudado sutilmente. Mary não sabia direito o que era, mas tinha a impressão de que Mike Slade sabia de tudo sobre o seu fim de semana. Ela se perguntou se ele teria espiões a vigiá-la, informando-o de todas as suas atividades.

Ela tomou um gole do café. Excelente, como sempre. *Eis uma coisa que Mike Slade faz muito bem*, pensou Mary.

— Temos alguns problemas — disse ele.

E pelo resto da manhã ficaram absorvidos numa conversa que incluía mais romenos que queriam emigrar para os Estados Unidos, a crise financeira romena, um fuzileiro que engravidara uma jovem romena e uma dúzia de outros problemas.

Ao final da reunião, Mary estava mais cansada do que o habitual. Mike Slade disse:

— O balé estreia esta noite. Corina Socoli vai dançar.

Mary reconheceu o nome. Era uma das bailarinas mais famosas do mundo.

— Tenho alguns ingressos, se estiver interessada.

— Não estou, não, mas obrigada.

Ela pensou na última vez em que Mike lhe dera ingressos para o teatro e o que acontecera. Além do mais, estaria ocupada. Fora convidada para jantar na embaixada chinesa e depois se encontraria com Louis na residência. Não era conveniente que fossem vistos juntos em público com muita frequência. Ela sabia que estava violando as regras ao manter uma ligação casual com um membro de outra embaixada. *Mas acontece que não se trata de uma ligação casual.*

AO SE PREPARAR para o jantar, Mary abriu o *closet* para pegar um vestido e descobriu que a criada o lavara com água, em vez de uma lavagem a seco. Estava estragado. *Vou despedi-la*, pensou Mary, furiosa. *Só que não posso. As regras deles não permitem.*

Sentiu-se subitamente exausta. Arriou na cama. *Eu bem que gostaria de não precisar sair esta noite. Seria ótimo me deitar agora e dormir. Mas tem de sair, senhora embaixadora. Seu país conta com você.*

Mary ficou deitada, fantasiando. Continuaria na cama, em vez de ir ao jantar. O embaixador chinês receberia os outros convidados, mas aguardaria ansioso por sua chegada. O jantar acabaria sendo anunciado. A embaixadora americana não viera. Era um insulto deliberado. A China fora ofendida. O embaixador chinês enviaria um telegrama preto e seu primeiro-ministro ficaria furioso quando o lesse. Telefonaria para o presidente dos Estados Unidos e apresentaria seu protesto. "Nem você nem qualquer outro pode obrigar minha embaixadora a comparecer a seus jantares", responderia o presidente Ellison. O primeiro-ministro gritaria: "Ninguém pode falar comigo assim. Já temos agora nossas bombas atômicas, senhor presidente." Os dois líderes apertariam os botões nucleares ao mesmo tempo e ambos os países seriam destruídos.

Mary sentou na cama e pensou, angustiada: *É melhor eu ir à droga do jantar.*

A NOITE FOI uma confusão indistinta dos mesmos rostos familiares do corpo diplomático. Mary teve apenas uma vaga lembrança das outras pessoas à sua mesa. Mal podia esperar o momento de voltar para casa.

Enquanto Florian a conduzia para a residência, ela sorria, sonhadora. *Será que o presidente Ellison sabe que evitei uma guerra atômica esta noite?*

NA MANHÃ SEGUINTE, ao chegar à embaixada, Mary estava se sentindo pior. A cabeça doía e estava enjoada. A única coisa que a fez sentir-se melhor foi a visita de Eddie Maltz. O agente da CIA informou:

— Tenho as informações que pediu. O doutor Louis Desforges foi casado durante dez anos. O nome da esposa era Renée. Tinha duas filhas, de dez e doze anos, Phillipa e Geneviève. Foram assassinadas na Argélia por terroristas, provavelmente como um ato de vingança contra o doutor, que lutava no movimento clandestino. Precisa de mais alguma informação?

— Não — respondeu Mary, feliz. — Isso é suficiente. Obrigada.

DURANTE O CAFÉ DA MANHÃ, Mary e Mike Slade discutiram a visita iminente de um grupo universitário.

— Eles gostariam de conhecer o presidente Ionescu.

— Verei o que posso fazer — disse Mary, a voz um pouco engrolada.

— Você está bem?

— Apenas me sinto um pouco cansada.

— O que precisa é de outro café. Vou preparar.

AO FINAL DA TARDE MARY estava se sentindo pior. Ligou para Louis e apresentou uma desculpa para cancelar o jantar marcado naquela noite. Estava passando muito mal para se encontrar com qualquer pessoa. Gostaria que o médico americano estivesse em Bucareste. Mas talvez Louis descobrisse o que ela tinha. *Se eu não melhorar, vou chamá-lo.*

Dorothy Stone mandou a enfermeira buscar um analgésico na farmácia. Não adiantou. Ela estava preocupada.

— Está com uma aparência horrível, senhora embaixadora. Deveria ir para a cama.

— Já vou melhorar — murmurou Mary.

O DIA TINHA mil HORAS. Mary reuniu-se com os estudantes, algumas autoridades romenas, um banqueiro americano, um diretor da USIS, o Serviço de Informações dos Estados Unidos, e participou de um jantar interminável na embaixada holandesa. Quando finalmente chegou em casa, caiu na cama, esgotada.

Não conseguiu dormir direito. Sentia-se quente, febril, e foi dominada por sucessivos pesadelos. Estava correndo por um labirinto de corredores, e cada vez que virava uma esquina deparava com alguém escrevendo na parede coisas horríveis, com sangue. Só podia ver a parte posterior da cabeça do homem. E depois Louis aparecia, uma dúzia de homens tentava arrastá-lo para um carro. Mike Slade vinha correndo pela rua, gritando: "Matem-no! Ele não tem família!"

Mary acordou suando frio. O quarto estava insuportavelmente quente. Ela jogou as cobertas para o lado e no mesmo instante sentiu-se enregelada. Os dentes começaram a bater. *Oh, Deus*, pensou ela, *o que será que eu tenho?*

Passou o resto da noite acordada, com medo de voltar a dormir, com medo dos sonhos.

TEVE DE RECORRER a toda a sua força de vontade para se levantar e ir à embaixada na manhã seguinte. Mike Slade estava à sua espera. Ele fitou-a com uma expressão crítica e disse:

— Você não parece estar bem. Por que não voa para Frankfurt e consulta o médico que temos lá?

— Estou bem.

Seus lábios estavam ressequidos e rachados, ela sentia-se completamente desidratada. Mike entregou-lhe uma xícara de café.

— As novas cifras comerciais estão aqui. Os romenos vão precisar de mais cereais do que calculamos. Aqui está como podemos capitalizar...

Mary fez o maior esforço para prestar atenção, mas a todo instante a voz de Mike sumia e voltava.

De alguma forma, ela conseguiu se aguentar ao longo do dia. Louis telefonou duas vezes. Mary mandou a secretária dizer que ela estava em reunião. Tentava conservar todas as forças que lhe restavam para continuar a trabalhar.

Ao se deitar, naquela noite, Mary podia sentir que sua temperatura aumentara. O corpo todo doía. *Estou realmente doente*, pensou ela. *Tenho a sensação de que vou morrer.* Com um enorme esforço, ela se esticou e puxou o cordão da campainha. Carmen apareceu e olhou alarmada para Mary.

— Senhora embaixadora! Mas o que...?

Mary balbuciou, a voz rouca:

— Peça a Sabina para ligar para a embaixada francesa. Preciso do doutor Desforges...

Mary abriu os olhos e piscou. Havia dois Louis indistintos parados à sua frente. Ele deslocou-se para o lado da cama, inclinou-se e examinou atentamente seu rosto afogueado.

— Santo Deus, o que está acontecendo com você? — Encostou a mão na testa de Mary. Estava muito quente. — Já tirou a temperatura?

— Não quero saber.

Até falar doía. Louis sentou na beira da cama.

— Há quanto tempo está assim, querida?

— Há poucos dias. Provavelmente é um vírus.

Louis verificou a pulsação. Estava fraca e irregular. Ele se inclinou para a frente e sentiu o bafo de Mary.

— Comeu alguma coisa com alho hoje?

Ela sacudiu a cabeça.

— Não como nada há dois dias.

Sua voz era um mero sussurro. Ele tornou a se inclinar para a frente e levantou-lhe as pálpebras gentilmente.

— Sente muita sede?

Ela balançou a cabeça.

— Dores, cãibras, náusea, vômito?

Tudo isso, pensou Mary, exausta. Em voz alta, ela disse:

— O que há comigo, Louis?

— Sente-se em condições de responder a algumas perguntas?

Ela engoliu em seco.

— Tentarei.

Ele segurou-lhe a mão.

— Quando começou a se sentir assim?

— No dia seguinte ao nosso fim de semana nas montanhas.

A voz era quase inaudível.

— Lembra-se de ter comido ou bebido alguma coisa que a fez sentir-se mal depois?

Mary sacudiu a cabeça.

— E continuou a se sentir pior a cada dia?

Ela assentiu.

— Toma o café da manhã aqui com as crianças?

— Quase sempre.

— E as crianças estão passando bem?

Ela assentiu.

— E costuma almoçar no mesmo lugar todos os dias?

— Não. Às vezes almoço na embaixada, em outros dias tenho encontros em restaurantes.

— Existe algum lugar em que sempre costuma jantar ou come regularmente qualquer coisa?

Mary sentia-se cansada demais para continuar a conversa. Gostaria que ele fosse embora. E fechou os olhos. Louis sacudiu-a, gentilmente.

— Precisa ficar acordada, Mary. Preste atenção. — Havia um tom de urgência em sua voz. — Existe alguma pessoa com quem você come constantemente?

Ela piscou, sonolenta.

— Não. — *Por que ele está fazendo todas essas perguntas?* — É um vírus, não é?

Ele respirou fundo.

— Não. Alguma coisa a está envenenando.

Mary teve a impressão de que uma corrente elétrica lhe percorria o corpo. Arregalou os olhos.

— O quê? Não posso acreditar!

Louis estava com o rosto franzido.

— Eu diria que foi envenenamento por arsênico, só que não se encontra arsênico à venda na Romênia.

Mary experimentou um súbito tremor de medo.

— Quem... quem tentaria me envenenar?

Ele apertou-lhe a mão.

— Precisa pensar direito, querida. Tem certeza de que não existe nenhuma rotina, algum lugar em que alguém lhe dê alguma coisa para comer ou beber todos os dias?

— Claro que não — protestou Mary, debilmente. — Já lhe disse, eu...

O café. Mike Slade. Meu café especial.

— Oh, não!

— O que é?

Ela limpou a garganta e conseguiu balbuciar:

— Mike Slade me serve café todas as manhãs. Está sempre à minha espera.

— Não... não pode ser Mike Slade. Que motivo ele teria para tentar matá-la?

— Ele... ele quer se livrar de mim.

— Falaremos sobre isso depois, querida. A primeira coisa que temos de fazer agora é tratar de você. Eu gostaria de levá-la para um hospital daqui, mas sua embaixada não permitiria. Vou buscar uma coisa para você. Voltarei dentro de poucos minutos.

Mary continuou deitada, tentando absorver o significado do que Louis lhe dissera. *Arsênico. Alguém está me dando arsênico. O que você precisa é de outra xícara de café. Fará com que se sinta melhor. Vou preparar.*

Ela resvalou para a inconsciência e foi despertada pela voz de Louis:

— Mary!

Fez um grande esforço para abrir os olhos. Ele estava ao lado da cama, tirando uma seringa de uma maleta.

— Olá, Louis — murmurou Mary. — Estou contente por você ter vindo.

Ele procurou uma veia no braço e mergulhou a agulha.

— Estou lhe aplicando uma injeção de BAL. É um antídoto para arsênico. E vou alternar com penicilina. Aplicarei outra dose pela manhã. Mary?

Ela estava dormindo.

NA MANHÃ SEGUINTE o doutor Louis Desforges aplicou outra injeção em Mary e mais outra à tarde. Os efeitos dos medicamentos foram milagrosos. Um a um, os sintomas começaram a desaparecer. No dia seguinte, a temperatura e as funções vitais de Mary estavam quase completamente normais.

LOUIS ESTAVA no quarto de Mary, guardando a seringa num saco de papel, onde não seria vista por algum empregado curioso. Ela sentia-se esgotada e fraca, como se tivesse atravessado uma longa doença, mas toda dor e desconforto haviam desaparecido.

— Esta é a segunda vez que me salva a vida.

Louis fitou-a com expressão solene.

— Acho que é melhor descobrirmos quem está tentando tirá-la.

— Mas como podemos fazer isso?

— Estive verificando em várias embaixadas. Nenhuma delas tem arsênico. Nada pude descobrir na embaixada americana.

Gostaria que fizesse uma coisa para mim. Acha que se sentirá bastante bem para ir trabalhar amanhã?

— Acho que sim.

— Quero que vá à farmácia de sua embaixada. Diga que precisa de um pesticida. Explique que está com problemas de insetos em seu jardim. Peça Antrol. É uma droga com muito arsênico.

Mary estava aturdida.

— Para que tudo isso?

— Meu palpite é de que o arsênico veio de avião para Bucareste. Se existe em algum *lugar*, só pode ser na farmácia da embaixada. Qualquer pessoa que retira um veneno deve assinar um recibo. Quando assinar pelo Antrol, verifique os nomes na lista...

GUNNY ESCOLTOU MARY pela porta da embaixada. Atravessou o corredor comprido até a farmácia, onde a enfermeira trabalhava, por trás de um guichê. Ela virou-se ao ouvir os passos de Mary.

— Bom-dia, senhora embaixadora. Está se sentindo melhor?

— Estou, sim, obrigada.

— Posso ajudá-la em alguma coisa?

Mary respirou fundo, bastante nervosa.

— Meu... meu jardineiro disse que está tendo problemas com insetos no jardim. Gostaria de saber se tem alguma coisa que possa ajudar... como Antrol?

— Claro. Temos até Antrol. — A enfermeira inclinou-se para uma prateleira atrás e pegou uma lata com um rótulo de veneno. — Uma infestação de formigas é muito comum nesta época do ano. — Ela pôs a lata na frente de Mary. — Terá de assinar um recibo, se não se incomoda, já que isso contém arsênico.

Mary olhava fixamente para a ficha que a enfermeira pusera no balcão. Havia apenas um nome ali.

Mike Slade.

Capítulo 26

MARY TELEFONOU PARA Louis Desforges, a fim de informar o que descobrira, mas a linha estava ocupada. Ele estava falando com Mike Slade. O primeiro impulso do doutor Desforges fora denunciar a tentativa de homicídio, só que não podia acreditar que Slade fosse o responsável. E, por isso, Louis resolvera falar pessoalmente com ele.

— Acabei de deixar sua embaixadora — disse Louis Desforges pelo telefone. — Ela vai viver.

— Isso é uma ótima notícia, doutor. Mas por que ela não haveria de viver?

O tom de Louis era cauteloso.

— Alguém tentou envenená-la.

— Mas que história é essa?

— Pensei que você entenderia.

— Ei, espere um pouco! Está querendo dizer que acha que *eu* sou o responsável? Está redondamente enganado. E nós dois precisamos ter uma conversinha particular em algum lugar onde ninguém possa nos ouvir. Pode se encontrar comigo esta noite?

— A que horas?

— Estarei ocupado até as nove horas. Por que não se encontra comigo alguns minutos depois na Floresta Băneasa? Estarei à sua espera no chafariz e explicarei tudo então.

Louis Desforges hesitou.

— Está bem. Eu o verei no chafariz.

Ele desligou e pensou: *Mike Slade não pode estar por trás disso.*

MARY LIGOU de novo para Louis, mas ele já saíra. E ninguém sabia onde podia ser encontrado.

MARY E AS CRIANÇAS estavam jantando na residência.

— Você parece muito melhor, mamãe — comentou Beth. — Ficamos preocupados.

— Eu me sinto muito bem — assegurou Mary.

E era verdade. *Graças a Deus por Louis!*

Ela não conseguia deixar de pensar em Mike Slade. Podia ouvir sua voz dizendo: "*Aqui está seu café. Eu o fiz pessoalmente.*" Matando-a devagar. Estremeceu.

— Está com frio? — perguntou Tim.

— Não, querido.

Ela não devia envolver as crianças em seus pesadelos. *Não seria melhor mandá-las de volta para casa por algum tempo?*, pensou Mary. *Ficariam com Florence e Doug.* E um momento depois ela pensou: *Eu poderia ir também.* Mas isso seria covardia, uma vitória para Mike Slade e quem quer que estivesse trabalhando com ele. Só havia uma pessoa que poderia ajudá-la agora. Stanton Rogers. Ele saberia o que fazer com Mike.

Mas não posso acusá-lo sem provas... e que provas tenho eu? Que ele fazia café para mim todas as manhãs?

Tim estava falando com ela:

— ... e falamos que perguntaríamos a você se podemos ir.

— Desculpe, querido. O que foi mesmo que você disse?

— Nikolai convidou a gente para fazer um acampamento com ele e sua família no próximo fim de semana.

— Não! — A resposta saiu mais áspera do que Mary tencionava. — Quero que vocês dois fiquem na residência.

— E a escola? — perguntou Beth.

Mary hesitou. Não podia mantê-los prisioneiros ali e não queria alarmá-los.

— Está bem. Desde que Florian leve vocês até lá e vá buscar. Não admito mais ninguém.

Beth observava-a atentamente.

— Há alguma coisa errada, mamãe?

— Claro que não. Por que pergunta?

— Não sei. Há alguma coisa no ar.

— Dê uma folga a mamãe — interveio Tim. — Ela teve a gripe romena.

É uma expressão interessante, pensou Mary. *Envenenamento por arsênico — a gripe romena.*

— A gente podemos assistir a um filme esta noite? — indagou Tim.

— A gente pode — corrigiu Mary.

— Isso significa que sim?

Mary não estava planejando projetar um filme, mas vinha passando tão pouco tempo com os filhos ultimamente que resolveu lhes dar aquele presente.

— Exatamente.

— Obrigado, senhora embaixadora! — exclamou Tim. — Eu escolho o filme!

— Você não! — protestou Mary. — Escolheu o último. Podemos ver de novo *American graffiti*?

American graffiti. E subitamente Mary compreendeu qual era a prova que podia apresentar a Stanton Rogers.

À MEIA-NOITE, Mary pediu a Carmen que chamasse um táxi.

— Não quer que Florian a leve? — perguntou Carmen. — Ele está...

— Não.

Quando o táxi chegou, poucos minutos depois, Mary embarcou e disse ao motorista:

— Vamos para a embaixada americana, por favor.

O motorista respondeu:

— Está fechada a esta hora. Não há ninguém... — Ele virou-se no banco da frente e reconheceu-a. — Senhora embaixadora! É uma grande honra. — Ele deu a partida. — Eu a reconheci por todas as fotografias suas que saíram em nossos jornais e revistas. É quase tão famosa quanto o nosso líder.

Várias pessoas na embaixada já haviam comentado toda a publicidade que ela tinha na imprensa romena. O motorista continuava a falar:

— Gosto dos americanos. São pessoas de bom coração. Espero que o programa de povo-para-povo do seu presidente dê certo. Nós, romenos, somos todos a favor. Está na hora de o mundo ter um pouco de paz.

Mary não estava com o menor ânimo para conversar sobre isso.

Quando chegaram à embaixada, ela indicou uma placa que dizia: PARCARE CÚ LUCURI REZERVATE.

— Pode me deixar ali, por favor. E venha me buscar dentro de uma hora. Voltarei para a residência.

— Pois não, senhora embaixadora.

Um fuzileiro se aproximava do táxi.

— Não pode parar aí. É re... — Ele reconheceu Mary e bateu continência. — Desculpe. Boa-noite, senhora embaixadora.

— Boa-noite — murmurou Mary.

O fuzileiro acompanhou-a até a entrada e abriu a porta.

— Posso ajudá-la em alguma coisa?

— Não há necessidade. Vou ficar alguns minutos na minha sala.

— Está bem, senhora.

Ele ficou observando-a avançar pelo corredor. Mary acendeu as luzes de sua sala e olhou para as paredes em que haviam sido escritas as ameaças. Foi até a porta de ligação e entrou na sala de Mike Slade. Estava escura. Ela acendeu as luzes e olhou ao redor.

Não havia papéis em cima da mesa. Começou a revistar as gavetas. Estavam vazias, exceto folhetos, boletins e tabelas de horários. Coisas inocentes que não teriam o menor interesse para uma faxineira bisbilhoteira. Mary tornou a correr os olhos pela sala. Tinha de estar em algum lugar ali. Não havia outro lugar onde ele pudesse guardar e era improvável que circulasse com a coisa.

Ela tornou a abrir as gavetas e começou a verificar o conteúdo mais uma vez, devagar, com o máximo de atenção. Na gaveta do fundo sentiu alguma coisa dura por trás de uma massa de papéis. Tirou-a e levantou-a, olhando fixamente.

Era uma lata de *spray* vermelho.

POUCOS MINUTOS DEPOIS das nove horas da noite, o doutor Louis Desforges estava esperando na Băneasa, perto do chafariz. Tinha dúvidas se não cometera um erro ao não denunciar Mike Slade imediatamente. *Não*, pensou. *Primeiro devo ouvir o que ele tem a dizer. Se eu fizesse uma falsa acusação, isso iria destruí-lo.*

Mike Slade emergiu subitamente da escuridão.

— Obrigado por ter vindo. Podemos esclarecer o assunto muito depressa. Você disse pelo telefone que achava que alguém estava envenenando Mary Ashley.

— Tenho *certeza*. Alguém estava lhe dando arsênico.

— E acha que sou o responsável?

— Poderia ter posto no café, um pouco de cada vez.

— E contou isso a alguém?

— Ainda não. Queria falar com você primeiro.

— Fico contente por isso.

Mike tirou a mão do bolso. Empunhava uma pistola Magnum, calibre 357. Louis ficou apavorado.

— Mas... mas o que está fazendo? Espere um pouco! Não pode...

Mike Slade puxou o gatilho e observou o peito do francês explodir numa nuvem vermelha.

Capítulo 27

NA EMBAIXADA AMERICANA, Mary estava na Sala Bolha, telefonando para Stanton Rogers pela linha segura. Era uma hora da madrugada em Bucareste e quatro horas da tarde em Washington.

— Gabinete do senhor Rogers.

— Aqui é a embaixadora Ashley. Sei que o senhor Rogers está na China, com o presidente, mas é um problema urgente. Preciso falar com ele o mais depressa possível. Há alguma maneira de eu poder fazer contato com ele lá?

— Lamento, senhora embaixadora, mas é impossível. O itinerário é bastante flexível. Não tenho um telefone em que possa localizá-lo.

Mary sentiu um aperto no coração.

— Quando terá um contato com ele?

— É difícil prever. Ele e o presidente estão com uma agenda muito movimentada. Talvez alguém no Departamento de Estado possa ajudá-la.

— Não, ninguém mais pode me ajudar — murmurou Mary, desesperada. — Obrigada.

Ficou sentada sozinha na sala, olhando para o nada, cercada pelos mais sofisticados aparelhos eletrônicos do mundo, só que nenhum podia ajudá-la. Mike Slade estava tentando matá-la. Ela tinha de avisar a alguém. Mas quem? Em quem poderia confiar? A única pessoa que sabia o que Slade estava tentando fazer era Louis Desforges.

Mary tentou outra vez falar com ele, mas ninguém atendeu o telefone em sua casa. Ela lembrou o que Stanton Rogers lhe dissera: *"Se desejar me mandar alguma mensagem que não queira que mais ninguém leia, o código no alto do telegrama deve ser três xis."*

Ela voltou à sua sala e escreveu uma mensagem urgente para Stanton Rogers. Colocou três xis no alto. Tirou o livro de código preto de uma gaveta trancada da escrivaninha e codificou com todo cuidado o que escrevera. Pelo menos se alguma coisa lhe acontecesse agora, Stanton Rogers saberia quem era o responsável.

Mary atravessou o corredor até a sala de comunicações. Eddie Maltz, o agente da CIA, estava lá.

— Boa-noite, senhora embaixadora. Está trabalhando até tarde hoje.

— É verdade. Tenho uma mensagem que gostaria que fosse despachada imediatamente.

— Cuidarei disso pessoalmente.

— Obrigada.

Ela entregou a mensagem e encaminhou-se para a porta da frente. Queria desesperadamente ficar perto dos filhos.

NA SALA DE comunicações, Eddie Maltz estava decodificando a mensagem de Mary. Quando acabou, leu-a duas vezes, franzindo o rosto. Foi ao retalhador, jogou a mensagem lá dentro e observou-a se transformar em confete.

Depois, fez uma ligação para Floyd Baker, o secretário de Estado, em Washington. Codinome: *Thor.*

Lev Pasternak levou dois meses para seguir a tortuosa trilha que levava a Buenos Aires. A SIS e meia dúzia de outras agências de segurança de diversos países haviam ajudado a identificar Angel como o assassino. A Mossad lhe dera o nome de Neusa Muñez, a amante de Angel. Todos queriam eliminar Angel. Para Lev Pasternak, Angel se tornara uma obsessão. Porque ele fracassara, Marin Groza morrera, e Pasternak nunca poderia se perdoar por isso. Mas podia fazer uma reparação. E era essa a sua intenção.

Não entrou em contato com Neusa Muñez diretamente. Localizou o prédio de apartamentos onde ela morava e ficou vigiando, na esperança de que Angel aparecesse. Depois de cinco dias, como não houvesse qualquer sinal de Angel, Pasternak entrou em ação. Esperou que a mulher saísse e quinze minutos depois subiu a escada, abriu a porta com uma gazua e entrou no apartamento. Revistou-o rápida e meticulosamente. Não havia fotografias, memorandos ou endereços que pudessem levá-lo a Angel. Pasternak encontrou os ternos no armário. Examinou as etiquetas de Herrera, tirou um dos paletós do cabide e meteu-o debaixo do braço. Um minuto depois havia saído, tão discretamente quanto entrara.

Na manhã seguinte Lev Pasternak entrou na alfaiataria. Os cabelos estavam desgrenhados, as roupas amarrotadas; recendia a uísque. O gerente se aproximou e perguntou, em tom de desaprovação:

— Posso ajudá-lo em alguma coisa, *señor*?

Lev Pasternak sorriu contrafeito.

— Pode, sim. Para ser franco, fiquei completamente de porre ontem à noite. E me meti num jogo de cartas com alguns sul-americanos no meu quarto no hotel. Acho que todo mundo ficou um pouco bêbado. Um dos caras... não me lembro qual era o seu nome... deixou este paletó no quarto. — Lev levantou o paletó, a mão trêmula. — Tinha a sua etiqueta, e por isso calculei que podia me informar onde devolvê-lo.

O gerente examinou o paletó.

— Fizemos mesmo este paletó. Eu teria de localizar nossos registros. Onde poderei encontrá-lo?

— Não poderá — murmurou Lev Pasternak. — Estou a caminho de outro jogo de pôquer. Tem um cartão? Ligarei para você.

— Está bem.

O gerente entregou o cartão.

— Não vá roubar esse paletó, hem? — disse Lev, a voz engrolada.

— Claro que não! — protestou o gerente, indignado.

Lev Pasternak deu-lhe um tapinha nas costas.

— É assim que eu gosto. Ligo para você esta tarde.

NAQUELA TARDE, quando Lev telefonou do seu quarto no hotel, o gerente informou:

— O nome do cavalheiro para quem fizemos o paletó é señor H.R. de Mendoza. Ele tem uma suíte no Aurora Hotel. Suíte quatro-sete-um.

Lev Pasternak foi verificar se sua porta estava mesmo trancada. Tirou uma mala do armário, levou-a para a cama e abriu-a. Lá dentro havia uma pistola SIG Sauer, calibre 45, com um silenciador, cortesia de um amigo do serviço secreto argentino. Pasternak certificou-se de que a arma estava carregada e o silenciador bem ajustado. Tornou a guardar a mala no armário e foi dormir.

ÀS QUATRO HORAS da madrugada, Lev Pasternak avançava em silêncio pelo corredor deserto do quarto andar do Aurora Hotel. Ao chegar à suíte 471, olhou para um lado e outro, confirmando que não havia ninguém à vista. Enfiou um arame na fechadura.

Ao ouvir o estalido, indicando que a porta estava destrancada, ele sacou a pistola.

Sentiu uma corrente de ar quando a porta no outro lado do corredor foi aberta. Antes que pudesse se virar, Pasternak sentiu alguma coisa dura e fria se comprimindo contra sua nuca.

— Não gosto de ser seguido — disse Angel.

Lev Pasternak ouviu o estalido do gatilho uma fração de segundo antes de a bala dilacerar seu cérebro.

ANGEL NÃO SABIA se Pasternak estava sozinho ou com alguém, mas sempre era sensato tomar precauções extras. O telefonema acontecera e estava na hora de se mexer. Mas, primeiro, Angel tinha de fazer algumas compras. Havia uma boa loja de *lingerie* na Pueyrredón, muito cara, mas Neusa merecia o melhor. O interior da loja estava fresco e tranquilo.

— Gostaria de ver um *négligé*, algo cheio de babados — disse Angel.

A vendedora exibiu uma expressão de espanto.

— E uma calcinha com uma abertura na virilha — acrescentou Angel.

Quinze minutos depois Angel entrou na Frenkel. As prateleiras estavam cheias de bolsas de couro, luvas e pastas

— Quero uma pasta, por favor. Preta.

EL ALJIBE, no Sheraton Hotel, era um dos melhores restaurantes de Buenos Aires. Angel foi sentar num canto e pôs a pasta nova em cima da mesa. O garçom aproximou-se.

— Boa-tarde.

— Começarei com *pargo* e depois quero *parrillado* com *poroto* e verduras. Escolherei a sobremesa depois.

— Pois não.

— Onde fica o banheiro?

— Lá no fundo, passando pela porta, à esquerda.

Angel levantou e encaminhou-se para os fundos do restaurante, deixando a pasta à vista, em cima da mesa. Havia um corredor estreito, com duas portas pequenas, uma delas indicada *Caballeros* e a outra *Damas*. Ao final do corredor havia uma porta dupla que dava para a cozinha barulhenta e cheia de vapor. Angel empurrou uma das portas e entrou. A atividade era frenética, cozinheiros e ajudantes correndo de um lado para o outro, tentando acompanhar o movimento intenso da hora do almoço. Garçons entravam e saíam com bandejas carregadas. Os cozinheiros gritavam com os garçons, os garçons gritavam com seus ajudantes.

Angel avançou, atravessando a cozinha e saindo pela porta dos fundos, que dava numa viela. Uma espera de cinco minutos para ter certeza de que ninguém estava em seu encalço.

Havia um táxi na esquina. Angel deu ao motorista um endereço na Humberto, saltou a um quarteirão de distância e fez sinal para outro táxi.

— *¿Adónde, por favor?*

— *Aeropuerto.*

Havia uma passagem para Londres à sua espera ali. Classe turista. A primeira classe chamaria muita atenção.

DUAS HORAS DEPOIS Angel observou a cidade de Buenos Aires desaparecer por baixo das nuvens, como um truque de algum mágico celestial. Concentrou-se na missão, pensando nas instruções que recebera.

Dê um jeito para que as crianças morram com ela. As mortes devem ser espetaculares.

Angel não gostava que lhe dissessem como executar um contrato. Somente os amadores eram bastante estúpidos para darem conselhos aos profissionais. Angel sorriu. *Todos vão morrer, e será mais espetacular do que qualquer um poderia imaginar.*

Angel dormiu, um sono profundo e sem sonhos.

O AEROPORTO HEATHROW de Londres estava apinhado de turistas, e a viagem de táxi para Mayfair levou mais de uma hora. O saguão do Churchill estava movimentado, com turistas entrando e saindo.

Um empregado pegou as três malas de Angel, que lhe disse:

— Leve para o meu quarto e deixe lá. Tenho algumas coisas a fazer agora.

A gorjeta foi modesta, nada de que o homem pudesse se lembrar mais tarde. Angel foi para o *hall* de elevadores, esperou um vazio e entrou.

Quando o elevador começou a subir, Angel apertou os botões do quinto, sétimo, nono e décimo andares. Saltou no quinto andar. Qualquer pessoa que estivesse observando do saguão ficaria confusa.

Uma escada de serviço nos fundos desembocava numa viela. Cinco minutos depois de se registrar no Churchill, Angel estava num táxi, voltando para Heathrow.

O PASSAPORTE dizia H.R. de Mendoza. A passagem estava no balcão da Tarom Airlines, para Bucareste. Angel mandou um telegrama do aeroporto.

CHEGANDO QUARTA-FEIRA
H.R. DE MENDOZA

Estava endereçado a Eddie Maltz.

NO INÍCIO DA manhã seguinte, Dorothy Stone avisou:

— Há uma ligação do gabinete de Stanton Rogers.

— Vou atender. — Mary pegou o fone, ansiosa. — Stan?

Ela ouviu a voz da secretária e teve vontade de chorar de frustração.

— O senhor Rogers pediu para lhe telefonar, senhora embaixadora. Ele está com o presidente e não tem condições de fazer uma ligação no momento. Mas pediu-me que providenciasse qualquer coisa de que precise. Se quiser me dizer qual é o problema...

— Não — respondeu Mary, fazendo um esforço para impedir que o desapontamento transparecesse em sua voz. — Eu... eu tenho de falar com ele pessoalmente.

— Creio que ele não estará disponível antes de amanhã. Pediu para avisá-la que ligará assim que puder.

— Obrigada. Ficarei esperando.

Ela desligou. Não havia mais nada a fazer, a não ser esperar.

MARY CONTINUOU tentando falar com Louis em casa. Ninguém atendia. Ligou para a embaixada francesa. Não sabiam onde ele estava.

— Por favor, peçam a ele, quando aparecer, para me telefonar imediatamente.

DOROTHY STONE INFORMOU:

— Há uma mulher na linha querendo lhe falar, mas se recusa a dizer seu nome.

— Vou atender. — Mary pegou o fone. — Aqui é a embaixadora Ashley.

Uma voz de mulher, suave, com sotaque romeno, disse:

— Aqui é Corina Socoli.

Mary reconheceu o nome no mesmo instante. Era uma linda jovem, de vinte e poucos anos, *prima ballerina* da Romênia.

— Preciso de sua ajuda — acrescentou a moça. — Decidi desertar.

Não posso cuidar disso hoje, pensou Mary. *Não agora.*

— Eu... eu não sei se posso ajudá-la.

Sua mente estava em disparada. Tentou se lembrar do que lhe haviam dito a respeito dos desertores.

"Muitos são infiltrações soviéticas. Nós os trazemos, eles nos transmitem algumas informações inócuas ou desinformações. Alguns se tornam toupeiras. Os grandes prêmios são os agentes secretos de alto nível e cientistas. Sempre podemos usá-los. Afora isso, porém, não concedemos asilo político, a menos que haja um motivo muito bom..."

Corina Socoli estava chorando agora:

— Por favor, não estou segura continuando onde estou. Precisa mandar alguém me buscar.

"Os governos comunistas preparam armadilhas insidiosas. Alguém se apresenta como desertor, pedindo ajuda. Você leva a pessoa para a embaixada e ela declara que foi sequestrada. Isso lhes dá uma desculpa para agirem contra alvos nos Estados Unidos."

— Onde você está? — perguntou Mary.

Houve uma pausa.

— Acho que posso confiar em você. Estou na Estalagem Roscow, na Moldávia. Virá me buscar?

— Não posso — respondeu Mary. — Mas mandarei alguém procurá-la. Não torne a telefonar. E fique esperando onde está. Eu...

A porta se abriu e Mike Slade entrou. Mary fitou-o em choque. Ele avançava em sua direção. A voz no outro lado da linha estava dizendo:

— Alô? Alô?

— Com quem você está falando? — perguntou Mike.

— Com... com o doutor Desforges.

Foi o primeiro nome que lhe ocorreu. Ela desligou, aterrorizada.

Não seja ridícula, disse a si mesma. *Você está na embaixada. Ele não se atreveria a fazer qualquer coisa aqui.*

— Doutor Desforges? — repetiu Mike, lentamente.

— Isso mesmo. Ele... ele está vindo para cá.

Como ela gostaria que isso fosse verdade!

Havia uma expressão estranha nos olhos de Mike Slade. A lâmpada na mesa de Mary estava acesa, projetando a sombra de Mike contra a parede, tornando-o grotescamente grande e ameaçador.

— Tem certeza que se sente bastante bem para voltar a trabalhar?

A desfaçatez do homem!

— Estou muito bem.

Mary queria desesperadamente que ele se retirasse, a fim de poder escapar. *Não devo deixar que ele perceba que estou apavorada.* Mike se adiantou mais um pouco.

— Você parece tensa. Talvez devesse pegar as crianças e passar alguns dias no lago.

Onde serei um alvo mais fácil.

Apenas fitá-lo deixava Mary com tanto medo que ela mal conseguia respirar. O interfone tocou. Era a salvação.

— Se me dá licença...

— Claro.

Mike Slade permaneceu imóvel por mais um instante, fitando-a atentamente, e depois saiu, levando sua sombra. Quase soluçando de alívio, Mary pegou o telefone.

— Alô?

Era Jerry Davis, o adido para assuntos públicos.

— Lamento incomodá-la, senhora embaixadora, mas tenho uma notícia terrível para lhe dar. Acabamos de receber um comunicado da polícia. O doutor Louis Desforges foi assassinado.

A sala começou a girar.

— Tem... tem certeza?

Memórias sensoriais a inundaram e uma voz pelo telefone estava dizendo: *"Aqui é o xerife Munster. Seu marido acaba de morrer num acidente de automóvel."* E todas as angústias passadas retornaram, dilacerando-a.

— Como... como aconteceu?

A voz de Mary estava estrangulada.

— Ele foi morto a tiros.

— Sabem quem foi?

— Não, senhora. A Securitate e a embaixada francesa estão investigando.

Mary largou o fone, a mente e o corpo entorpecidos. Recostou-se na cadeira, olhando para o teto. Havia uma rachadura. *Devo mandar consertar*, pensou Mary. *Não podemos ter rachaduras em nossa embaixada. Lá está outra rachadura. Rachaduras por toda parte. Rachaduras em nossas vidas. E quando há uma rachadura, o mal penetra por ela. Edward está morto. Louis está morto.* Ela não suportava pensar nisso. Procurou por mais rachaduras. *Não posso passar outra vez pela mesma angústia*, pensou Mary. *Quem poderia querer matar Louis?*

A resposta se sucedeu imediatamente à pergunta. *Mike Slade.* Louis descobrira que Slade estava dando arsênico a Mary. Slade provavelmente pensara que ninguém poderia provar coisa alguma contra ele com a morte de Louis.

Lembrou-se de repente de uma coisa e um novo terror a dominou. *Com quem você está falando? Doutor Desforges.* E Mike devia saber que o doutor Desforges estava morto.

Ela permaneceu em sua sala durante o dia inteiro, planejando o que faria agora. *Não vou deixar que ele me amedronte. Não vou deixar que ele me mate. Tenho de detê-lo.* Ela estava dominada por uma raiva que jamais conhecera antes. Ia se proteger e a seus filhos. E ia destruir Mike Slade.

Mary fez outra ligação para Stanton Rogers.

— Transmiti seu recado, senhora embaixadora. Ele ligará assim que puder.

MARY NÃO PODIA aceitar a morte de Louis. Ele se mostrara tão afetuoso, tão gentil, agora estava estendido em algum necrotério frio, sem vida. *Se eu tivesse voltado para o Kansas,* pensou Mary, *Louis estaria vivo hoje.*

— Senhora embaixadora...

Mary levantou os olhos. Dorothy Stone estava estendendo um envelope em sua direção.

— O guarda no portão pediu-me que lhe entregasse isto. Disse que foi entregue por um garoto.

Estava escrito no envelope: PESSOAL — PARA OS OLHOS DA EMBAIXADORA APENAS.

Mary abriu o envelope. O bilhete estava escrito em caligrafia impecável e dizia:

Prezada senhora embaixadora:
Aproveite bem o seu último dia neste mundo.

Estava assinado "Angel".

Outra das táticas de apavoramento de Mike, pensou Mary. *Não vai funcionar. Eu me manterei longe dele.*

O CORONEL MCKINNEY estava estudando o bilhete. Sacudiu a cabeça.

— Há muitos malucos por aí. — Ele levantou os olhos para Mary. — Deve comparecer hoje à cerimônia de lançamento da pedra fundamental do novo anexo da biblioteca. Vou cancelar e...

— Não precisa.

— Senhora embaixadora, é muito perigoso para...

— Estarei segura. — Mary sabia agora onde estava o perigo e tinha um plano para evitá-lo. — Onde está Mike Slade?

— Está numa reunião na embaixada australiana.

— Por favor, avise-o de que quero falar com ele imediatamente.

— QUERIA FALAR comigo? — perguntou Mike Slade, em tom indiferente.

— Queria, sim. Há uma coisa que desejo que você faça.

— Estou às suas ordens.

O sarcasmo dele era como uma bofetada.

— Recebi um telefonema de uma pessoa que quer desertar.

— Quem é?

Ela não tinha a menor intenção de lhe dizer. Ele trairia a jovem.

— Isso não é importante. Quero que vá buscar essa pessoa.

Mike franziu o rosto.

— É alguém que os romenos querem manter?

— É, sim.

— Isso pode acarretar muita...

Mary interrompeu-o bruscamente:

— Quero que vá à Estalagem Roscow, na Moldávia, e a traga para cá.

Ele fez menção de discutir, até ver a expressão no rosto de Mary.

— Se é isso o que você quer, mandarei...

— Não. — A voz de Mary era inflexível. — Quero que você vá pessoalmente. Mandarei dois homens em sua companhia.

Acompanhado por Gunny e outro fuzileiro, Mike não poderia fazer coisa alguma. Ela recomendara a Gunny para não perder Mike Slade de vista. Ele a estudava, perplexo.

— Já tenho uma agenda cheia. Talvez amanhã...

— Quero que parta imediatamente. Gunny está esperando em sua sala. Deve trazer a pessoa para cá.

O tom de Mary não permitia qualquer discussão. Mike acenou com a cabeça, lentamente.

— Está bem.

Mary observou-o partir com uma sensação de alívio tão intensa que se sentiu tonta. Com Mike longe, ela estaria segura. Ligou para o coronel McKinney e comunicou-lhe:

— Vou comparecer à cerimônia esta tarde.

— Aconselho com insistência a não fazer isso, senhora embaixadora. Por que haveria de querer se expor a um perigo desnecessário quando...?

— Não tenho alternativa. Estou representando nosso país. Qual seria a impressão se eu me escondesse cada vez que alguém fizesse uma ameaça contra a minha vida? Se eu fizer isso uma vez, nunca mais poderia erguer a cabeça. Seria melhor voltar para casa. E não tenho a menor intenção de voltar para casa, coronel.

Capítulo 28

A CERIMÔNIA DE LANÇAMENTO da pedra fundamental do novo anexo da biblioteca americana estava marcada para as quatro horas da tarde, na praça Alexandru Sahia, no enorme terreno vazio ao lado do prédio principal. Às três horas da tarde, uma vasta multidão já estava reunida ali. O coronel McKinney tivera um encontro com o capitão Aurel Istrase, diretor da Securitate.

— Claro que daremos à sua embaixadora o máximo de proteção — assegurara Istrase.

O diretor da Securitate cumprira sua palavra. Mandara retirar todos os veículos da praça, a fim de não haver qualquer perigo de um carro-bomba. A polícia estava postada em torno de toda a área e havia atiradores de elite no telhado do prédio da biblioteca.

Tudo estava pronto poucos minutos antes das quatro horas. Peritos em eletrônica haviam vasculhado toda a área e não encontraram qualquer sinal de explosivos. Depois que tudo estava verificado, o capitão Aurel Istrase disse ao coronel McKinney:

— Estamos prontos.

— Muito bem. — O coronel McKinney virou-se para um assessor. — Avise à embaixadora que pode vir.

MARY FOI ESCOLTADA até a limusine por quatro fuzileiros, que a flanquearam quando ela embarcou. Florian estava radiante.

— Boa-tarde, senhora embaixadora. A biblioteca nova vai ser grande e bonita, não?

— Claro.

Enquanto dirigia, Florian não parava de falar, mas Mary não estava prestando atenção. Pensava no riso nos olhos de Louis, na ternura com que fizera amor. Cravou as unhas nos pulsos, tentando fazer com que a dor física predominasse sobre a angústia interior. *Não devo chorar*, disse a si mesma. *O que quer que eu faça, não devo chorar. Não há mais amor, apenas ódio. O que está acontecendo com o mundo?*

Quando a limusine chegou ao local, dois fuzileiros se adiantaram até a porta, olharam ao redor atentamente e um deles abriu a porta para Mary.

— Boa-tarde, senhora embaixadora.

Enquanto Mary se encaminhava para o terreno em que a cerimônia seria realizada, dois agentes armados da Securitate seguiam à sua frente e outros dois iam atrás, protegendo-a com seus corpos. Do telhado, os atiradores de elite esquadrinhavam tudo lá embaixo.

Os espectadores aplaudiram quando a embaixadora foi para o centro do pequeno círculo aberto para a cerimônia. A multidão era formada por romenos, americanos e adidos de outras embaixadas em Bucareste. Havia uns poucos rostos familiares, mas a maioria era de estranhos.

Mary correu os olhos pela multidão e pensou: *Como posso fazer um discurso? O coronel McKinney estava certo. Eu não deveria ter vindo. Estou angustiada e apavorada.*

O coronel McKinney estava dizendo:

— Senhoras e senhores, é com o maior prazer que apresento a embaixadora dos Estados Unidos.

A multidão aplaudiu. Mary respirou fundo e começou:

— Obrigada...

Ela estivera tão absorta no turbilhão de acontecimentos da última semana que não preparara um discurso. Mas alguma fonte profunda de seu íntimo lhe ditou as palavras. Descobriu-se dizendo:

— O que estamos fazendo hoje aqui pode parecer uma coisa pequena, mas é importante, porque se trata de mais uma ponte entre nosso país e todos os países da Europa Oriental. O novo prédio que será construído aqui estará repleto de informações sobre os Estados Unidos da América. Aqui, vocês poderão saber tudo sobre a história de nosso país, as coisas boas e as coisas ruins. Poderão ver imagens de nossas cidades, fábricas e fazendas.

O coronel McKinney e seus homens circulavam lentamente pela multidão. O bilhete dissera: "Aproveite seu último dia neste mundo." Quando terminaria o dia do assassino? Seis horas da tarde? Nove horas? Meia-noite?

— ... mas há uma coisa mais importante para vocês do que descobrir como *parecem* os Estados Unidos da América. Quando este novo prédio estiver pronto, poderão finalmente saber como *sente* a América. Vamos lhes mostrar o espírito do país.

No outro lado da praça, um carro passou em disparada pela barreira policial e parou no meio-fio com um ranger de pneus. Enquanto um surpreso guarda se adiantava, o motorista saltou do carro e começou a correr. Enquanto corria, tirou do bolso um artefato e apertou-o. O carro explodiu, enviando uma chuva de metal para cima da multidão. Nenhum fragmento chegou ao lugar em que Mary estava, mas os espectadores desataram a correr em pânico, tentando escapar do ataque. Um atirador no telhado apontou seu rifle e acertou uma bala no coração do homem em fuga antes que ele pudesse escapar. A seguir, disparou mais dois tiros, por medida de precaução.

A polícia romena levou uma hora para retirar a multidão da praça Alexandru Sahia e remover o corpo do assassino em potencial. Os bombeiros apagaram as chamas do carro. Mary foi levada de volta à embaixada, abalada.

— Tem certeza de que não prefere ir para a residência e descansar? — perguntou o coronel McKinney. — Acaba de passar por uma experiência terrível que...

— Não — insistiu Mary, obstinada. — Quero ir para a embaixada.

Era o único lugar onde podia falar em segurança com Stanton Rogers. *Preciso falar com ele o mais depressa possível ou vou desmoronar por completo*, pensou Mary.

A tensão de tudo o que estava lhe acontecendo era insuportável. Ela providenciara para que Mike Slade estivesse longe, mas mesmo assim houvera um atentado contra sua vida. O que significava que ele não estava trabalhando sozinho.

Mary desejava desesperadamente que Stanton Rogers telefonasse logo.

Às SEIS HORAS Mike Slade entrou na sala de Mary. Estava furioso.

— Levei Corina Socoli para um quarto lá em cima — disse ele, bruscamente. — Gostaria que tivesse me avisado quem era a pessoa que eu ia buscar. Cometeu um grande erro. Temos de devolvê-la. Ela é um tesouro nacional. Não há a menor possibilidade de o governo romeno permitir que ela saia do país. Se...

O coronel McKinney entrou apressado na sala. Estacou abruptamente ao deparar com Mike.

— Temos a identificação do corpo. É mesmo Angel. Seu nome verdadeiro é H.R. de Mendoza.

Mike estava aturdido.

— Do que está falando?

— Esqueci — disse o coronel McKinney. — Você estava ausente durante toda a confusão. A embaixadora não lhe contou que alguém tentou matá-la hoje?

Mike virou-se para fitar Mary.

— Não.

— Ela recebeu uma mensagem de morte de Angel. Ele tentou assassiná-la durante a cerimônia esta tarde. Um dos atiradores de elite de Istrase matou-o.

Mike permaneceu em silêncio, olhando para Mary. O coronel McKinney acrescentou:

— Parece que Angel estava na lista dos mais procurados de todo o mundo.

— Onde está o corpo? — perguntou Mike.

— No necrotério da polícia.

O corpo estava estendido numa mesa de pedra, nu. Fora um homem de aparência comum, estatura mediana, feições indistintas, uma tatuagem naval num braço, nariz pequeno e fino, combinando com a boca mínima, pés bem pequenos e cabelos ralos. As roupas e pertences estavam empilhados numa mesa ao lado.

— Importa-se que eu dê uma olhada?

O sargento da polícia deu de ombros.

— De jeito nenhum. Ele também não vai se importar.

E riu da própria piada. Mike pegou o paletó e examinou a etiqueta. Era de uma loja de Buenos Aires. Os sapatos de couro também tinham uma etiqueta argentina. Havia pilhas de dinheiro ao lado das roupas, alguns lei romenos, uns poucos francos franceses, algumas libras inglesas e pelo menos dez mil dólares em pesos argentinos, uma parte nas notas novas de dez pesos e o restante nas notas desvalorizadas de milhões de pesos. Mike virou-se para o sargento.

— O que sabem sobre ele?

— Ele chegou de Londres pela Tarom Airlines há dois dias. Registrou-se no Intercontinental Hotel sob o nome de Mendoza. O passaporte indica que reside em Buenos Aires. É falsificado. — O policial adiantou-se para dar uma olhada melhor no cadáver. — Não acha que ele não parece um assassino internacional?

— Tem razão — concordou Mike. — Não parece nada.

A DUAS DÚZIAS de quarteirões dali, Angel estava passando a pé pela residência oficial da embaixadora americana, bastante depressa para não atrair a atenção dos quatro fuzileiros armados que guardavam a entrada e devagar o suficiente para absorver cada detalhe do local. As fotografias que lhe haviam mandado eram excelentes, mas Angel sempre achava que devia verificar pessoalmente cada detalhe. Perto da porta da frente havia um quinto guarda, à paisana, segurando dois dobermans em correias.

Angel sorriu ao pensar na farsa encenada na praça. Fora brincadeira de criança contratar um viciado pelo preço de uma dose de cocaína. *Pegue todo mundo de surpresa. Deixe-os sofrer.* Mas o grande espetáculo ainda estava para acontecer. *Por cinco milhões de dólares eles terão um espetáculo que nunca mais vão esquecer. Como é mesmo que as redes de televisão costumam chamar? Cenas sensacionais, espetaculares. Pois terão isso e muito mais, em cores e ao vivo.*

"Haverá uma comemoração do Quatro de Julho na residência oficial", dissera a voz. *"Haverá balões, uma banda de fuzileiros, artistas se apresentando."* Angel sorriu e pensou: *Um espetáculo de cinco milhões de dólares.*

Dorothy Stone entrou apressada na sala de Mary.

— Senhora embaixadora, deve ir imediatamente para a Sala Bolha. O senhor Stanton Rogers está chamando de Washington.

— Mary, não consigo entender uma só palavra do que está dizendo. Fale mais devagar. Respire fundo e comece de novo.

Oh, Deus, estou balbuciando como uma criança histérica!, pensou Mary. Ela estava dominada por emoções tão violentas que mal conseguia pronunciar as palavras. Estava apavorada, aliviada e furiosa, tudo ao mesmo tempo, e a voz se manifestava numa sucessão de palavras estranguladas. Respirou fundo, tremendo toda.

— Desculpe, Stan... não recebeu meu telegrama?

— Não. Acabei de voltar. Não encontrei nenhum telegrama seu. O que está acontecendo por aí?

Mary fez um esforço para controlar a histeria. *Por onde devo começar?* Ela tornou a respirar fundo.

— Mike Slade está tentando me assassinar.

Houve um silêncio chocado.

— Mary... você não pode realmente acreditar...

— É verdade. Tenho certeza. Conheci um médico da embaixada francesa... Louis Desforges. Fiquei doente e ele descobriu que eu estava sendo envenenada com arsênico. Mike é que estava me dando.

Desta vez a voz de Stanton Rogers soou mais ríspida:

— O que a faz pensar assim?

— Louis... o doutor Desforges... descobriu tudo. Mike Slade todas as manhãs me servia café com arsênico. Tenho provas de que ele se apoderou de um pesticida que contém arsênico. Ontem à noite Louis foi assassinado, e esta tarde alguém que trabalhava com Slade tentou me matar.

Desta vez o silêncio foi ainda mais prolongado. E quando Stanton Rogers tornou a falar, seu tom era urgente:

— O que vou lhe perguntar é muito importante, Mary. Pense com muito cuidado. Não poderia ser outra pessoa senão Mike Slade?

— Não. Ele vem tentando me despachar da Romênia desde o início.

— Muito bem. Vou informar tudo ao presidente. Pode deixar que cuidaremos de Slade. Enquanto isso, providenciarei uma proteção extra para você.

— Na noite de domingo, Stan, vou oferecer uma festa de Quatro de Julho na residência oficial. Os convites já foram feitos. Acha que devo cancelar?

Houve um momento de silêncio.

— Talvez até a festa seja uma boa ideia. Terá muitas pessoas ao seu redor. Não quero assustá-la mais do que já está, Mary, mas sugiro que não deixe as crianças longe de sua vista. Nem por um minuto. Slade pode tentar atingi-la por intermédio delas.

Mary sentiu um tremor percorrer seu corpo.

— O que há por trás de tudo isso? Por que ele está agindo assim?

— Eu bem que gostaria de saber. Não faz sentido. Mas pode estar certa de que vou descobrir. Enquanto isso, mantenha-se o mais distante possível de Slade.

Mary murmurou, sombriamente:

— Não se preocupe. Ele não chegará perto de mim.

— Ficarei em contato com você.

Quando Mary desligou, era como se um enorme peso tivesse sido removido de seus ombros. *Tudo vai acabar bem*, disse a si mesma. *As crianças e eu não sofreremos nada.*

EDDIE MALTZ atendeu ao primeiro toque da campainha. A conversa durou dez minutos.

— Pode deixar que providenciarei tudo — prometeu Eddie Maltz.

Angel desligou.

Eddie Maltz pensou: *Eu gostaria de saber por que Angel precisa de todas essas coisas.* Consultou o relógio. *Faltam 48 horas.*

Assim que terminou de falar com Mary, Stanton Rogers fez uma ligação de emergência para o coronel McKinney.

— Bill, sou eu, Stanton Rogers.

— Pois não, senhor. Em que posso servi-lo?

— Quero que pegue Mike Slade. Mantenha-o sob custódia vigiada até receber nova comunicação minha.

Havia um tom de incredulidade na voz do coronel quando disse:

— Mike Slade?

— Quero que ele seja detido e isolado. Provavelmente está armado e é perigoso. Não o deixe falar com ninguém.

— Está bem, senhor.

— Quero que ligue para mim na Casa Branca assim que o tiver detido.

— Certo, senhor.

O telefone de Stanton Rogers tocou duas horas depois. Ele atendeu no mesmo instante.

— Alô?

— Aqui é o coronel McKinney, senhor Rogers.

— Deteve Slade?

— Não, senhor. Há um problema.

— Que problema?

— Mike Slade desapareceu.

Capítulo 29

SÓFIA, BULGÁRIA — SÁBADO, 3 DE JULHO

NUM PRÉDIO PEQUENO e indescritível na Prezviter Kozma, 32, um grupo discreto de membros do Comitê Oriental estava reunido. Sentados em torno da mesa estavam poderosos representantes da Rússia, China, Tchecoslováquia, Paquistão, Índia e Malásia. O presidente estava dizendo:

— Damos as boas-vindas a nossos irmãos e irmãs do Comitê Oriental que se juntaram a nós hoje. Estou feliz em anunciar que tenho excelentes notícias do Controlador. Tudo está agora em seus devidos lugares. A fase final do nosso plano está prestes a ser concluída com sucesso. Acontecerá amanhã à noite, na residência oficial da embaixadora americana em Bucareste. Já providenciamos a cobertura da imprensa internacional e da televisão.

Codinome Kali perguntou:

— A embaixadora americana e seus dois filhos...?

— Serão assassinados, com cerca de mais uma centena de convidados americanos. Todos estamos conscientes dos graves riscos e do holocausto que pode se seguir. Está na hora de fazer uma votação.

Ele começou pela extremidade da mesa.

— Brahma?

— Sim.

— Vishnu?

— Sim.

— Ganesha?

— Sim.

— Yama?

— Sim.

— Indra?

— Sim.

— Krishna?

— Sim.

— Rama?

— Sim.

— Kali?

— Sim.

— É unânime — declarou o presidente. — Devemos um voto especial de agradecimento à pessoa que tanto nos ajudou na consumação do plano.

Ele virou-se para o americano.

— O prazer foi meu — disse Mike Slade.

AS DECORAÇÕES PARA a festa do Quatro de Julho foram levadas para Bucareste num Hércules C-120, ao final da tarde de sábado, sendo transferidas para um caminhão e transportadas diretamente para um armazém do governo dos Estados Unidos. A carga consistia em mil balões, vermelhos, brancos e azuis, empacotados em caixas, três cilindros de aço contendo hélio, para encher os balões, 250 pacotes de confete, bombinhas, uma dúzia de estandartes e seis dúzias de pequenas bandeiras americanas. A carga foi deixada no armazém às oito horas da noite. Duas horas depois chegou ao armazém um jipe com dois cilindros de oxigênio, com as insígnias do Exército dos Estados Unidos. O motorista levou-os para o interior do armazém.

À uma hora da madrugada, quando o armazém estava deserto, Angel apareceu. A porta do armazém fora deixada destrancada. Angel foi até os cilindros, examinou-os com todo cuidado e começou a trabalhar. A primeira providência era esvaziar os três tanques de hélio, até que cada um estivesse apenas com um terço. Depois, o resto seria simples.

NA MANHÃ DO Quatro de Julho a residência oficial da embaixadora americana estava mergulhada no caos. Os assoalhos estavam sendo lavados, os lustres limpos, os tapetes aspirados. Cada cômodo tinha os seus ruídos distintos. Havia marteladas na extremidade do salão de baile, onde estava se construindo um palanque para a banda, o zumbido dos aspiradores nos corredores, barulhos de preparo de comida na cozinha.

ÀS QUATRO HORAS da tarde, um caminhão do Exército dos Estados Unidos parou na entrada de serviço da residência. O guarda de serviço perguntou ao motorista:

— O que tem aí?

— Coisas para a festa.

— Vamos dar uma olhada.

O guarda inspecionou o interior do caminhão.

— O que tem dentro das caixas?

— Gás hélio, balões, bandeirolas, essas coisas.

— Abra as caixas.

Quinze minutos depois o caminhão passou pelo portão. Dentro da propriedade, um cabo e dois fuzileiros começaram a descarregar o equipamento, levando para uma sala de serviço grande, ao lado do salão de baile. Ao começarem a abrir as caixas, um dos fuzileiros comentou:

— Olhem só para todos esses balões! Quem vai encher tudo isso?

Eddie Maltz entrou nesse momento, acompanhado por uma pessoa estranha, que usava um macacão.

— Não se preocupem — disse Eddie Maltz. — Esta é a era da tecnologia. — Ele acenou com a cabeça para a pessoa. — Aqui está a pessoa que vai cuidar dos balões. Por ordem do coronel McKinney.

Um dos fuzileiros sorriu para a pessoa.

— Antes você do que eu.

Os dois fuzileiros se retiraram.

— Você tem uma hora — disse Eddie Maltz à pessoa. — É melhor começar a trabalhar logo. Tem muitos balões para encher.

Maltz acenou com a cabeça para o cabo e retirou-se. O cabo aproximou-se de um dos cilindros.

— O que tem aqui dentro?

— Hélio — respondeu a pessoa, bruscamente.

Enquanto o cabo ficava observando, a pessoa pegou um balão, encostou a ponta do bico de um cilindro por um instante; assim que o balão encheu, ele prendeu a ponta. Toda a operação não levou mais que um segundo.

— Mas isso é sensacional! — comentou o cabo, sorrindo.

EM SUA SALA na embaixada, Mary Ashley estava terminando alguns telegramas de ação que precisavam ser enviados imediatamente. Gostaria muito de que a festa pudesse ter sido cancelada. Haveria mais de duzentos convidados. Ela esperava que Mike Slade fosse apanhado antes de a festa começar.

Tim e Beth estavam sob constante vigilância na residência. *Como Mike Slade pode lhes fazer algum mal?* Mary se lembrava o quanto ele parecia gostar de brincar com as crianças. *Ele não é normal.*

Mary levantou-se para pôr alguns papéis no retalhador e parou de repente. Mike Slade estava entrando em sua sala, através da porta de ligação. Ela abriu a boca para gritar.

— Não!

Estava apavorada. Não havia ninguém perto o bastante para poder salvá-la. Ele poderia matá-la antes que pudesse pedir socorro. E podia escapar da mesma forma por que entrara. Como conseguira passar pelos guardas? *Não devo deixá-lo perceber como estou assustada.*

— Os homens do coronel McKinney estão à sua procura — disse Mary, em tom de desafio. — Pode me matar, mas nunca conseguirá escapar.

— Tem escutado muitos contos de fada. Angel é que está tentando matá-la.

— Está mentindo. Angel morreu. Vi quando o mataram.

— Angel é um profissional da Argentina. A última coisa que ele faria seria andar com etiquetas argentinas nas roupas e pesos argentinos nos bolsos. O idiota que a polícia matou era um amador que serviu como isca.

Faça-o falar.

— Não acredito numa só palavra do que está dizendo. *Você* matou Louis Desforges. Tentou me envenenar. Nega isso?

Mike estudou-a em silêncio por um longo momento.

— Não. Não nego nada, mas é melhor você ouvir toda a história de um amigo meu. — Ele virou para a porta de sua sala. — Entre, Bill.

O coronel McKinney entrou na sala.

— Acho que está na hora de termos uma longa conversa, senhora embaixadora...

Na resdência oficial da embaixadora, a pessoa de macacão estava enchendo os balões sob a vigilância atenta do cabo dos fuzileiros.

Puxa, mas que coisa mais feia!, pensou o cabo.

Ele não podia compreender por que os balões brancos eram enchidos num cilindro, os vermelhos no outro e os azuis no terceiro. *Por que não usar cada cilindro até ficar vazio?*, especulou o cabo. Sentiu-se tentado a perguntar, mas não queria iniciar uma conversa. *Não com uma pessoa assim.*

Através da porta aberta que dava para o salão de baile, o cabo podia ver as bandejas de *hors d'oeuvres* sendo trazidas da cozinha e arrumadas em mesas nos lados da sala. *Vai ser uma festa e tanto*, pensou o cabo.

Mary estava sentada em sua sala, de frente para Mike Slade e o coronel McKinney.

— Vamos começar pelo início — disse o coronel McKinney. — No dia da posse, quando anunciou que queria relações abertas com cada país da Cortina de Ferro, o presidente explodiu uma bomba. Há uma facção em nosso governo convencida de que os comunistas nos destruirão se nos envolvermos demais com a Romênia, Rússia, Bulgária, Albânia, Tchecoslováquia e os outros. No outro lado da Cortina de Ferro há comunistas que acreditam que o plano do presidente não passa de uma armadilha... um cavalo de Troia para infiltrar nossos espiões capitalistas em seus países. Um grupo de homens poderosos dos dois lados formara uma aliança supersecreta chamada Patriotas pela Liberdade. Eles concluíram que a única maneira de destruir o plano do presidente era deixar que fosse iniciado e depois sabotá-lo, de uma maneira tão dramática que nunca mais seria tentado. Foi nesse ponto que você entrou em cena.

— Mas por que logo eu? Por que fui escolhida?

— Porque a embalagem era importante — explicou Mike. — Você era perfeita. Uma mulher linda e simpática, a americana média, com dois filhos maravilhosos... só faltava um cachorro maravilhoso e um gato maravilhoso. Era exatamente a imagem que eles precisavam... a embaixadora irresistível... a madame

América, com dois filhos deslumbrantes. Estavam determinados a tê-la de qualquer maneira. Quando seu marido se interpôs, eles o assassinaram, dando a impressão de que fora um acidente, a fim de você não ficar desconfiada e recusar o posto.

— Santo Deus!

O horror do que Mike Slade estava dizendo era aterrador.

— A etapa seguinte foi a sua projeção. Através de sua rede, eles usaram suas ligações com a imprensa no mundo inteiro e providenciaram para que se tornasse a favorita de todos. Não havia quem não estivesse torcendo por você. Era a mulher linda que levaria o mundo pelo caminho da paz.

— E... e agora?

A voz de Mike tornou-se mais gentil:

— O plano é assassinar você e as crianças da maneira mais pública e chocante que for possível... deixando o mundo tão horrorizado que todos desistiriam de aprofundar as ideias de *détente.*

Mary estava num silêncio atordoado.

— O caso está descrito de maneira rude, mas acurada — disse o coronel McKinney. — Mike é da CIA. Depois que seu marido e Marin Groza foram assassinados, Mike começou a investigar os Patriotas pela Liberdade. Eles pensaram que Mike estava do seu lado e o convidaram a aderir. Conversamos a respeito com o presidente Ellison, que deu sua aprovação. O presidente tem sido informado de tudo. Sua maior preocupação era a sua proteção e a das crianças, mas não podia falar o que sabia com você ou qualquer outra pessoa, porque Ned Tillingast, diretor da CIA, advertira-o de que havia vazamentos nos mais altos níveis.

A cabeça de Mary parecia girar. Ela disse a Mike:

— Mas... mas você tentou me matar!

Ele suspirou.

— Estive tentando salvar sua vida. E não me facilitou o trabalho. Tentei por todos os meios possíveis despachá-la de volta para casa, com as crianças, onde estaria segura.

— Mas você me envenenou!

— Não fatalmente. Queria que ficasse bastante doente para deixar a Romênia. Nossos médicos estavam à sua espera. Eu não podia lhe contar a verdade porque você revelaria toda a operação e perderíamos a oportunidade de agarrá-los. Mesmo agora, ainda não sabemos quem criou a organização. Ele nunca comparece às reuniões. É conhecido apenas como o Controlador.

— E Louis?

— O doutor era um deles. Era o apoio de Angel. Um perito em explosivos. Destacaram-no para servir em Bucareste, a fim de poder ficar perto de você. Foi encenado um falso sequestro e você foi salva pelo cavaleiro andante. — Ele percebeu a expressão no rosto de Mary e acrescentou: — Você estava solitária e vulnerável e eles trabalharam esses pontos fracos. Não foi a primeira a cair sob o charme do bom doutor.

Mary lembrou-se de uma coisa. *O motorista sorridente. Nenhum romeno é feliz, apenas os estrangeiros. Eu detestaria que minha esposa se tornasse uma viúva.* Ela disse, lentamente:

— Florian estava envolvido. Ele usou o pneu furado como um pretexto para que eu abandonasse o carro.

— Teremos de pegá-lo.

Uma coisa perturbava Mary.

— Mike... por que você matou Louis?

— Não tinha opção. O ponto principal do plano deles era assassinar você e as crianças de maneira tão espetacular quanto possível, à vista do mundo inteiro. Louis sabia que eu pertencia ao comitê. Ficou desconfiado quando descobriu que era eu quem estava envenenando você. Não era assim que você deveria morrer. Tive de matá-lo antes que ele me denunciasse.

Mary escutava consternada, enquanto as peças do quebra-cabeça se ajustavam em seus lugares. O homem de quem ela desconfiara a estava envenenando para mantê-la viva, enquanto o homem que pensara amar queria guardá-la para uma morte mais dramática. Ela e os filhos haviam sido usados. *Fui a vítima de Judas*, pensou Mary. *Todo carinho que as pessoas demonstravam era falso. O único autêntico foi Stanton Rogers. Ou será que ele também...?*

— Stanton... — murmurou Mary. — Ele também...?

— Ele a tem protegido desde o início — assegurou o coronel McKinney. — Quando pensou que Mike estava tentando matá-la, ordenou que eu o prendesse.

Mary virou-se para Mike. Ele fora enviado a Bucareste para protegê-la, e durante todo o tempo ela o considerara o inimigo. Seus pensamentos eram um verdadeiro turbilhão.

— Louis nunca teve esposa e filhas?

— Nunca.

Mary lembrou-se de uma coisa.

— Mas... pedi a Eddie Maltz para verificar e ele me disse que Louis fora casado e tivera duas filhas.

Mike e o coronel McKinney trocaram um olhar.

— Cuidaremos dele — disse McKinney. — Mandei-o para Frankfurt. Providenciarei para que o prendam.

— Quem é Angel? — perguntou Mary.

Foi Mike quem respondeu:

— É um assassino da América do Sul. Provavelmente o melhor do mundo. O comitê concordou em lhe pagar cinco milhões de dólares para matar você.

Mary estava incrédula. Mike continuou:

— Sabemos que ele está em Bucareste. Normalmente estaríamos vigiando tudo... aeroportos, estradas, estações ferroviárias... mas não temos nenhuma descrição de Angel. Ninguém jamais falou diretamente com ele. Tudo é acertado por intermédio de sua amante, Neusa Muñez. Os diferentes grupos do comitê funcionam de maneira tão isolada que nunca pude descobrir quem foi designado para ajudá-lo aqui ou qual é o plano de Angel.

— O que pode impedir que ele me mate?

— Nós — respondeu o coronel McKinney. — Com a ajuda do governo romeno, estamos tomando precauções extraordinárias para a festa de hoje. Cobrimos todas as possibilidades.

— O que vai acontecer agora? — indagou Mary.

Mike respondeu com muito cuidado:

— Isso depende de você. Angel recebeu a ordem de executar o contrato em sua festa esta noite. Temos certeza de que podemos apanhá-lo, mas se você e as crianças não estiverem na festa...

Ele não concluiu a frase.

— Então Angel não tentará nada.

— Não hoje. Mais cedo ou mais tarde, ele tentará de novo.

— Estão me pedindo para servir como alvo.

O coronel McKinney disse:

— Não precisa concordar, senhora embaixadora.

Posso acabar com tudo isso agora. Voltaria para o Kansas com as crianças e deixaria esse pesadelo para trás. Recomeçaria minha vida anterior, voltaria a dar aulas, viveria como um ser humano normal. Ninguém quer assassinar uma simples professora. Angel me esqueceria.

Ela olhou para Mike Slade e o coronel McKinney e disse:

— Não quero expor meus filhos ao perigo.

— Posso dar um jeito para que Beth e Tim sejam retirados da residência discretamente e trazidos sob escolta para cá — sugeriu o coronel McKinney.

Mary ficou olhando em silêncio para Mike Slade por um longo momento, antes de murmurar:

— Que tal um vestido com um alvo no meio?

Capítulo 30

NA SALA DO CORONEL MCKINNEY, na embaixada, duas dúzias de fuzileiros estavam recebendo ordens.

— Quero que a residência seja vigiada como o Forte Knox — declarou o coronel McKinney, em tom brusco. — Os romenos estão dando toda a cooperação. Ionescu determinou que seus soldados isolem completamente a praça. Ninguém poderá atravessar sem passe. Teremos os nossos postos de controle em todas as entradas da residência. Qualquer pessoa que entrar ou sair terá de passar por um detector de metal. O prédio e o terreno ficarão completamente cercados. Teremos atiradores de elite no telhado. Alguma pergunta?

— Não, senhor.

— Estão dispensados.

HAVIA NO AR um grande sentimento de excitação. Imensos holofotes cercavam a casa, iluminando o céu. Policiais militares americanos e guardas romenos obrigavam a multidão a se movimentar. Investigadores à paisana misturavam-se com a multidão, procurando por qualquer pessoa suspeita. Alguns circulavam com cães da polícia treinados para farejar explosivos.

A cobertura da imprensa era total. Havia fotógrafos e repórteres de uma dúzia de países. Todos haviam sido cuidadosamente investigados e seus equipamentos examinados, antes de receberem permissão para entrar na residência.

— Uma barata não conseguiria entrar aqui esta noite — gabou-se o oficial dos fuzileiros no comando da segurança.

NO DEPÓSITO, o cabo dos fuzileiros já estava cansado de observar a pessoa que enchia os balões. Ele tirou um cigarro do bolso e ia acendê-lo quando Angel gritou:

— Apague isso!

O fuzileiro olhou para Angel, surpreso.

— Qual é o problema? Não está enchendo os balões com hélio? O hélio não é inflamável.

— Apague isso! O coronel McKinney disse que ninguém podia fumar aqui.

O fuzileiro resmungou:

— Mas que merda!

Ele largou o cigarro no chão e apagou-o com a sola do sapato. Angel observou para se certificar de que não restavam brasas, depois voltou a se concentrar no trabalho de encher cada balão de um cilindro diferente.

Era verdade que o hélio não era inflamável, só que nenhum dos cilindros continha apenas hélio. O primeiro tanque estava cheio de propano, o segundo, de fósforo branco, e o terceiro, de uma mistura de oxigênio e acetileno. Na noite anterior, Angel deixara bastante hélio nos cilindros para fazer com que os balões subissem.

Estava enchendo um em cada dez balões com propano, um em cada cinquenta com oxigênio e acetileno, e um em cada cem com fósforo branco. Quando os balões explodissem, o fósforo branco agiria como um incendiário para a descarga inicial de gás, sugando o oxigênio, de tal forma que todas as pessoas num raio de cinquenta metros ficariam completamente sem ar. O fósforo se transformaria no mesmo instante num líquido escaldante, caindo sobre todas as pessoas no salão de baile. O efeito térmico destruiria os pulmões e vias respiratórias, e a explosão demoliria a área de um quarteirão. Seria uma beleza.

Angel empertigou-se e olhou para os balões coloridos flutuando contra o teto do depósito.

— Já acabei.

— Está certo. Tudo o que temos de fazer agora é levar os balões para o salão de baile e deixar os convidados se divertirem. — O cabo chamou quatro guardas. — Ajudem-me a tirar estes balões daqui.

Um dos guardas abriu a porta para o salão de baile. Estava todo decorado com bandeiras americanas e faixas vermelhas, brancas e azuis. Na outra extremidade estava o palanque para a banda. O salão já estava cheio de convidados, servindo-se nas mesas do bufê, encostadas nas paredes, nos lados.

— É um lindo salão — comentou Angel. *Dentro de uma hora estará repleto de cadáveres carbonizados.* — Posso tirar uma fotografia?

O cabo deu de ombros.

— Por que não? Vamos, pessoal, comecem a trabalhar.

Os fuzileiros passaram por Angel e começaram a empurrar os balões cheios para o salão de baile, observando enquanto flutuavam para o teto.

— Mais cuidado — advertiu Angel. — Devagar.

— Não se preocupe — gritou um fuzileiro. — Não vamos furar os seus preciosos balões.

Angel ficou na porta, contemplando as cores exuberantes que subiam pelo salão. Não pôde deixar de sorrir. Mil daquelas belezas letais aninhadas contra o teto. Tirou uma câmera do bolso e avançou para o salão.

— Ei, você não tem permissão para entrar aí! — protestou o cabo.

— Só quero tirar uma foto para minha filha.

Aposto que a filha deve ser também uma beleza, pensou o cabo, sardônico.

— Está bem. Mas não demore.

Angel olhou pelo salão para a entrada. A embaixadora Mary Ashley estava chegando, acompanhada pelos dois filhos. Angel sorriu. A ocasião mais oportuna.

Quando o cabo virou as costas, Angel rapidamente pôs a câmera sob uma mesa coberta por uma toalha, onde não poderia ser vista. O mecanismo de tempo automático estava armado para funcionar dentro de uma hora. Estava tudo pronto.

O fuzileiro estava se aproximando.

— Já acabei — disse Angel.

— Vou acompanhar você até a saída.

— Está bem.

Cinco minutos depois Angel estava fora da residência, afastando-se a pé pela rua Alexandru Sahia.

APESAR DE SER uma noite quente e úmida, a área em torno da residência oficial da embaixadora americana se tornara um verdadeiro hospício. A polícia fazia o maior esforço para conter centenas de romenos curiosos que continuavam a chegar. Cada luz na residência estava acesa, e o prédio parecia arder contra o céu noturno.

ANTES DE A FESTA começar, Mary levara as crianças para o segundo andar.

— Precisamos ter uma reunião de família — disse ela, sentindo que tinha a obrigação de lhes contar a verdade.

Eles escutaram, com os olhos arregalados, enquanto a mãe explicava o que estava acontecendo e qual poderia ser o resultado final.

— Cuidarei para que vocês não corram qualquer perigo — acrescentou Mary. — Serão tirados daqui e levados para um lugar onde estarão seguros.

— Mas o que você vai fazer? — indagou Beth. — Alguém está tentando matá-la. Não pode ir com a gente?

— Não, querida. Não se quisermos apanhar o homem.

Tim fazia a maior força para não chorar.

— Como sabe que eles conseguirão apanhá-lo?

Mary pensou por um momento, antes de responder:

— Porque Mike Slade disse que vão agarrá-lo. Certo, pessoal?

Beth e Tim trocaram um olhar. Os dois estavam pálidos, apavorados. Mary sentia um aperto no coração. *Eles são ainda muito jovens para passarem por isso,* pensou. *Qualquer um é jovem demais para passar por isso.*

VESTIU-SE COM TODO cuidado, imaginando se não estaria se aprontando para a sua morte. Escolheu um longo formal, de *chiffon* vermelho, com sandálias de saltos altos, também vermelhas. Contemplou-se no espelho. O rosto estava muito pálido.

Quinze minutos depois, Mary, Beth e Tim entraram no salão de baile. Foram andando, cumprimentando os convidados, tentando disfarçar o nervosismo. Quando chegaram ao outro lado do salão, Mary virou-se para os filhos.

— Vocês precisam fazer os deveres de casa — disse ela, em voz alta. — Voltem para seus quartos.

Ela observou-os se retirarem, com um caroço na garganta, pensando: *Peço a Deus que Mike Slade saiba o que está fazendo.*

Houve um estrondo alto e Mary teve um sobressalto. Virou-se no mesmo instante para ver o que estava acontecendo, o coração disparado. Uma garçom deixara cair uma bandeja e estava recolhendo os pratos quebrados. Mary tentou controlar as batidas do coração. Como Angel estava planejando assassiná-la? Correu os olhos pelo festivo salão de baile, mas não havia qualquer pista.

No momento em que deixaram o salão de baile, as crianças foram levadas pelo coronel McKinney para uma entrada de serviço. Ele disse aos dois fuzileiros armados que esperavam na porta:

— Leve-os para o gabinete da embaixadora. Não os deixem longe de suas vistas por um instante sequer.

Beth perguntou:

— Não vai mesmo acontecer nada com mamãe?

— Tudo vai acabar bem — prometeu McKinney.

E ele rezou para que assim fosse. Mike Slade observou Beth e Tim partirem, depois foi se encontrar com Mary.

— As crianças já estão a caminho — informou ele. — Tenho de verificar algumas coisas agora. Voltarei daqui a pouco.

— Não me deixe. — As palavras saíram antes que Mary pudesse se controlar. — Quero ir com você.

— Por quê?

Ela respondeu com toda sinceridade:

— Eu me sinto mais segura ao seu lado.

Mike sorriu.

— Isto é uma mudança e tanto. Vamos.

Mary seguiu-o, logo atrás. A banda começara a tocar e muitas pessoas dançavam. O repertório era de canções americanas, quase todas de musicais da Broadway. Tocavam números de *Oklahoma, South Pacific, Annie get your gun* e *My fair lady*. Os convidados estavam se divertindo imensamente. Os que não dançavam se serviam das bandejas de prata com champanhe que os garçons distribuíam ou pegavam comida nas mesas do bufê.

O salão parecia espetacular. Mary levantou a cabeça e lá estavam os balões — mil balões — flutuando contra o teto rosa. Era uma ocasião festiva. *Se ao menos a morte não fosse parte do espetáculo*, pensou ela. Seus nervos estavam tão tensos que ela estava pronta para gritar. Um convidado esbarrou nela e Mary se encolheu contra a picada de uma agulha letal. Ou será que Angel planejava matá-la a tiros na frente de toda aquela gente? Ou apunhalá-la? O *suspense* do que podia acontecer era insuportável. Estava encontrando dificuldade para respirar. No meio dos convidados conversando e rindo, ela sentia-se nua e vulnerável. Angel podia estar em qualquer lugar. Podia estar observando-a naquele mesmo instante.

— Acha que Angel está aqui neste momento? — perguntou ela.

— Não sei — respondeu Mike. E isso era o mais assustador. Ele viu a expressão de Mary e acrescentou: — Se quiser se retirar...

— Não. Você disse que sou a isca. Sem a isca, ele não vai dar o bote.

Mike acenou com a cabeça e apertou-lhe o braço.

— É verdade.

O coronel McKinney estava se aproximando.

— Realizamos uma revista meticulosa, Mike. Não encontramos nada. Isso não me agrada.

— Vamos dar outra olhada.

Mike fez um sinal para os quatro fuzileiros armados que estavam próximos e eles se adiantaram para junto de Mary. Ele acrescentou para ela:

— Voltarei num instante.

Mary engoliu em seco, nervosamente.

— Por favor.

Mike e o coronel McKinney, acompanhados por dois guardas com cães farejadores, revistaram todos os cômodos no segundo andar da residência.

— Nada — disse Mike.

Foram falar com o fuzileiro que estava vigiando a escada dos fundos.

— Algum estranho apareceu aqui?

— Não, senhor. É uma noite de domingo tranquila e normal.

Nem tanto, pensou Mike, amargurado.

Foram para um quarto de hóspedes no final do corredor. Um fuzileiro armado estava de guarda ali. Bateu continência para o coronel e deu um passo para o lado, a fim de deixá-los entrar. Corina Socoli estava deitada na cama, lendo um livro em romeno. Jovem, bela e talentosa, o tesouro nacional romeno. Poderia ser uma infiltração? Poderia estar ajudando Angel? Corina levantou os olhos.

— Lamento não poder ir à festa. Parece muito divertida. Mas não tem problema, continuarei no quarto e acabarei o livro.

— Isso mesmo. — Mike fechou a porta. — Vamos dar outra olhada lá embaixo.

Eles voltaram à cozinha.

— O que acha de veneno? — sugeriu o coronel McKinney. — Ele não poderia usá-lo?

Mike sacudiu a cabeça.

— Não é suficientemente fotogênico. Angel está querendo uma grande explosão.

— Não há a menor possibilidade de alguém trazer explosivos para cá. Nossos peritos já examinaram tudo, os cachorros circularam... o lugar está limpo. Ele não pode nos atingir através do telhado, porque é à prova de bombas. É simplesmente impossível.

— Há uma maneira.

O coronel McKinney olhou para Mike.

— Qual?

— Não sei. Mas Angel sabe.

ELES TORNARAM a revistar a biblioteca e as salas. Nada. Passaram pelo depósito, onde o cabo e seus homens empurravam os últimos balões para o salão de baile, observando-os flutuarem para o teto.

— Bonito, hem? — disse o cabo.

— É mesmo.

Começaram a se afastar. Mike parou de repente.

— De onde vieram esses balões, cabo?

— Da base aérea dos Estados Unidos em Frankfurt, senhor.

Mike apontou para os cilindros de hélio.

— E aquilo?

— Do mesmo lugar. Foram escoltados até nosso armazém de acordo com suas instruções, senhor.

Mike disse ao coronel McKinney:

— Vamos verificar lá em cima mais uma vez.

Eles se viraram para sair. O cabo disse:

— Ah, coronel, a pessoa que o senhor mandou esqueceu de deixar a ficha de serviço. Vai ser pago pela folha militar ou pela civil?

O coronel McKinney franziu o rosto.

— Que pessoa?

— A que autorizou a encher os balões.

O coronel McKinney sacudiu a cabeça.

— Eu nunca... Quem disse que fui eu que autorizei?

— Eddie Maltz. Ele disse que o senhor...

O coronel McKinney não o deixou continuar.

— *Eddie Maltz?* Ordenei que ele fosse para Frankfurt.

Mike virou-se para o cabo, com um tom de urgência na voz:

— Como era esse homem?

— Não era um homem, senhor. Era uma mulher. Para ser franco, achei-a muito esquisita. Gorda e feia. Tinha um sotaque engraçado. Era toda bexiguenta, o rosto inchado.

Mike disse a McKinney, muito excitado:

— Parece a descrição de Neusa Muñez que Harry Lantz forneceu ao comitê.

A revelação atingiu os dois ao mesmo tempo. Mike disse, lentamente:

— Santo Deus, Neusa Muñez é Angel! — Apontou para os cilindros. — Ela encheu os balões com esses tanques?

— Isso mesmo, senhor. E achei estranho. Acendi um cigarro e ela gritou para que eu apagasse. Eu disse "Hélio não é inflamável" e ela...

Mike levantou os olhos.

— Os balões! Os explosivos estão nos balões!

Os dois homens olharam para o teto alto, coberto pelos espetaculares balões vermelhos, brancos e azuis.

— Ela está usando alguma espécie de mecanismo de controle remoto para explodi-los. — Mike virou-se para o cabo. — Há quanto tempo ela foi embora?

— Acho que há cerca de uma hora.

POR BAIXO DA mesa, sem ser visto, o mecanismo de tempo estava a seis minutos do prazo fatal.

MIKE ESQUADRINHAVA FRENETICAMENTE o imenso salão.

— Ela pode ter escondido em qualquer lugar. Pode entrar em ação a qualquer segundo. Jamais conseguiríamos encontrá-lo a tempo.

Mary estava se aproximando. Mike virou-se para ela.

— Tem de evacuar o salão. E depressa. Faça um anúncio. Vai parecer melhor se partir de você. Mande todo mundo lá para fora.

Mary estava espantada.

— Mas... por quê? O que aconteceu?

— Descobrimos o brinquedo de Angel. — Mike apontou para o teto, sombrio. — Aqueles balões. São letais.

Mary olhava com expressão horrorizada.

— Não podemos tirá-los?

Mike disse asperamente:

— Deve haver mil balões. Quando se começar a tirá-los, um a um...

A garganta de Mary estava tão ressequida que as palavras quase não saíram.

— Mike... conheço um meio.

Os dois homens a fitavam atentamente.

— A "loucura do embaixador". O teto. Pode-se abri-lo.

Mike tentou controlar seu excitamento.

— Como funciona?

— Há uma alavanca que...

— Não — disse Mike. — Não podemos usar nada elétrico. Uma centelha poderia explodir os balões. Não se pode abrir manualmente?

— É possível. — As palavras saíam se atropelando. — O teto é dividido ao meio. Há uma manivela em cada lado que...

Mary estava falando sozinha. Os dois homens subiram a escada, frenéticos. Chegando ao último andar, encontraram a porta que dava para o sótão e entraram. Uma escada de madeira levava a um passadiço por cima, que era usado pelos operários para limpar o teto do salão de baile. Havia uma manivela na parede.

— Deve haver uma manivela no outro lado — disse Mike.

Ele começou a avançar pelo passadiço estreito, abrindo caminho pelo mar de balões letais, fazendo um esforço para manter o equilíbrio, sem olhar para as pessoas lá embaixo. Uma corrente de ar empurrou uma massa de balões em sua direção e ele escorregou. Um pé deslizou para fora do passadiço. Começou a cair. Segurou-se nas tábuas, ficou pendurado. Lentamente, conseguiu subir. Estava encharcado de suor. Foi engatinhando pelo resto do caminho. Lá estava a manivela, presa à parede.

— Estou pronto — gritou Mike para o coronel. — Tome cuidado: Nada de movimentos bruscos.

— Certo.

Mike começou a girar a manivela, bem devagar.

POR BAIXO DA mesa, o detonador estava a dois minutos do prazo fatal.

MIKE NÃO PODIA ver o coronel McKinney por causa dos balões, mas podia ouvir o barulho da outra manivela sendo girada. Devagar, bem devagar, o teto começou a se abrir. Uns poucos balões, levantados pelo hélio, subiram pelo ar noturno. À medida que a abertura aumentou, mais balões começaram a escapar. Centenas saíram pela abertura, dançando na noite estrelada, arrancando exclamações de admiração das pessoas que estavam no salão de baile e na rua, sem desconfiarem de nada.

Lá embaixo, restavam 45 segundos para o controle remoto ser acionado. Alguns balões prenderam na beira do teto, fora do alcance de Mike. Ele se esticou todo para a frente, tentando soltá-los. Balançavam pouco além das pontas de seus dedos. Com extremo cuidado, avançou pelo passadiço, sem ter nada em que se segurar, e estendeu-se para soltar os balões. *Agora!*

Mike ficou onde estava, observando os últimos balões escaparem. Foram subindo cada vez mais alto, pintando a noite suave com suas cores fortes, até que repentinamente o céu explodiu.

Houve um tremendo estrondo, e as línguas de fogo vermelhas e brancas se elevaram pelo céu. Era uma comemoração do Quatro de Julho como se nunca vira antes. Lá embaixo, todos aplaudiram.

Mike observava, esgotado, cansado demais para se mexer. Estava acabado.

As prisões foram marcadas para ocorrer simultaneamente, nos cantos mais distantes do mundo.

Floyd Baker, o secretário de Estado, estava na cama com a amante quando a porta foi arrombada. Quatro homens entraram no quarto.

— Mas o que estão fazendo...?

Um dos homens tirou a identificação do bolso.

— FBI, senhor secretário. Está preso.

Floyd Baker olhou espantado para o homem.

— Você deve estar louco. Qual é a acusação?

— Traição, Thor.

O general Oliver Brooks, Odin, estava tomando o café da manhã em seu clube quando dois agentes do FBI se aproximaram da mesa e o prenderam.

Sir Alex Hyde-White, membro do Parlamento, Freyr, estava sendo homenageado com um brinde num jantar parlamentar quando o mordomo do clube aproximou-se e disse:

— Com licença, sir Alex, mas há alguns cavalheiros lá fora que desejam lhe falar...

Em Paris, na Chambre des Députés de la République Française, um deputado, Balder, foi chamado para fora do plenário e preso por agentes da DGSE.

No prédio do Parlamento, em Nova Délhi, o porta-voz do Lok Sabha, Vishnu, foi metido numa limusine e levado para a prisão.

Em Roma, um membro da Camera dei Deputati, Tyr, estava num banho turco quando foi preso.

A LIMPEZA não parou por aí.

Altas autoridades foram presas no México, Albânia e Japão. O mesmo aconteceu com um membro do Bundestag da Alemanha Ocidental, um deputado do Nationalrat na Áustria, o vice-presidente do Presidium da União Soviética.

As prisões incluíram também o presidente de uma grande companhia de navegação, um poderoso líder sindical, um evangelista da televisão e o diretor de um grande cartel petrolífero.

EDDIE MALTZ FOI morto a tiros quando tentava fugir.

PETE CONNORS se suicidou quando os agentes do FBI arrombavam a porta de seu escritório.

MARY E MIKE Slade estavam sentados na Sala Bolha, recebendo informações do mundo inteiro. Mike estava ao telefone.

— Vreeland — disse ele. — É um parlamentar na África do Sul.

Ele desligou e virou-se para Mary.

— Prenderam quase todos. Ainda não pegaram o Controlador e Neusa Muñez... Angel.

— Ninguém sabia que Angel era uma mulher? — indagou Mary, espantada.

— Não. Ela enganou a todos nós. Lantz descreveu-a para o comitê dos Patriotas pela Liberdade como uma mulher estúpida, gorda e feia.

— E o Controlador?

— Ninguém jamais o viu. Ele dava as ordens pelo telefone. Era um organizador brilhante. O comitê estava dividido em pequenas células, a fim de que um grupo nunca soubesse o que o outro estava fazendo.

ANGEL ESTAVA furioso. Na verdade, estava mais do que furioso. Era como um animal enlouquecido. O contrato fracassara, mas estava disposto a compensar. Ligara para o número privado em Washington e falara, usando sua voz apática:

— Angel disse que não precisa se preocupar. Houve algum engano, mas cuidaremos de tudo. Todos morrerão na próxima vez e...

— Não haverá uma próxima vez — explodira a voz. — Angel estragou tudo. Ele é pior do que um amador.

— Angel me disse...

— Não quero saber o que ele disse a você. Angel está liquidado. Não vai receber dinheiro nenhum. Basta dizer ao filho da puta para se manter longe de mim. Encontrarei outra pessoa que saiba fazer um trabalho direito.

E batera o telefone.

O gringo filho da puta. Ninguém jamais tratara Angel assim e vivera para contar a história. O orgulho estava em jogo. O homem tinha de pagar. E pagaria muito caro!

O TELEFONE PARTICULAR na Sala Bolha tocou. Mary atendeu. Era Stanton Rogers.

— Mary! Você está salva! E as crianças estão bem?

— Estamos todos bem, Stan.

— Graças a Deus acabou. Conte-me o que aconteceu exatamente.

— Foi Angel. Ela tentou explodir a residência e...

— Está querendo dizer *ele.*

— Não. Angel é uma mulher. Seu nome é Neusa Muñez.

Houve um silêncio longo e atordoado.

— *Neusa Muñez?* Aquela mulher gorda, estúpida e feia era *Angel*?

Mary sentiu um calafrio percorrer seu corpo.

— Isso mesmo, Stan.

— Há alguma coisa que eu possa fazer por você, Mary?

— Não. Estou indo ver meus filhos. Conversarei com você mais tarde.

Ela desligou e ficou imóvel, desconcertada. Mike fitou-a.

— Qual é o problema?

Ela se virou para ele.

— Disse que Harry Lantz só contou aos membros do comitê como Neusa Muñez era.

— É verdade.

— Pois Stanton Rogers acaba de descrevê-la.

ASSIM QUE DESEMBARCOU do avião no Aeroporto Dulles, Angel foi direto para uma cabine telefônica e discou o número particular do Controlador. A voz familiar disse:

— Stanton Rogers.

DOIS DIAS DEPOIS, Mike, o coronel McKinney e Mary estavam sentados na sala de conferências da embaixada. Um perito em eletrônica acabara de limpá-la.

— Tudo se ajusta agora — disse Mike. — O Controlador só podia ser Stanton Rogers, mas nenhum de nós podia perceber isso.

— Mas por que ele queria me matar? — indagou Mary. — No começo, ele foi *contra* minha escolha para embaixadora. Ele próprio me contou.

Mike explicou:

— Ele ainda não terminara de formular seu plano na ocasião. Mas depois que compreendeu o que você e seus filhos simbolizavam, então tudo ficou definido. A partir desse momento, ele passou a lutar por sua designação. Foi o que nos confundiu. Ele estava por trás de você o tempo todo, providenciando para que tivesse a maior projeção na imprensa, cuidando para que fosse vista em todos os lugares certos pelas pessoas certas.

Mary estremeceu.

— Por que ele haveria de querer se envolver com...?

— Stanton Rogers nunca perdoou Paul Ellison por se tornar presidente. Sentia-se trapaceado. Ele começou como um liberal e casou com uma reacionária de extrema direita. Meu palpite é de que a esposa convenceu-o a mudar de posição.

— Já o encontraram?

— Ainda não. Ele desapareceu. Mas não pode se esconder por muito tempo.

O CORPO DE STANTON ROGERS foi encontrado num aterro de lixo em Washington dois dias depois. Os olhos haviam sido arrancados.

Capítulo 31

O PRESIDENTE PAUL ELLISON estava telefonando da Casa Branca.

— Eu me recuso a aceitar sua renúncia.

— Lamento, senhor presidente, mas não posso...

— Mary, sei muito bem o quanto você sofreu, mas estou lhe pedindo para permanecer em seu posto na Romênia.

Sei muito bem o quanto você sofreu. Será que alguém tinha alguma ideia? Ela era extremamente ingênua quando chegou, transbordando de ideais e esperanças. Seria o símbolo e o espírito de seu país. Mostraria ao mundo como os americanos eram realmente maravilhosos. E durante todo o tempo não passara de um joguete. Fora usada pelo presidente, pelo governo, por todos que a cercavam. Ela e os filhos haviam sido levados para um perigo mortal. Pensou em Edward e em como ele fora assassinado, em Louis, suas mentiras e sua morte. Pensou na destruição que Angel semeara pelo mundo inteiro.

Não sou mais a mesma pessoa que era quando cheguei aqui, pensou Mary. *Eu era uma inocente. Amadureci da maneira mais árdua, mas amadureci. Consegui realizar alguma coisa aqui. Tirei Hannah Murphy da prisão, fechei a venda dos cereais. Salvei a vida do filho de Ionescu e obtive o empréstimo bancário para os romenos. Salvei alguns judeus.*

— Alô? — disse o presidente. — Ainda está ao telefone?

— Estou, sim, senhor.

Mary olhou através da mesa para Mike Slade, que estava arriado na cadeira, observando-a.

— Tem feito um trabalho extraordinário — disse o presidente. — Todos estamos muito orgulhosos de você. Já leu os jornais?

Mary não estava interessada nos jornais.

— Você é a pessoa de que precisamos aí. Estará prestando um grande serviço a seu país, minha cara.

O presidente estava esperando por uma resposta. Mary pensava, avaliando sua decisão. *Eu me tornei uma excelente embaixadora e ainda resta muita coisa para se fazer aqui.* Ela disse finalmente:

— Senhor presidente, se eu concordar em ficar, vou exigir que nosso país conceda asilo a Corina Socoli.

— Lamento muito, Mary. Já expliquei por que não podemos fazer isso. Ionescu se sentiria ofendido e...

— Ele vai superar. Conheço Ionescu, senhor presidente. Ele a está usando como um instrumento de barganha.

Houve um silêncio prolongado.

— Como a tiraria da Romênia?

— Um avião militar de carga deve chegar pela manhã. Eu a mandaria nesse avião.

Outra pausa.

— Entendo. Muito bem. Acertarei tudo com o Departamento de Estado. Se isso é tudo...?

Mary tornou a olhar para Mike Slade.

— Não, senhor. Há mais uma coisa. Quero que Mike Slade fique aqui comigo. Preciso dele. Formamos uma boa dupla.

Mike observava-a, com um sorriso nos lábios.

— Infelizmente, isso é impossível — declarou o presidente. — Preciso de Slade aqui. Ele já tem outra missão.

Mary ficou apertando o fone, sem dizer nada. O presidente acrescentou:

— Mandaremos outra pessoa. Pode escolher. Qualquer um que quiser.

Silêncio.

— Precisamos realmente de Mike aqui.

Mary tornou a olhar para Mike. O presidente disse:

— Mary? Alô? O que é isso... uma espécie de chantagem?

Mary continuou em silêncio, esperando. O presidente acabou cedendo, com evidente relutância:

— Bom, imagino que se você precisa mesmo dele, podemos dispensá-lo por algum tempo.

Mary sentiu uma alegria intensa.

— Obrigada, senhor presidente. Terei o maior prazer em continuar como sua embaixadora.

O presidente tinha um comentário final:

— É uma tremenda negociadora, senhora embaixadora. Tenho alguns planos interessantes para você quando terminar seu serviço aí. Boa sorte. E não se meta em encrencas.

Ele desligou. Mary repôs o fone no gancho, devagar. Olhou para Mike.

— Você continuará aqui. E ele me disse para não me meter em encrencas.

Mike Slade sorriu.

— O presidente tem muito senso de humor. — Ele levantou-se e aproximou-se de Mary. — Lembra do dia em que nos conhecemos e eu disse que você era um dez perfeito?

Ela se lembrava, e muito bem.

— Lembro.

— Pois eu estava enganado. *Agora* você é um dez perfeito.

Ela sentiu um calor se irradiar por seu corpo.

— Oh, Mike...

— Já que vou ficar, senhora embaixadora, é melhor conversarmos sobre o problema que estamos tendo com o ministro do Comércio romeno. — Ele fitou-a nos olhos e acrescentou, gentilmente: — Aceita um café?

Epílogo

ALICE SPRINGS, AUSTRÁLIA

A PRESIDENTE ESTAVA falando ao comitê:

— Sofremos um revés, mas por causa das lições aprendidas nossa organização será ainda mais forte. Agora, vamos fazer uma votação. Afrodite?

— Sim.

— Atena?

— Sim.

— Cibele?

— Sim.

— Selene?

— Considerando a morte horrível de nosso ex-Controlador, não deveríamos esperar até...

— Sim ou não, por favor.

— Não.

— Nice?

— Sim.

— Nêmesis?

— Sim.

— A moção está aprovada. Por favor, adotem as precauções habituais.

Este livro foi composto na tipografia
Minion Pro, em corpo 11/15, e impresso em
papel off-white no Sistema Digital Instant Duplex
da Divisão Gráfica da Distribuidora Record.